主　編◎錢超塵
副主編◎王育林　劉　陽

仁和寺本《黃帝内經太素》（上）

《黃帝内經》版本通鑒
第一輯

北京科学技术出版社

圖書在版編目（CIP）數據

仁和寺本《黄帝内經太素》：全三册 / 錢超塵主編．—北京：北京科學技術出版社，2019.3

（《黄帝内經》版本通鑒．第一輯）

ISBN 978－7－5714－0104－7

Ⅰ．①仁…　Ⅱ．①錢…　Ⅲ．①《黄帝内經太素》　Ⅳ．①R221.3

中國版本圖書館 CIP 數據核字（2019）第018237號

仁和寺本《黄帝内經太素》：全三册（《黄帝内經》版本通鑒・第一輯）

主　　編： 錢超塵
策劃編輯： 侍　偉　吴　丹
責任編輯： 吕　艷　周　珊
責任印製： 李　茗
責任校對： 賈　榮
出 版 人： 曾慶宇
出版發行： 北京科學技術出版社
社　　址： 北京西直門南大街16號
郵政編碼： 100035
電話傳真： 0086-10-66135495（總編室）
0086-10-66113227（發行部）　0086-10-66161952（發行部傳真）
電子信箱： bjkj@bjkjpress.com
網　　址： www.bkydw.cn
經　　銷： 新華書店
印　　刷： 北京虎彩文化傳播有限公司
開　　本： 787mm × 1092mm　1/16
字　　數： 1209千字
印　　張： 100.75
版　　次： 2019年3月第1版
印　　次： 2019年3月第1次印刷
ISBN 978－7－5714－0104－7/R・2590

定　　價： **1980.00元（全三册）**

#《〈黄帝内經〉版本通鑒·第一輯》編纂委員會

主　編　錢超塵

副主編　王育林　劉　陽

前言

中醫是超越時代、跨越國度、具有永恒魅力的中華民族文化瑰寶，是富有當代價值、保護人體健康的生命科學，它將伴隨中華民族而永生。中醫學核心經典《黄帝内經》，包括《素問》和《靈樞》，奠定中醫理論基礎，指導作用歷久彌新，是臨床家登堂入室的津梁，理論家取之不盡的寶藏，是研究中國傳統文化必讀之書。

讀書貴得善本。章太炎先生鍼對中醫讀書不注重善本的問題，指出：『近世治經籍者，皆以得真本爲亟，獨醫家爲藝事，學者往往不尋古始。』認爲這是不好的讀書習慣；又説：『信乎，稽古之士，宜得善本而讀之也！』閲讀《黄帝内經》，必須對它的成書源流、歷史沿革、當代版本存佚狀況有明確的認識，纔能選擇佳善版本，獲取真知。

《黄帝内經》某些篇段出於战國時期，至西漢整理成文，《漢書·藝文志》載有『《黄帝内經》十八卷』。西晋皇甫謐《鍼灸甲乙經》類編其書，序云：『《黄帝内經》十八卷，今《鍼經》九卷，《素問》九卷，即《内經》也。』説明《黄帝内經》一直分爲兩種相對獨立的書籍流傳，一種名《素問》，一種名《鍼經》。《鍼經》即《靈樞》的初名，在流傳過程中也稱《九卷》《九靈》《九墟》，東漢末張仲景、魏太醫令王叔和均引用過《九卷》之名。

《素問》的版本傳承相對明晰。南朝梁全元起作《素問訓解》存亡繼絶，唐初楊上善類編《太素》取之。唐中期乾元三年（七六〇）朝廷詔令《素問》作爲中醫考試教材。唐中期王冰以全元起本爲底本作注，收入『七篇大論』，改爲二十四卷八十一篇，爲《素問》的流行奠定基礎。北宋天聖五年（一〇二七）、景祐二年（一〇三五）兩次以全元起本爲底本雕版刊行。北宋嘉祐年間（一〇五六——一〇六三）校正醫書局林億、孫奇等以王冰注本爲底本，增校勘、訓詁、釋音，仍以二十四卷八十一篇刊行。此後《素問》單行本均以北宋嘉祐本爲原本，歷南宋（金）、元、明、清至今，形成多個版本系統。二十四卷本，以金刻本（存十三卷）、元讀書堂本、明顧從德覆宋本、明無名氏覆宋本、明周曰校本、明《醫統正脉》本爲代表；十二卷本，以元古林書堂本、明熊宗立本、明趙府居敬堂本、明吴悌本爲代表；五十卷本，即道藏本；此外還有明清注家九卷本、日本刻九卷本等。南宋、北宋及更早之本俱已不存。

《靈樞》在魏晋以後至北宋初期的傳承情况，因史料有缺而相對隱晦。唐初楊上善類編《太素》收入《九卷》。唐中期王冰注《素問》引文，始有『靈樞經』之稱。因存本不全，北宋校正醫書局未校《靈樞》。遲至元祐七年（一〇九二），高麗進獻《黄帝鍼經》，始獲全帙，於元祐八年（一〇九三）正月由北宋政府頒行。此後《靈樞》再次沉寂，至南宋紹興乙亥（一一五五），史崧刊出家藏《靈樞》，將原本九卷校正並增修音釋，勒成二十四卷。此本成爲此後所有傳本的祖本，流傳至今形成多個版本系統。其中二十四卷本，以明無名氏仿宋本、明周曰校本爲代表；十二卷本，以元古林書堂本、明熊宗立本、明趙府居敬堂本、明田經本、明吴悌本、明吴勉學本爲代表；二十三卷本，即道藏本；此外還有明詹林所二卷本、道藏《靈樞略》一卷本、日本刻九卷本等。

《素問》《靈樞》各有單行本之外，《黄帝内經》尚有類編本。西晋皇甫謐《鍼灸甲乙經》，將《素問》《九卷》《明堂孔穴鍼灸治要》三書類編，但編輯時『删其浮辭，除其重複』，故與《素問》《靈樞》對勘，《鍼灸甲乙經》文句每不全足。唐代楊上善《黄帝内經太素》三十卷，將《九卷》《素問》全文收入，不加删掇，詳加注釋。《黄帝内經太素》的文獻價值巨大，但南宋之後却沉寂無聞，直到清光緒中葉，學者楊守敬在日本發現仁和寺存有仁和三年（八八七，相當於唐光啓三年）舊鈔卷子本，存二十三卷，遂影寫携歸，一時轟動醫林。嗣後日本國内相繼再發現佚文二卷有奇，至此《太素》現存二十五卷，堪稱《黄帝内經》版本史上的奇迹。

綜觀《黄帝内經》版本歷史，可謂一縷不絶，沉浮聚散；視其存亡現狀，又可謂同源異派，星分飄零。現存《黄帝内經》善本分散保存在國内外諸多藏書機構，此前囿於信息交流、印刷技術，從未有大規模集中最優秀版本出版的先例。當今電子信息技術發展日新月異，互聯網的普及使信息交流具有前所未有的廣泛性、時效性，乘此東風，《黄帝内經》現存的諸多優秀版本得以鳩聚刊印，爲中醫從業者及愛好者、傳統文化學者集中學習、研究提供便利。《〈黄帝内經〉版本通鑒》叢書，是首次對《黄帝内經》精善本的大規模集中解題、影印，目的是保存經典、傳承文明、繼往開來，爲振興中醫奠基，爲中華文化復興增添一份助力。

《〈黄帝内經〉版本通鑒·第一輯》，精選十二部經典版本，包含《素問》八部，《靈樞》二部，《黄帝内經太素》一部，《黄帝内經明堂》一部。列録如下。

①金刻本《素問》；②元古林書堂本《素問》；③元古林書堂本《靈樞》；④明熊宗立本《素問》；⑤明嘉靖無名氏覆宋刻本《素問》；⑥明嘉靖無名氏仿宋刻本《靈樞》；⑦明吴悌本《素問》；⑧明趙府居敬堂本《素問》；⑨明萬曆朝鮮内醫院活字本《素問》；⑩日本摹刻明顧從德本《素問》；⑪仁和寺本《黄帝内經太素》；⑫仁和寺本《黄帝内經明堂》。

這十二部經典版本，其特點如下。

（1）金刻本《素問》，是現存刊刻時代最早的版本，其年代相當於南宋時，版本價值極高。

（2）元古林書堂本《素問》《靈樞》各十二卷，刊刻時代僅次於金刻本，且所據底本爲孫奇家藏本，總體精善，此本已進入聯合國教科文組織《世界記憶亞太地區名録》。

（3）最新發現的『明嘉靖無名氏覆宋刻本《素問》』『明嘉靖無名氏仿宋刻本《靈樞》』各二十四卷合刊本，疑爲明嘉靖前期陸深所刻。此本《素問》各藏書機構多誤録作顧從德覆宋刻本，今考證得實，宇内尚存至少四部，擇品相優者影印推出，屬於史上首次。此本《靈樞》在一九九二年曾由日本經絡學會在版本不明的情况下影印出版，流傳稀少，今考證尚存世至少六部，兹擇品相佳者影印推出，在國内亦屬首次。

（4）《素問》《靈樞》合刊本兩種最具代表性：元古林書堂本是《素問》《靈樞》十二卷本之祖；明

嘉靖無名氏本是現存《靈樞》二十四卷本之祖，同刊《素問》是明周曰校本的底本。

（5）明代其餘四種《素問》均以元古林書堂本爲底本刊刻，而各有特色：熊宗立本爲明代最早，摹刻極工，添加句讀；吴悌本是罕見的去注解白文本；趙府居敬堂本品相上佳，是長期流傳廣泛的國内通行本之一；朝鮮内醫院活字本是現存最早《素問》活字本。

（6）日本摹刻明顧從德本《素問》屬『後出轉精』之作。此本爲日本安政三年（一八五六）由度會常珍所刻，所據底本爲澀江全善藏顧從德本，另據《黄帝内經太素》等校改誤字，澀江全善及森立之父子並參校讎。

（7）仁和寺本《黄帝内經太素》，屬類編《黄帝内經》最經典版本。原卷子抄寫時將楊上善撰注的《黄帝内經明堂類成》殘卷列首（因《黄帝内經太素》缺第一卷），今别析分刊。

本套叢書内的仁和寺本《黄帝内經太素》及《黄帝内經明堂》之底本由北京神黄科技股份有限公司總經理王和平先生免費提供，此義舉體現了王先生襄贊中華文化傳承事業的殷殷之念，在此謹致謝忱與敬意。

《〈黄帝内經〉版本通鑒》卷帙浩大，爲出版這套叢書，北京科學技術出版社章健總編、侍偉主任，以及編輯吴丹、吕艷、李兆弟等同仁以極高的使命感和責任心，付出了極大的心血和努力，克服了諸多困難，終成其功，謹此致以崇高敬意。相信這套叢書的推出，必不辜負同仁之望，在促進中醫藥事業發展、深化祖國傳統文化研究、增强國家文化軟實力等諸多方面做出應有的貢獻。

囿於執筆者眼界、學識，諸篇解題必有疏漏及訛誤之處，請方家、讀者不吝指正。

錢超塵

［説明：爲更準確地體現版本、訓詁學研究的學術内涵，撰寫時保留了部分異體字的使用，所選擇字様如下：欬（欬嗽）、鍼（鍼灸）、並（並且）、倂（合倂）、嶽（山嶽）、異（異同）。］

目録

《黄帝内經》版本通鑒·第一輯

仁和寺本《黄帝内經太素》（上）

解題　錢超塵

解　題

一　楊上善類編《黄帝内經太素》時間考

唐初楊上善奉敕類編、注釋《黄帝内經》，撰《黄帝内經太素》（以下簡稱《太素》）三十卷。《太素》與《靈樞》《素問》並列醫林，爲醫家研讀之重典，宋代林億等校正古典醫籍，多倚重之。宋代靖康之難，文籍板蕩，《太素》亦殘缺殆盡，《宋史・藝文志》僅著録三卷。蕭延平《太素・例言》云：『《宋史》修於元，其散佚當在南宋、金元間，故自金元以降，唯王履《溯洄集》一爲徵引，餘不多見。』考王履所引，非引自《太素》殘存之三卷，乃轉引林億《素問》新校正。王履《醫經溯洄集・嘔吐噦乾嘔欬逆辨》中『故《太素》曰：木陳者，其葉落，病深者，其聲噦』，此十二字見今本《素問・寶命全形論篇第二十五》『血氣争黑』新校正。是王履未見《太素》殘卷也。日本文政間（一八一八——一八二九）發現《太素》二十三卷手抄本，震動中日學界，後又發現《太素》卷十一全卷、卷十六全卷及零星殘葉，現存二十五卷。一九一〇年、一九五二年，日本政府兩度将《太素》定爲『國寶』。《太素》今已成爲研治中醫古典文獻必讀之經典著作。

（一）楊上善撰注《太素》具體時間考

《太素》三十卷，今存二十五卷，佚五卷，楊上善撰。

楊上善里籍生卒年代不詳。《素問》林億序誤稱其爲隋人：『隋楊上善纂而爲《太素》，時則有全元起者，始爲之《訓解》。』謂楊上善爲隋人，並稱全元起與楊上善同時。林億爲北宋校正醫書局著名學者，校正醫書局所校醫書之序多成於林億之手，尤以《素問》新校正最爲醫家熟知，故後世多依林億説稱楊上善爲隋人。林億雖精醫典，然疏於考證。

考《舊唐書·經籍志》著録楊上善以下著作。

（1）《老子道德經略論》二卷，楊上善撰。

（2）《道德經》三卷。

（3）《略論》三卷。

（4）《莊子》十卷，楊上善撰。

（5）《六趣論》六卷，楊上善撰。

（6）《三教權衡》十卷，楊上善撰。

（7）《老子》二卷，楊上善撰。

（8）《黄帝内經明堂類成》十三卷，楊上善撰。

（9）《黄帝内經太素》三十卷，楊上善撰。

楊上善著作凡七十九卷，其中老莊著作三十六卷，《黄帝内經》類著作四十三卷。

《新唐書·藝文志》著録其著作如下。

(1)楊上善注《老子道德經》二卷。

(2)又注《莊子》十卷。

(3)《老子指略論》二卷。(太子文學)

(4)楊上善《六趣論》六卷。

(5)楊上善《道德經略論》三卷。

(6)又《三教權衡》十卷。

(7)楊上善注《黄帝内經明堂類成》十三卷。

(8)又《黄帝内經太素》三十卷。

新、舊《唐志》皆將楊上善著作列爲唐人著作,則楊上善爲唐人確切無疑。尤可貴者,《新唐書·藝文志》於自注中指出楊上善官職爲『太子文學』,與《黄帝内經太素》每卷卷首『通直郎守太子文學臣楊上善奉敕撰注』之『太子文學』合。

清末楊守敬(一八三九—一九一五)《日本訪書志》及《訪書志題跋》對楊上善時代進行深入考證,《訪書志題跋》收於一九八二年臺北圖書館編印的《國立中央圖書館善本題跋真迹》,云:

《黄帝内經太素》存二十三卷,二十四册,唐楊上善撰,日本影鈔古寫本,全幅35.8×23.7,清光緒間楊守敬手書記。

右鈔本楊上善《黄帝内經太素》二十三卷又零殘一卷。按,李濂(一四八八—一五六六)《醫史》、徐春甫《醫統》並云楊上善隋大業中爲太醫侍御，述《内經》爲《太素》。顧《隋志》無其書，新、舊《唐志》始著録楊上善《黄帝内經太素》三十卷，《黄帝内經明堂類成》十三卷……日本藤原佐世《見在書目》有此書，蓋唐代所傳本。日本文政間（一八一八——一八二九），醫官小島尚質聞尾張藩士淺井正翼就仁和寺書庫鈔本得二十餘卷，亟使書（手）杉本望云就録之（楊守敬注：『原爲卷子本，今改爲蝴蝶裝』）以歸，自後乃有傳抄本（楊守敬注：『皆影鈔本』）。按《黄帝素問》王冰所注，次第與全元起本不同，説者謂全本是原書真面。今以楊本校之，亦與全本不合。則知全之八卷、楊之三十卷、王之二十四卷各遵所聞，均與《漢志》九卷之數不合。蓋術家之書，代有增損移易，不可究詰也。但楊上善爵里時代，古書無征，據其每卷首題『通直郎守太子文學臣楊上善奉敕撰注』與《醫史》所云太醫侍御已不同。按《唐六典》『魏置太子文學，自晋之後不置，至後周建德三年置太子文學十人，後廢，皇朝顯慶中（六五六——六六一）始置』，是隋代並無太子文學之官，則上善當爲唐顯慶以後人。又按此書殘卷中『丙主左手之陽明』注云『景丁屬陽明者，景爲五月』云云，唐人避太祖諱『丙』爲『景』，則上善爲唐人審矣。《醫史》《醫統》之説未足據也。光緒癸未十二月宜都楊守敬記。

又按宋高保衡林億等『重廣補注黄帝内經序』云『隋楊上善纂而爲《太素》，時則有全元起者始爲之訓解』，則知《醫史》《醫統》致誤之由。按《南史》王僧孺傳有『侍郎全元起欲注《素問》訪以砭石』語（楊守敬注：『汲古本誤全爲金』），則元起亦非隋人，附訂於此。

楊守敬《日本訪書志》卷九亦有楊上善其人、其書考證：

此本每卷有小島尚質印，眉上又據諸書校訂，亦學古親筆，蓋初影本也。是書合《靈樞》《素問》，纂爲一書，故其篇目次第與二書皆不合。而上足以證皇甫謐，下足以訂王冰，洵醫家鴻寶也。《訪書志題跋》當與《日本訪書志》互參。

一九二四年蕭延平校注《黄帝内經太素》刊行，『例言』云：

楊氏《日本訪書志》據本書殘卷中『丙』字避唐太祖諱作『景』，以爲唐人，復據《唐六典》謂隋無太子文學之官，唐顯慶中始置，楊氏奉敕撰注稱太子文學，當爲顯慶以後人。余則更有一説，足證明其爲唐人者。檢本書楊注，凡引老子之言，均稱『玄元皇帝』。考新、舊《唐書》本紀，追號老子爲玄元皇帝在高宗乾封元年二月，則楊爲唐人更無疑義。

蕭氏所考更爲深入一層。考《舊唐書・高宗紀・下》云：乾封元年二月二十八日下詔追封老子爲太上玄元皇帝，其文曰：『乾封元年二月己未，次亳州，幸老君廟，追號曰太上玄元皇帝。』追封全文載於《唐大詔令集》及《道藏》。

楊守敬、蕭延平確證楊上善爲唐人，是則是矣，然時間尚欠具體，筆者更有四説確證楊上善爲唐初人，主要生活時代爲唐高宗李治時期，《太素》主要撰著於高宗龍朔二年（六六二）至咸亨元年（六七〇）間。

第一，唐末杜光廷（八五〇—九三三，唐末大中四年至五代後唐長興四年）『道德真經廣聖義序』云：『太子司議郎楊上善，高宗時人，作《道德集注真言》二十卷。』《道德真經廣聖義》六卷，著録於《新唐書・藝文志》，杜光廷爲之序。此序稱楊上善爲『唐高宗時人』，唐人言唐事，則楊上善爲唐初人，無可疑矣。《舊唐書・經籍志》《新唐書・藝文志》均未著録楊上善《道德集注真言》二十卷，杜光廷之説可補兩唐志之缺。

第二，皇帝之命稱『敕』，始於唐高宗顯慶(六五六—六六一)中。在古代漢語中，『敕』字詞義幾經變化。先秦時期，『敕』字用於君臣間之告語，没有上下級層次之分。《史記・樂書》云：『太史公曰：余每讀《虞書》，至於君臣相敕，維是幾安，而股肱不良，萬事墮壞。』兩漢縮小爲長官命令下屬，父祖教育子孫之詞。顧炎武《金石文字記》云：『敕者，自上命下之辭。漢時官長行之掾署，祖、父行之子孫，皆曰敕。』清代席世昌《席氏讀説文記》云：『至南北朝則此字唯朝廷專之，而臣下不敢用。故北齊樂陵王百年習書數敕字見殺。』至唐顯慶中，『敕』字使用範圍愈加縮小，由朝廷專用縮小爲皇帝一人專用。宋代孫奕《示兒篇》卷二十三《字説・集字・三》云：

《談苑》云：《千字文》題云，勑員外郎散騎侍郎周興嗣次韵。勑字乃敕字傳寫誤耳。時帝王命令，尚未稱敕，至唐顯慶中，始云不經鳳閣鸞台，不得稱敕。敕之名，始定於此。

按，《説文》：『勑，勞也。從力來聲。』勑，音lai，勞倈慰勉之義。『敕，誡也，從束攴聲。』敕，音chi。『勑』『敕』本爲兩字，隸書俗字以『勑』爲『敕』，後皆以『勑』爲『敕』，故孫奕稱『勑員外郎』之『勑』爲『傳寫誤』字。《太素》卷首『太子文學臣楊上善奉勑撰注』之『勑』字(即『敕』字)，透露出楊上善奉唐高宗敕命而撰注《太素》的信息，恰好與杜光廷稱楊上善爲『唐高宗時人』吻合。

第三，唐高宗龍朔二年(六六二)詔令改秘書省爲蘭台。《太素》卷二十二『五節刺』中『請藏之靈蘭之室，不敢妄出也。』楊上善注：『靈蘭之室，皇帝藏書之府。今之蘭台，故名者也。』『今之蘭台』四字透露出楊上善撰注該卷的具體時間。『蘭台』概念在歷史上幾經變化。戰國時期爲楚國宫名，宋玉

《風賦》『楚襄王游於蘭台之宫』。漢代爲宫廷藏書之府，班固曾任蘭台令史。唐高宗龍朔二年詔改秘書省爲蘭台，高宗咸亨元年（六七〇）恢復秘書省之稱。《舊唐書》卷二十四《職官》云：

龍朔二年二月甲子改百司及官名。改秘書省爲蘭台……咸亨元年（六七〇）十二月詔：龍朔二年新改尚書省、百司及僕射以下官名，並依舊。

考楊注既稱『今之蘭台』，則『今』者，指唐高宗龍朔二年至咸亨元年這八年之間。因而可以考知，楊上善撰注《太素》的主要時間段在唐高宗龍朔二年至唐高宗咸亨元年這八年之間。

第四，《太素》注凡釋『治』字皆改爲『理』或『療』字，以避唐高宗李治之名諱。《太素》卷十九『知要道』中對『夫治國者，夫唯道焉』注曰：『理國，安人也。鍼道，存身也。安人之與存身，非道不成，故通兩者渾然爲一也。兩者通道，故身國俱理耳。』《太素》注以『療』代『治』，俯拾皆是，如卷十四『四時脉診』『脉不實堅爲難治』楊注：『脱血而脉不實不堅，難療也。』卷三『陰陽』中『故善治者治皮毛，其次治肌膚，其次治筋脉，其次治六府，其次治五藏。五藏半死半生也』楊注：『善者，謂上工善知聲色形脉之候，妙識本標，故療皮毛，能愈藏府之病，亦療藏府，能除皮毛之疾。故病在皮毛，療於皮毛；病在五藏，療於五藏；或病淺而療淺，或病深而療深，或病淺而療深，或病深而療淺，皆愈者，斯爲上智十全者也。』

以上四事，皆與唐高宗有關，因而可證楊上善主要生活時期爲唐高宗時期。林億稱『隋楊上善』，乃疏於考證。林之誤説，遺誤千年。一九六五年人民衛生出版社《太素》竪排精裝本『出版説明』云：『關於本書撰注人楊上善是什么朝代的人，因爲正史没有記載，近人有些不同的説法，有的説是隋人，有的説是唐人，我們姑從林億、李濂、徐春甫等人的説法，稱爲隋人。』

確考一個醫學家生活時代不是一件細事，而是事關全局之大事。現在我們已經確知楊上善爲唐初人，其撰注《太素》的時間段主要在六六二年至六七〇年間，因而可以考知，《太素》楊上善注中豐富大量的中醫理論代表了唐初以前我國中醫理論所達到的水準，具有極高研究價值。《太素》注中有許多哲學思想和哲學論述，是研究中古時期我國哲人研究老莊的寶貴資料。如「一分爲二」這一哲學術語，據今所知，最早見於《太素》卷十九「知鍼石」「天地合氣，別爲九野，分爲四時」楊上善注：「從道生一，謂之樸也。一分爲二，謂天地也。」「太子文學」之職能，據唐代杜佑《通典》卷三十《職官》類第十二項云：「文學掌分知經濟、侍奉文章、總緝經籍、繕寫裝染之功，筆劄給用之數，皆料度之。」任太子文學者，文化功底深厚。因此，《太素》注中之訓詁、音韵、俗字是研究中古時期傳統語言學的重要資料。

二　本書所用底本考

「北京中醫古籍版本研究院」的《太素》影印件，原爲日本京都仁和寺所藏《黃帝內經太素》卷子本之影印本，一九八一年十月十日由大阪市北區天神橋オリエント出版社野賴真社長負責影印發行。此影印件收於《東洋醫學善本叢書》第一、二、三册，此叢書同時收録楊上善《黃帝內經明堂類成》（殘卷），爲目前收録楊上善遺書最全面、最權威的文獻集成。二〇一七年北京神黃文化出版中心王和平總經理發大志願、下大決心，將日本大阪オリエント出版社所有影印之中醫珍善本古籍及日本古代學者考證研究中醫古籍之作全部引進（包括影印之膠片在內），王和平先生此舉，出於愛國家、愛民族、愛中醫事業之心，對推動中醫文獻版本研究具有巨大意義。《〈黃帝內經〉版本通鑒》所收《太素》

底本，取自北京神黄文化出版中心藏書。

本書之所以以仁和寺影印本爲底本而不以清末袁昶本（又稱通隱堂本、漸西村舍本）或一九二四年刊行的蕭延平本（又稱蘭陵堂本）爲底本，是因爲仁和寺本最爲接近楊上善《太素》原作的面貌。袁昶主持刊行的《太素》鐫刻於光緒二十七年（一九〇一），從事校讎者爲鮑錫章、汪宗沂，鮑、汪所用底本爲楊守敬携歸本之復抄件，僅校無注，刻本訛字較多，不宜作底本。然此本爲首先將《太素》二十三卷刊行於國内之本，在推動《太素》研究、擴大《太素》影響方面功不可没。

一九二四年蕭延平《太素》校注本雕版刊行，通稱『蘭陵堂本』，蕭氏所用底本亦爲楊守敬携歸本，『太素例言』云：『此書乃假楊惺吾氏所獲日本唐人卷子鈔本影寫卷』，『尾間有以仁和寺宫御所藏本影寫字樣』。蕭本校讎精湛，是目前《太素》校本中最佳者，然書經再抄，必增訛誤，訛衍倒奪，每每有之，有些俗字由於辨識困難，蕭氏有誤釋者，且對日本一九一八年、一九三六年陸續發現之《太素》卷十六全卷、卷二十一全卷鈔本及零星殘文已來不及補入，故蕭本亦不宜作爲底本。

日本京都仁和寺宫所藏《太素》手抄本傳承歷史十分悠久。日本森立之（一八〇七—一八八五）《經籍訪古志》對仁和寺本有考：

《黄帝内經太素》三十卷（缺第一、第四、第七、第十六、第十八、第二十、第二十一凡七卷。傳寫仁和三年舊鈔本）。通直郎守太子文學楊上善奉勑撰注。每卷末記仁平、久壽、保元、仁安等年月。有云『以家本移點校合了，憲基』，有云『移點了，丹波賴基』。舊爲卷軸。界行高七寸五分强弱，每行字數不同，十四五字至十六七字（界行高廣與《延喜圖書式》所言合，當時之制，僅存於是書。可貴。）

是書久無傳本。曩歲平安福井棣亭得第二十七卷，摹刻以傳。繼而小島學古聞尾藩淺井正翼就仁和寺書庫抄得二十餘卷，亟使書手杉本望云就而謄録以歸，即是本也。學古之功偉矣，棣亭所得蓋亦同種云。

森立之云，仁和寺卷子本係『傳寫仁和三年舊鈔本』，則卷子鈔本淵源可追溯到仁和三年。日本仁和三年相當於中國唐僖宗光啓三年（八八七）。又考仁和寺卷子本影印件卷十七末有如下抄寫時間題記：『仁安二年（一一六七）十二月八日以同本書之，移點校合了。丹波賴基。』謂丹波賴基於一一六七年據『同本』抄寫此卷並加校對而使其與底本吻合。丹波賴基據丹波憲基家藏舊本而抄。『同本』所指爲何？下一行云：『本云：保元元年（一一五六）閏九月二十六日以家本移點校合了。蜂田藥師船人本云。』此行文字爲丹波憲基家藏本所固有。『本云』之意，清末潘祖蔭《滂喜齋藏書記》指出：『本云者，舊本有此一行也。』則丹波憲基所據之本一直可以上溯到蜂田藥師船人鈔本。據日本學者考證：『西元七七〇—八〇五年（寶龜至延曆間）蜂田藥師船人有《太素》手澤。』因而由仁和寺卷子本不僅可以追踪到日本仁和三年，而且可以追踪到蜂田藥師船人手抄本。這些迹象表明，楊上善《太素》第一次進入日本當爲唐代大和尚鑒真赴日時所携至。

鑒真大和尚（六八八—七六三）應日僧榮叡、普照之邀，於日本天平勝寶五年（七五三年，相當於中國唐玄宗天寶十二年）十二月二十日抵日，受到孝謙女皇隆重禮遇。據《續日本紀》載，天平寶字元年（七五七）孝謙女皇發布如下敕令：

敕曰：如聞。頃年諸國博士醫師，多非其才，托請得選，非爲損政，亦無益民。自今以後，不得更然。其須講經生者三經、傳生者三史。醫生者，《太素》《甲乙》《脈經》《本草》；鍼生者，《素問》《鍼經》《明堂》《脉訣》；天文生者，《天官書》《漢晋天文志》《三色薄贊》《韓楊要集》；陰陽生者，《周易新撰》《陰陽書》《黄帝金匱》《五行大義》；曆算生者，《漢晋律曆志》《大衍曆議》《九章》《六章》《周髀》《定天論》，並應任用。被任之後，所給公廨一年之分，必應令送本受業師，如此則有尊師之道終行，教資之業永繼。國家良政，莫要於茲。宜告所司，早令施行。

鑒真大和尚抵日四年後，天皇命令全國醫生首先研習者爲《太素》，在此之前，日本從無《太素》一書之稱。《太素》傳入日本時間及携入之人，中國、日本載籍均無，中日學者對此有不同看法。然依天平寶字元年敕令、鑒真精於醫［如《續日本紀》天平寶字七年（七六三）五月戊申條載，後光明皇太后病，請鑒真診治得愈，及日本藤原佐世《日本國見在書目》（撰成於八九一年）著録『《鑒上人秘方》一卷』］考之，《太素》由鑒真大和尚傳入極具合理性與確定性。蜂田藥師船人《太素》手澤爲西元七七〇—八〇五年鈔本，与鑒真大和尚傳入之本相距時間甚近，則仁和寺鈔本之源流大體可如下説：鑒真大和尚傳入本→蜂田藥師船人手抄本→仁和三年手抄本→丹波憲基手抄本→丹波賴基手抄本。丹波賴基鈔本卷第一佚，卷第二卷末題記佚，卷第三卷末題記云：『仁安二年（一一六七）正月十三日以本書寫之，同十四日移點了。丹波賴基。』據此觀之，丹波賴基始抄《太素》在仁安元年（一一六六）。第二十九卷卷末題記云：『仁安三年（一一六八）十月四日以同本書之，以同本移點校合了。丹波賴基。』卷三十卷末題記佚，抄畢時間不詳，然在仁安三年年底前抄畢殆無疑義，則仁和寺《太素》鈔本爲西元一一六六—一一六八年所抄寫。從上述可知，仁和寺丹波賴基手抄卷子本保留著《太素》原始著作的基本面貌。

楊守敬《日本訪書志》云：『文政（一八一八——一八二九）間，醫官小島尚質聞尾張藩士淺井正翼就仁和寺書庫抄得二十餘卷。』則仁和寺手抄卷子本二十三卷爲十九世紀二十年代所發現。一九一八年日本又發現《太素》卷二十一全卷及卷三、卷八、卷十二、卷十四等零星散葉及殘葉若干，一九三六年發現《太素》卷十六全卷，與以前發現的二十三卷合在一起，共存二十五卷，其餘五卷已佚。所存諸卷，均受到很好的保護。《太素》第三十卷卷末有如下題記：『昭和三十三年十月依文化財保護法修理了：以斷簡零星之文悉插所定之個處者也。文部技官田山信郎記之。』即將後來發現的第十六卷、第二十一卷及殘紙若干均插於有關卷葉，則此次影印出版的《黄帝内經太素》二十五卷是目前材料最完整、最近古、最權威的版本，從作爲研究整理《太素》的根據這一角度上考察，《太素》仁和寺手抄本的影印本作爲底本遠較蕭延平本爲宜。在此以前，國内出版的《太素》，不是以袁昶本爲底本，就是以蕭延平本爲底本，從無以仁和寺本影印本爲底本而校注者。本書以仁和寺影印本爲底本影印發行，在國内爲首開其例者。

二 《太素》版本考

《黄帝内經》著録於《漢書·藝文志》，包括《九卷》《素問》。《黄帝内經》有些篇章成書於戰國，秦、漢醫家續有補充，最後經漢人整理編定而成《黄帝内經》十八卷。

《史記·扁鵲倉公列傳》載，漢高后八年（前一八〇）齊國名醫公乘陽慶七十餘歲，收倉公淳于意爲弟子，授以早年學習、收藏的醫經、經方。從高后八年上推七十餘年，爲戰國末期齊王建十四年前後（約前二五一），爲公乘陽慶生年。據淳于意自述，公乘陽慶授予以下諸書：

自意少時，喜醫藥，醫藥方試之多不驗者。至高后八年，得見師臨菑元里公乘陽慶。慶年七十餘，意得見事之。謂意曰：『盡去而方書，非是也。慶有古先道遺傳黃帝、扁鵲之脉書，五色診病，知人生死，決嫌疑，定可治，及藥論書，甚精。我家給富，心愛公，欲盡以我禁方書悉教公。』臣意即曰：『幸甚。非意之所敢望也。』臣意即避席再拜謁，受其《脉書》《上下經》《五色診》《奇欬術》《揆度》《陰陽》《外變》《藥論》《石神》《接陰陽》禁書。受讀解驗之，可一年所。明歲即驗之，有驗，然尚未精也。要事之三年所，即嘗已爲人治，診病決死生，有驗，精良。

倉公淳于意得自公乘陽慶之書，在《九卷》《素問》中大都能尋到綫索。

《素問・示從容論》謂：『臣請誦《脉經》《上下篇》，甚衆多矣。別異比類，猶未能以十全。』此《脉經》即《脉書》；《上下篇》即《上經》《下經》。《素問・疏五過論》及《素問・病能論》提到許多古代醫書，均可與淳于意所授之『古先道遺傳黃帝、扁鵲』之醫籍相呼應、對照。『疏五過論』云：『診病不審，是謂失常，謹守此治，與經相明：《上經》《下經》《揆度》《陰陽》《奇恒》《五中》，決以《明堂》，審於《終始》，可以橫行。』

『病能論』云：『《上經》者言氣之通天也，《下經》者言病之變化也。』

淳于意所讀之《上經》《下經》，即『疏五過論』及『病能論』中之《上經》《下經》。但《素問》何篇爲《上經》《下經》之遺存，已難確指。

《陰陽》見《素問·疏五過論》，又見《素問·解精微論》：『黄帝在明堂，雷公請曰：臣授業傳之，行教以經論，《從容》《形法》《陰陽》《刺灸》，湯藥所滋。』所以知《從容》《形法》《陰陽》《刺灸》爲古經名者，《素問·示從容論》已言之：『以子知之，故不告子。明引《比類》《從容》，是以名曰診經。』王冰注：『《從容》，上古經篇名也。何以明之？《陰陽類論》雷公曰：臣悉盡意，受傳經脉，頌得《從容》之道，以合《從容》。明古文有《從容》矣。』《從容》既爲古醫經名，則『解精微論』中之《形法》《陰陽》《刺灸》爲古醫經名，亦無疑義。《揆度》見《素問·玉版論要》：『黄帝曰：余聞《揆度》《奇恒》，所指不同。用之奈何？岐伯對曰：《揆度》者，度病之淺深也；《奇恒》者，言奇病也。』《素問·病能論》亦有《揆度》《奇恒》書名。

《五色診》见《素問·玉版論要》：『請言道之至數：《五色》《脉變》《揆度》《奇恒》，道在於一。』《五色》當即《史記·扁鵲倉公列傳》之《五色診》。

《素問》中有許多戰國時期醫經内容，稱《素問》有些篇章成於戰國，可得而證之。《素問·方盛衰論》『調之陰陽，以在《經脉》』，王冰注：『《靈樞經》備有調陰陽、合五診，故引之曰以在《經脉》也。』《經脉》則《靈樞》之篇目也。』《素問》有多篇引《靈樞》之文，且稱《靈樞》爲『經』，則《靈樞》亦有不少篇章成於先秦。

《靈樞》《素問》既有成於戰國之文字，亦有成於漢代之篇章。詳考兩書曆法，均爲『太初曆法』，『太初曆』成於西漢武帝太初年間（前一〇四—前一〇一），《靈樞》《素問》當爲太初以後醫家據戰國以來簡帛陸續整理而成者，至劉向撰寫《别録》，或劉歆撰寫《七略》前已基本定型。東漢初班固（三二—

九二）據《七略》撰成《漢書·藝文志》，《靈樞》《素問》載於志中，統名之爲《黄帝内經》，凡十八卷。

漢末張仲景撰《傷寒雜病論》十六卷，曾選用《素問》《九卷》等書的内容。《九卷》至唐名爲《靈樞》，今《靈樞》之名獨行。《傷寒雜病論》古傳本之最近古貌者爲王叔和《脉經》，其中卷七、卷八爲《傷寒雜病論》最古遺文，内有多處引用《素問》及《靈樞》者，證明《黄帝内經》至漢末流傳不衰。魏晋間皇甫謐撰《鍼灸甲乙經》，序云：

按，《七略》《藝文志》：《黄帝内經》十八卷。今有《鍼經》九卷，《素問》九卷，二九十八卷，即《内經》也。亦有所亡失。其論遐遠，然稱述多而切事少，有不編次。比按《倉公傳》，其學皆出於《素問》，論病精微。《九卷》是原本《經脉》，其義深奥，不易觉也。又有《明堂孔穴鍼灸治要》，皆黄帝岐伯選事也。三部同歸，文多重複，错互非一。甘露中，吾病風加苦聾，百日方治，要皆淺近，乃撰集三部，使事類相從，删其浮辭，除其重複，論其精要，至爲十二卷。

考序『亦有所亡失』之句，是皇甫謐所見之《素問》已非全帙，蓋缺《素問》第七卷及『刺法』『本病』兩篇，但主體完好。

逮南北朝，《九卷》《素問》流傳益廣，載於《魏書》卷九十一《術藝》之『崔彧傳』：

崔彧，字文若，清河東武城人，父勛之，字寧國，位大司馬外兵郎，贈通直郎。彧與兄相如俱自南入國，相如以才學知名，早卒。彧少常詣青州，逢隱逸沙門，教以《素問》《九卷》及《甲乙》，遂善醫術。中山王英子略曾病，王顯等不能療，彧鍼之，抽鍼即愈。後位冀州别駕，累遷寧遠將軍。性仁恕，見疾苦，好與治之。廣教門生，令多救療。

《北齊書》卷四十九『方伎』之『馬嗣明傳』亦載《素問》等古醫經：

馬嗣明，河内人，少明醫術，博綜經方，《甲乙》《素問》《明堂》《本草》，莫不咸誦，爲人診候，一年前知其生死。

據《南史》卷五十九『王僧孺傳』載，南朝齊梁間侍郎全元起曾注釋《素問》。

隋代巢元方《諸病源候論》、唐初孫思邈《千金方》均大量引用《九卷》《素問》之文。

《大唐六典》雖成書於開元二十六年（七三八），但總括唐初至開元二十六年前所有典章制度，關於醫事記載如下：

太醫令掌諸醫療之法，丞爲之貳，其屬有四：曰醫師、鍼師、按摩師、咒禁師，皆有博士以教之。其考試登用，如國子監之法。注云：諸醫鍼生讀《本草》者，即令識藥形而知藥性。讀《明堂》者，即令驗圖，識其孔穴。讀《脉訣》者，即令遞相診候，使知四時、浮沈、澀滑之狀。讀《素問》《黃帝鍼經》《甲乙》《脉經》，皆使精熟。博士月一試，太醫令、丞季一試。太常丞年終總試。若業術過於見任官者，即聽補替。其在學九年無成者，退從本色。（卷十四《太醫署·典學》）

又注云：

鍼生習《素問》《黃帝鍼經》《明堂》《脉訣》，兼習《流注》《偃側》等圖，《赤烏神鍼》等經。業成者，試《素問》四條，《黃帝鍼經》《明堂》《脉訣》各二條。（卷十四《太醫署·鍼博士》）

綜上所述，《素問》《九卷》（又稱《鍼經》《黃帝鍼經》《靈樞》）自戰國歷秦漢經南北朝至隋唐歷傳不衰，中無間斷。皇甫謐將《素問》《九卷》《明堂孔穴鍼灸治要》三書類編之，但編輯時，此三書均『删其浮辭，除其重複』，故與《素問》《靈樞》對勘，《鍼灸甲乙經》文句每不全足。《鍼灸甲乙經》之後，始爲《素問》作注者爲全元起；第一次將《九卷》《素問》全文收入、不加删撥、詳加注釋者，是爲楊上善之《太素》。

《素問》全元起本亡於北宋南渡，《靈樞》約於唐末、五代有所散佚，故北宋嘉祐間林億稱『《靈樞》今不全』，唐中期王冰又將《素問》全元起本重新編次、重加分卷分篇、大量增删文句、移動句段（詳見王冰《素問序》及林億新校正），今本《素問》已非《素問》舊觀。欲考《素問》《靈樞》古貌，唯一可以憑信者，唯《太素》一書。此書雖經日本醫家多次傳抄，文字有所訛奪倒衍，但與《素問》王冰本相較、與《靈樞》史崧本相較，《太素》更好地保存了《黄帝内經》古貌，在《黄帝内經》學術發展史的研究上以及在校勘上，《太素》均具有十分重要意義。

現將《素問》王冰本、《靈樞》史崧本與《太素》詳加對照，撰成『《太素》《素問》章句對應譜』與『《太素》《靈樞》章句對應譜』兩譜，每譜詳列《太素》某節某句至某某句分别見於《素問》《靈樞》何篇，不但可以清晰看出《太素》收録《素問》《靈樞》之篇卷章節，而且可以看出《太素》所據之底本確爲《黄帝内經》之《素問》與《靈樞》，斷非《黄帝泰素》二十篇與《鍼灸甲乙經》十二卷。此兩譜亦爲《太素》與《素問》《靈樞》互檢之索引，極便於《黄帝内經》之互勘與研習。

一九二四年蕭延平蘭陵堂本《黄帝内經太素》每卷每篇之前均詳述《太素》自某至某見於《素問》何卷何篇、《靈樞》何卷何篇、《鍼灸甲乙經》何卷何篇，爲三書互比奠定基礎。此後之三書互比者，皆在蕭延平基礎上有所補充。本書之兩譜在蕭延平本基礎上，增加以下内容。

其一，日本仁和寺《太素》影印本，以下章節爲蕭延平本所無。

卷第三《陰陽之一》：陰陽大論。

卷第八《經脉之一》：經脉連環。

卷第十《經脉之三》：督脉。

卷第十二《營衛氣》：營衛氣別。

卷第十四《診候之一》（首篇正文存，標題缺）

卷第十六《診候之三》：虛實脉診、雜診、脉論。

卷第二十一《九鍼之一》：九鍼要道、九鍼要解、諸原所生、九鍼所象。

卷第二十二《九鍼之二》：九刺、十二刺。

卷第二十九《氣論》：三氣。

上述諸章節，均已考出與《素問》《靈樞》相對應之篇段，詳注於譜中。

其二，《太素》自某句至某句之起止句段，皆標明頁數，以便檢索核查。所標《太素》頁數，見一九六五年人民衛生出版社標點本。

其三，個別篇目下有資料簡考。

（一）《太素》《素問》章句對應譜

1．上古天真論　　《太素》不全

（1）見《太素》卷二『壽限』自『黄帝問於岐伯曰：人年老而無子者，材力盡耶？將天數然』至『而

無子耳。』（頁二三至二四）

（2）日本《醫家千字文注》：『《太素經》曰：起居有度。注曰：男女、勞逸、進退、動静，皆依度數。《太素經》曰：以好散其真。注曰：情有所好，必忘善惡。人真善惡之，真善惡莫定，即真知散。』

（3）日本《遐年要鈔・人倫部・上古人第一》引有《素問・上古天真論》中一段文字：『《太素經》云：岐伯曰，上古之人，其知道者，法於陰陽，和於術數。飲食有常節，起居有常度，不妄不作，故能形與神俱，而終其天年，度百歲乃去。今時之人則不然，以酒爲漿，以妄爲常，醉以入房，以欲竭其精，以耗散其真。不知持滿，不時御神，務快其心，逆於生樂，起居無節，故半百而衰也。』

（4）日本『前田育德會尊經閣文庫』藏日本文永元年（一二六四）《黄帝内經太素》一卷，並藏有兩種《太素》散葉，其中一段抄自《素问・上古天真論》：『《太素經》云：上古之人知道攝生有六得，更長生也。法則陰陽一，和於數術二，飲食有節三，起居有度四，不妄五，不作不爲分外之事也，六。故能終其天年。今時之人不然，凡有十失，故早衰也：以酒爲漿一；以妄爲常二；醉以入房三；以欲竭其精四；以耗散其真五；不知持滿六；不時御神御，貴也，七；務快其心八；逆於生樂九；起居無節度十，故半百衰。』

（5）袁昶漸西村舍本卷末《太素遺文》、蕭延平本《太素遺文》。

2．四氣調神大論　《太素》全

見《太素》卷二《順養》（頁四至九）。自『春三月此謂發陳』至篇末與《素問・四氣調神大論》全文相當。

3．生氣通天論　　《太素》全

（1）見《太素》卷三『調陰陽』（頁三四至四一）。自篇首『黃帝問於岐伯曰：夫自古通天者』至篇末與《素問·生氣通天論》全文相當。王冰從他篇將『陰平陽秘，精神乃治；陰陽離絶，精氣乃絶』十六字移於《素問·生氣通天論》中。

（2）《太素》此篇無『陰平陽秘，精神乃治；陰陽離絶，精氣乃絶』十六字，此十六字見於《太素·陰陽雜説》篇。

4．金匱真言論　　《太素》全

見《太素》卷三『陰陽雜説』（頁四一至四六）。自篇首至『非其人勿授，是謂得道』與《素問·金匱真言論》全文相當。

5．陰陽應象大論　　《太素》全

（1）見《太素》卷三『陰陽大論』。日本《東洋醫學善本叢書》有全文。蕭本缺『傷腫』以上一段文字。

（2）《素問·陰陽應象大論》林億新校正云：『詳「帝曰」至「其信然乎」，全元起本及《太素》在「上古聖人之教也」上。』則此段文字乃王冰從《素問·上古天真論》中移於《素問·陰陽應象大論》中也，故《太素·陰陽大論》此段無。

（3）《素問·陰陽應象大論》自『東方生風，風生木，木生酸』至『陽在外，陰之使也』五百八十餘字《太素·陰陽大論》無，日本《弘决外典鈔》引楊注及原文四十餘條，其中有些原文乃此五百八十餘字中者，楊注對原文之注釋，亦屬於此五百八十餘字中之注解者。如《弘决外典鈔》云：『《太素經》云：木生酸，酸生肝。楊上善云：肝筋骨構成眼瞳子，瞳子以爲目主，故肝主目也。』按，『木生酸，酸生肝』見《素問·陰陽應象大論》中。疑此五百八十餘字，當在《太素》卷四佚文中。

（4）《太素·陰陽大論》『故曰：冬傷於寒，春必病温』至『秋傷於濕，冬生欬嗽』（頁二六至二七）凡三十四字，又見《太素》卷三十『四時之變』（頁五六五），當互參。

6. 陰陽離合論　　《太素》全

見《太素》卷五『陰陽合』『黄帝曰：余聞天爲陽，地爲陰』至末。（頁五七至六一）

7. 陰陽別論　　《太素》全

《太素》卷三『黄帝問於岐伯曰：人有四經十二順』至『陰陽相過曰彈』（頁四六至四八），又自『陰争於内，陽擾於外』至末（頁五〇至五二），均見《素問·陰陽別論》。

8. 靈蘭秘典論　　《太素》佚

（1）日本《弘决外典鈔》：『《太素經》云：心者，君主之官也，神明出焉。』

（2）日本《醫家千字文注》：『《太素經》曰：脾胃者，倉廩之官也，五味出矣。注曰：脾爲藏，胃爲府。府貯五穀，脾藏五味，即爲一官。陰陽共成五味，資彼五藏，以奉生身也。』《醫家千字文注》又云：『《太素經》曰：大腸者，傳道之官也。注曰：大腸受小腸糟粕，胃中若實，傳其糟粕令下，去故納新。』

（3）蕭延平本《太素遺文》『消者瞿瞿。林億新校正：接《太素》作「消者濯濯」。』（頁六〇八）

9．六節藏象論　　《太素》不全

(1)見《太素》卷十四『人迎脉口診』，自『人迎一盛病在足少陽』至『命曰關格』(頁二六八至二六九)，但與《素問·六節藏象論》相應文句多異。

(2)日本《醫家千字文注》：『《太素經》又云：人亦以九九制會。楊上善曰：九謂九宫也。九九者，一宫之中，復有九宫。』

(3)《素問·六節藏象論》：『心者，生之本，神之變也。』林億新校正：『詳「神之變」，全元起本並《太素》作「神之處」。』

10．五藏生成　　《太素》不全

(1)仁和寺《太素》影印本自『此五色之死也』六字以上缺，袁昶本、蕭本據《素問·五藏生成》補。自『此五色之死也』至『邪氣之所容也，鍼之緣而去也』，見《太素》卷十七『證候之一』(頁三一一至三一三)。披《素問·五藏生成》『容』作『客』，是。

(2)又見《太素》卷十五『色脉診』自『診病之始，五决爲紀』至篇末『面赤目青者，皆死』。(頁二七七至二八〇)

11．五藏别論　　《太素》全

(1)見《太素》卷六『藏府氣液』自『黄帝問於岐伯曰：余聞方士或以腦髓爲藏』至『故曰食而不滿』。(頁八八九至九〇)

(2)見《太素》卷十四『人迎脉口診』自『黄帝曰：氣口何以獨爲五藏主氣』至『治之無功矣』。(頁

二六六）

12．異法方宜論　《太素》全

見《太素》卷十九『知方地』全節。（頁三一八至三二一）

13．移精變氣論　《太素》全

（1）見《太素》卷十九『知祝由』自『黄帝問於岐伯曰：余聞古之治病者』至『故祝由不能已。黄帝曰：善』。（頁三二三至三二四）

（2）見《太素》卷十五『色脉診』自『黄帝問於岐伯曰：余欲臨病人』至『失神者亡。黄帝曰：善』。（頁二七三至二七五）

14．湯液醪醴論　《太素》全

（1）見《太素》卷十九『知古今』自『黄帝問於岐伯曰：爲五穀湯液』至『而病之所以不愈也』。（頁三一四至三一五）

（2）見《太素》卷十九『知湯藥』自『黄帝問岐伯曰：法病之始生也』至末。（頁三三五至三三七）

15．玉版論要　《太素》全

見《太素》卷十五『色脉診』自『黄帝曰：余聞揆度奇恒，所指不同』至『逆行一過，不復數，診要畢矣』。（頁二七五至二七七）

16．診要經終論　《太素》佚

見《太素遺文》『間者環已』一條。

17．脉要精微論　　《太素》不全

（1）見《太素》卷十六仁和寺影印本『雜診』『黄帝問岐伯曰：診法常以平旦』至『陰陽不相應，病名曰關格』及『黄帝問岐伯曰：診得心脉而急』至『病之變化不可勝數』。《太素》卷十六袁昶本、蕭本均缺，仁和寺影印本有十六卷全卷。

（2）見《太素》卷十四『四時脉診』自『黄帝問於岐伯曰：脉其四時動奈何』至『此六者持脉之大法也』。（頁二五四至二五七）

（3）見《太素》卷十五『五藏脉診』自『岐伯曰：心脉揣堅而長，當病舌卷不能言』至『腰脊痛而身寒有痹』。（頁二九六至三〇〇）

（4）見《太素》卷二十六『癰疽』自『黄帝問於岐伯曰：有病癰腫』至『此四時之病也，以其勝，治其輸』。（頁四八九）

18．平人氣象論　　《太素》全

（1）見《太素》卷十五『尺寸診』自『黄帝問岐伯曰：平人何如』至末。（頁二八五至二九三）

（2）見《太素》卷十五『五藏脉診』自『平心脉來，纍纍如連珠』至『辟辟如彈石，曰腎死』。（頁二九三至二九六）

19．玉機真藏論　　《太素》不全

（1）見《太素》卷十四『四時脉形』自『黄帝問岐伯曰：春脉如弦』至篇末。（頁二四四至二四九）

（2）見《太素》卷十四『真藏脉形』自『大骨枯槁，大肉陷下』至篇末。（頁二四九至二五二）

（3）見《太素》卷十四『四時脉診』自篇首『凡治病，察其形氣色澤』至『而脉不實堅爲難治，名曰逆四時』。（頁二五二至二五三）

（4）見《太素》卷六『藏府氣液』自『問曰：見真藏曰死，何也』至『故曰死。黄帝曰：善』。（頁九二）

（5）見《太素》卷十六仁和寺影印本『虚實脉診』自『黄帝問於岐伯曰：余聞虚實以決死生』至『身得汗後利則實可活，此其候也』。

20．三部九候論　　《太素》不全

（1）《太素》卷十四仁和寺影印本自『之後代』三字以上缺，又佚小標題。『之後代』三字以上之缺文，據《素問・三部九候論》可補爲：『黄帝問曰：余聞九鍼於夫子，衆多博大，不可勝數，余願聞要道，以屬子孫，傳。』袁昶本據《素問・三部九候論》補入『黄帝問曰：余聞九鍼於夫子』至『胸中多氣者死』，與仁和寺影印本合。蕭延平本自『帝曰：決死生奈何』至『胸中多氣者死』補入，與仁和寺影印本不合。《太素》仁和寺影印本卷十四缺卷首之卷名、本卷各篇小標題及第一篇首段三十餘字。

（2）見《太素》卷十四第一節自篇首至末。（小標題佚。頁二三八至二四四）

21．經脉别論　　《太素》全

見《太素》仁和寺影印本卷十六『脉論』。自『凡人之驚恐志勞動静，皆以爲變』至篇末『二陰⿱髟朵至，腎沉不浮』爲《經脉别論》之全文。按，『⿱髟朵』爲『摶』之俗字，諸本多誤作『搏』。楊注『二陰⿱髟朵至』云：『少陰之脉聚至』，以『聚』訓『⿱髟朵』，則『⿱髟朵』當作『摶』也。

22．藏氣法時論　　《太素》不全

（1）見《太素》卷二『調食』自『肝色青，宜食甘』至『四時五藏病，五味所宜』。（頁一七至一八）。

（2）見日本《醫家千字文注》：『《太素經》曰：病在肝者，平旦慧，下晡甚，夜半静。病在心，日中慧，夜半甚，平旦静。病在脾，日昳慧，平旦甚，下晡静。病在肺，下晡慧，夜半静，日中甚。病在腎，夜半慧，日乘四時甚，下晡静。注云：慧，醒了也。平旦肝王，晡時金克，夜半受生，故爲静。』按，原文係節引。《太素》『平旦甚』，《素問》作『日出甚』。林億在『日出甚』句下云：『按，《鍼灸甲乙經》「日出」作「平旦」，雖日出與平旦時等，按前文言「木王之時皆云平旦」而不云「日出」，蓋日出於冬夏之期有早晚，不若平旦之爲得也。』《太素》亦作『平旦』，是改『平旦』爲『日出』者，王冰所爲也。當依《太素》及新校正作『平旦』。

23. 宣明五氣　《太素》全

（1）《太素》卷二『調食』蕭延平云：『自五味至末，又見《素問》卷七第二十三「宣明五氣」。』（頁一四）考自『五味所入，酸入肝』至篇末『命曰五裁』（頁二十）見《靈樞·九鍼論》；『宣明五氣』此段文字僅與『九鍼論』相應文字其意相同而文字多異，故知《太素》此段文字非引自《素問·宣明五氣》也。

（2）見《太素》卷二『順養』自『久視傷血』至『久行傷筋』。（頁四）

（3）見《太素》卷六『藏府氣液』自『五藏氣，心主噫』至『脾主肌，腎主骨』。（頁八七至八九）

（4）見《太素》卷二十七『邪傳』自『五邪入：邪入於陽則爲狂』至篇末。（頁五一七至五一八）

（5）見《太素》卷十四『四時脉診』自『春得秋脉』至篇末。（頁二五七）

（6）見《太素》卷十五『五藏脉診』自『肝脉弦，心脉鈎』至『是謂五藏脉』。（頁二九三）

24．血氣形志　　《太素》不全

（1）自『形樂志苦病生於脉』至『刺少陰出氣惡血』見《太素》卷十九『知形志所宜』（頁三二一至三二三），唯句序稍異。

（2）見《太素》卷十一『氣穴』自『欲知背輸，先度其兩乳間』至『灸刺之度也』。（頁一八八）

25．寶命全形論　　《太素》全

見《太素》卷十九『知鍼石』自篇首『黄帝問岐伯曰：天覆地載』至『手如握虎，神無營於衆物』。（頁三二五至三三五）

26．八正神明論　　《太素》全

見《太素》卷二十四『天忌』全篇（頁三九九至四〇一）及卷二十四『本神論』全篇。（頁四〇一至四〇四）

27．離合真邪論　　《太素》全

見《太素》卷二十四『真邪補寫』全篇。（頁四〇四至四〇九）

28．通評虛實論　　《太素》全

（1）見《太素》仁和寺影印本卷十六『虛實脉診』自『黄帝問曰：何謂虛實』至篇末『答曰：春秋則生，冬夏則死』。

（2）見卷三十『經絡虛實』全節；（頁五九七）『身度』全節；（頁五九六）『順時』全節；（頁五九八）『刺腹滿數』自『腹暴滿按之不下』至『用員利鍼』；（頁六〇一）『刺霍亂數』全篇；（頁六〇一至六〇

二)『刺瘧驚數』全篇;(頁六〇二)『刺腋癰數』全篇(頁六〇二至六〇三);『病解』全篇;(頁六〇三)『久逆生病』全篇;(頁六〇四)『六府生病』全篇;(頁六〇四)『腸胃生病』全篇;(頁六〇四)《經輸所療》全篇。(頁六〇五)

29.太陰陽明論　《太素》全

見《太素》卷六『藏府氣液』自『問曰:太陰陽明表裏也』至『傷於濕者,下先受之』。(頁九〇至九一)自『問曰:脾病而四支不用何也』至篇末『故不用焉』。(頁九三至九四)

30.陽明脉解　《太素》全

見《太素》卷八『陽明脉解』全節。(頁一一九至一二〇)『陽盛則使人不欲食,故妄言』,《素問·陽明脉解》作『陽盛則使人妄言罵詈不避親疏而不欲食,不欲食故妄走也』。

31.熱論　《太素》全

(1)見《太素》卷二十五『熱病决』全節。(頁四二三至四二七)

(2)見《太素》卷三十『温暑病』自『凡病傷寒而成温者』至『病者當與汗皆出,勿止』。(頁五六四)

32.刺熱論　《太素》全

(1)見《太素》卷二十五『五藏熱病』全節。(頁四三六至四四一)

(2)見卷二十六『寒熱雜説』自『病始手臂者』至『先取項太陽而汗出』。(頁四八二)

33.評熱病論　《太素》全

(1)見《太素》卷二十五『熱病説』自篇首至『不出則傷肺,傷肺則死』。(頁四二七至四三〇)

(2)見《太素》卷二十九『風水論』自『黄帝曰：有病腎風者，面胕痝然壅』至『故月事不來。黄帝曰：善哉』。（頁五五七至五五九）

34．逆調論　《太素》全

(1)見《太素》卷三十『熱煩』全節；（頁五七六）『身寒』全節；（頁五七六）《肉爍》全節。（頁五七七）

(2)見《太素》卷二十八『痹論』自『問曰：人有身寒，湯火不能熱也』至『人身與志不相有也，曰死』。（頁五四一至五四二）

(3)見卷三十『卧息喘逆』自『問曰：人有逆氣不得卧而息無音者』至篇末。（頁五七八至五七九）

35．瘧論　《太素》不全

(1)見《太素》卷二十五『瘧解』全節。（頁四四五至四四八）按，經與《素問・瘧論》比勘，『瘧論』『風無常府衛氣之所發』上、『岐伯曰』句下有『此邪氣客於頭項』至『與邪氣相合則病作故』凡八十八字，《太素》無。繼考《素問》林億新校正云：『按，全元起本及《甲乙》《太素》自「此邪氣客於頭項」至下「則病作故」八十八字並無。』乃王冰所增。王冰『素問序』云：『凡所加字，皆朱書其文。』後世朱墨混淆，不能識别，何者爲王氏增入，唯賴與《太素》對勘，兼參《鍼灸甲乙經》而知之。

(2)見《太素》卷二十五『三瘧』全節。（頁四四九至四五三）

36．刺瘧　《太素》全

(1)見《太素》卷二十五『十二瘧』全節。（頁四五三至四五八）按，《太素・十二瘧》『黄帝曰：瘧而不渴』至『爲五十九刺』四十八字，《素問》見於『刺瘧篇』之篇末，乃王冰所移。

（2）見《太素》卷三十『刺瘧節度』全節。（頁五九九至六〇〇）

37．氣厥論　《太素》全

見《太素》卷二十六『寒熱相移』自篇首至『傳爲衄衊瞑目，故得之厥氣』。（頁四六六至四六九）按，仁和寺《太素》影印本『衊』作『瞢』。《龍龕手鏡》：『瞢，莫登反，目不明也。又音夢。』按，當依《太素》影印本作『瞢』。《太素》此篇無『黃帝問曰』『岐伯曰』問答語式，《素問·氣厥論》有此等句式，蓋爲王冰所增。王冰『素問序』云：『君臣請問，禮儀乖失者，考校尊卑，增益以光其意。』

38．欬論　《太素》全

見《太素》卷二十九『欬論』全節。（頁五六〇至五六二）

39．舉痛論　《太素》全

（1）見《太素》卷二十七《邪客》自篇首至末『可聞而得也。黃帝曰：善』。（頁五〇五至五〇八）

（2）見《太素》卷二《九氣》全節。（頁一二至一四）

40．腹中論　《太素》不全

（1）見《太素》卷二十九『脹論』自『黃帝問於岐伯曰：病心腹滿，旦食則不能暮食』至篇末。（頁五五六至五五七）按，楊上善注有『鷄醴』具體作法，王冰注則語焉不詳：『按，古《本草》鷄矢並不治鼓脹，惟大利小便，微寒，今方制法當取用處湯漬服之。』又《素問·腹中論》：『名爲鼓脹。』林億注云：『按《太素》「鼓」作「鼓」。』仁和寺《太素》影印本作『鼓』。按當作『鼓』。是林億所據之《太素》傳抄本個別字句與日本傳抄本略有不同。此種現象細讀林億新校正時有所見。《太素》卷二『調食』：『口嗜而欲食之，不可多也，必自裁也，命曰五裁。』（頁二十）《素問・宣明五氣》林億新校正云：『按《太素》五禁云：肝病禁辛，心病禁鹹，脾病禁酸，肺病禁苦，腎病禁甘。名此爲五裁。楊上善云：口嗜而欲食之，不可多也，必自裁之，命曰五裁。』（見《素問》横排本頁一五二）按，今本《太素》楊注作正文，是中日古代《太素》傳本略有異處。

（2）見《太素》卷三十『血枯』全節。（頁五七五）

（3）見《太素》卷三十『伏梁病』全節。（頁五六六至五六七）按，《素問・腹中論》『不可動之，動之爲水溺澀之病』句下有『帝曰：夫子數言熱中消中』至『服此藥者，至甲乙日更論』一大段，此段文字《太素》無，在佚篇中；見於《鍼灸甲乙經》卷十一第六。

（4）見《太素》卷二十六『癰疽』『黄帝問於岐伯曰：有病癰腫』至『須其氣並而治之，可使全。黄帝曰：善』。（頁四八九）

（5）見《太素》仁和寺影印本卷十六『雜診』載『黄帝問曰：何以知懷子之且生也。岐伯曰：身有病而無邪脉也』二十四字。

（6）見《太素》卷三十『熱痛』全節。（頁五六八）

41．刺腰痛　《太素》不全

（1）見《太素》卷三十『腰痛』全節。（頁五八〇至五八四）

（2）見《太素》卷十『陰陽維脉』全節。（頁一五五）

42．風論　《太素》全

(1)見《太素》卷二十八『諸風數類』全節。(頁五一九至五二二)

(2)見《太素》卷二十八『諸風狀論』全節。(頁五二二至五二四)

43. 痹論　《太素》全

(1)見《太素》卷二十八『痹論』自篇首至『逢濕則縱。黃帝曰：善』。(頁五三六至五三九)

(2)見《太素》卷三『陰陽雜説』自『凡痹之客五藏者』至『淫氣雍塞，痹聚在脾』。(頁四九至五〇)

44. 痿論　《太素》全

(1)見《太素》卷二十五『五藏痿』全節。(頁四四一至四四五)此節相當《素問・痿論》全篇。

(2)見《太素》卷十『帶脉』自『陽明者，五藏六府之海也』至末，(頁一四五至一四六)此爲重見者。

45. 厥論　《太素》全

(1)見《太素》卷二十六『寒熱厥』全節。(頁四五九至四六二)

(2)見《太素》卷二十六『經脉厥』自篇首至『發喉痹，嗌腫，痓，治主病者』。(頁四六二至四六五)

46. 病能論　《太素》全

(1)見《太素》卷十四『人迎脉口診』自『黃帝問於岐伯曰：人病胃管癰者』至『故胃管爲癰。黃帝曰：善』。(頁二七一)按《太素》『逆者人迎甚盛』，仁和寺影印本『逆』上有『氣』字。

(2)見《太素》卷三『卧息喘逆』自『黃帝問於岐伯曰：人有卧而有所不安者何也』至『大則不得偃卧』。(頁五七七至五七八)

(3)見《太素》卷十六『雜診』仁和寺影印本『黃帝曰：有病厥者』至『故腎爲腰痛。黃帝曰：善』。

（4）見《太素》卷十九『知鍼石』『黃帝問岐伯曰：有病頸癰者』至末。（頁三三五）

（5）見《太素》卷三十『陽厥』全節；（頁五九三）『酒風』全節；（頁五九五）『經解』全節。（頁五九五至五九六）

47. 奇病論　《太素》全

（1）見《太素》卷三十『重身病』全節。（頁五六三至五六四）

（2）見《太素》卷三十『息積病』全節。（頁五六六）

（3）見《太素》卷三十『伏梁病』自篇首『黃帝問曰：人有身體胕』至篇末。（頁五六六至五六七）

（4）見《太素》卷三十『疹筋』全節；（頁五七四）見『頭齒痛』『黃帝曰：人有病頭痛以數歲不已』至『齒亦當痛』；（頁五七〇）見『脾癉消渴』全節；（頁五六八至五六九）見『膽癉』全節；（頁五六九）見『厥死』全節；（頁五九二）見『癲疾』自『黃帝問岐伯曰：人生而有病癲疾者』至『故令人發爲癲疾』。（頁五八八）

（5）見《太素》卷二十九『風水論』自『黃帝問於岐伯曰：有病龐然如有水氣狀』至末。（頁五五九）

48. 大奇論　《太素》全

（1）見《太素》卷十五『五藏脉診』『肝滿腎滿肺滿』至篇末。（頁三〇六至三一〇）

（2）見《太素》卷二十六『經脉厥』『腎肝並沉者爲石水』至篇末。（頁四六六）此爲重見者。

（3）見《太素》卷二十六『寒熱相移』自『三陽急爲瘕』至篇末。（頁四六九）此爲重見者。

49. 脉解　《太素》全

見《太素》卷八『經脉病解』全節。（頁一一三至一一八）

50. 刺要　《太素》佚

51. 刺齊論　《太素》佚

52. 刺禁論　《太素》不全

見《太素》卷十九『知鍼石』自『黄帝曰：願聞禁數』至『逆之有咎』。（頁三三〇至三三一）按，《太素》『七節之傍，中有志心』，『志』字《素問·刺禁論》作『小』。按『志』有『小』義，見王引之《經義述聞》。

53. 刺志論　《太素》全

見仁和寺《太素》影印本卷十六『虚實脉診』自『黄帝問岐伯曰：願聞虚實之要』至『入虚者左手閉也』。

54. 鍼解　《太素》全

見《太素》卷十九『知鍼石』自『黄帝曰：願聞九鍼之解』至『四方各作解』（頁三三一至三三四）爲『鍼解篇』全文。王冰於『四方各作解』下注云：『此一百二十四字，蠹簡爛文，義理殘缺，莫可尋究，而上古書，故且載之，以佇後之具本也。』林億注云：『詳王氏云一百二十四字，今有一百二十三字，又亡一字。』（見《素問》横排本頁二八五）楊上善注云：『章句難分，但指句而已也。』楊、王皆以全元起《素問訓解》爲底本，皆云此段文字『章句難分』『義理殘缺』，是『鍼解篇』中此段文字於南朝或更早時期已殘損訛脱，難以究詰矣。

55. 長刺節論　《太素》全

見《太素》卷二十三『雜刺』自『刺家不診，聽病者言』至篇末。（頁三九五至三九八）按，《素問·長刺節論》『治腐腫者刺腐上』，林億新校正：『按，全元起本及《鍼灸甲乙經》「腐」作「癰」。』考《太素》正作『癰』，益證《太素》中之《素問》同全元起本。改『癰』爲『腐』者，王冰也。

56. 皮部論　　《太素》全

見《太素》卷九『經脉皮部』自『黃帝問岐伯曰：余聞皮有分部』至『不與而生大病』。（頁一三八至一四一）

57. 經絡論　　《太素》全

見《太素》卷九『經絡皮部』自『夫絡脉之見也，其五色各異』至篇末。（頁一四二）按，《太素·經絡皮部》篇包括《素問》的『皮部論』『經絡論』兩篇文章，『皮部論』在前，『經絡論』在後。林億在『經絡論』下注云：『按，全元起本在「皮部論」末，王氏分。』在王氏未分以前，『皮部論』『經絡論』是一篇文章，統名『經絡皮部』，《太素》此篇即全元起本原貌。全氏本已佚，《太素》保存全氏本原貌，尤可貴也。王冰『素問序』載『節「皮部」爲「經絡」』，指此。

58. 氣穴論　　《太素》全

見《太素》卷十一『氣穴』全節。（頁一八二至一九〇）中間插入《素問·水熱穴論》及『血氣形志』。具體言之，自篇首至『大禁二十五，在天府下五寸』；（頁一八二至一八四）自『黃帝問於岐伯曰：余以知氣穴之處』至篇末，爲『氣穴論』。（頁一八九至一九〇）

59. 氣府論　　《太素》不全

見《太素》卷十一『氣府』全節。（頁一九〇至一九六）按，《素問·氣府論》『十五間各一』句下有『五藏之俞各五，六府之俞各六，委中以下至足小指傍各六俞』二十四字，《太素》無；『氣府論』載『下陰别一，目下各一』至『至横骨寸一，腹脉法也』五十一字，《太素》無。總計缺七十五字。

60.骨空論　《太素》不全

（1）見《太素》卷十一『骨空』全節。（頁一九七至二〇〇）

（2）見《太素》卷十『督脉』全節，（頁一四三至一四五）與《太素》卷十一《骨空》重見。

（3）見《太素》卷二十六『灸寒熱法』全節。（頁四九三至四九四）

61.水熱穴論　《太素》全

（1）見《太素》卷十一『氣穴』自『問曰：少陰何以主腎』至『夫寒甚則生熱』。（頁一八四至一八七）

（2）見《太素》卷十一『變輸』自『問曰：春取絡脉』至篇末。（頁一七七至一七八）

（3）見《太素》卷三十『温暑病』『所謂玄府者汗空』七字。（頁五六五）

62.調經論　《太素》全

（1）見《太素》卷二十四『虚實補寫』全節。（頁四〇九至四一五）

（2）見《太素》卷二十四『虚實所生』全節。（頁四一五至四二二）

63.繆刺論　《太素》全

（1）見《太素》卷二十三『量繆刺』全節。（頁三七二至三八一）

（2）見《太素》卷十『陰陽喬脉』載『邪客於足陽喬，令人目痛，從内眦始』十四字。（頁一四八）

64．四時刺逆從論　《太素》不全

見《太素》仁和寺影印本卷十六『雜診』『厥陰有餘病陰痹』至篇末。

65．標本病傳論　《太素》佚

66．天元紀大論　《太素》無

67．五運行大論　《太素》無

68．六微旨大論　《太素》無

69．氣交變大論　《太素》無

70．五常政大論　《太素》無

71．六元正紀大論　《太素》無

72．刺法論　《太素》佚

73．本病論　《太素》佚

74．至真要大論　《太素》無

75．著至教論　《太素》不全

見《太素》仁和寺影印本卷十六『脉論』載『黄帝坐明堂，召雷公問曰』至『應四時合之五行』。按，『脉論』此段爲『著至教論』全文。王冰於『合之五行』句下增『雷公曰：陽言不别』至『人事不殷』七十五字。林億於『雷公曰』下注云：『按，自此至篇末全元起本别爲一篇，名「方盛衰」也。』

76．示從容論　《太素》全

見《太素》卷十六仁和寺影印本『脉論』自『黄帝燕坐，召雷公而問之』至『是以名曰診經，是謂至道』。

77. 疏五過論　《太素》佚

見日本《醫家千字文注》：『《太素經》曰：黄帝曰：嗚呼遠哉！閔閔乎若視深淵，若迎浮云，視深淵尚可測，迎浮云莫知其際。注曰：術意妙，望之無終始，譬之浮云，莫知其際也。』

78. 征四失論　《太素》佚

按，日本《醫談鈔》引有《太素》楊上善少量注文，其中一條云：『楊上善云：千里雖遠，馳之甚易；寸尺雖短，明之甚難。』此注當係注釋《素問·征四失論》『是以世人之語者，馳千里之外，不明尺寸之論，診無人事』者。

79. 陰陽類論　《太素》全

見《太素》仁和寺影印本卷十六『脉論』自篇首『孟春始至』至『二陰獨至，期在盛水也』。

80. 方盛衰論　《太素》佚

按，《素問·著至教論》『雷公曰』句下林億注云：『按自此至篇末，全元起本别爲一篇，名「方盛衰」也。』此段凡七十五字，原在全元起本『方盛衰論』中，王冰移於『著至教論』末尾。《太素》已佚『方盛衰論』，但其中七十五字尚存於《素問·著至教論》中。

81. 解精微論　《太素》全

見《太素》卷二十九『水論』全節。（頁五四七至五五〇）

通過《太素》《素問》章句詳比，可以得出如下結論。

第一，《太素》中之《素問》，以全元起《素問訓解》爲底本確切無疑。經與《素問》對照，《太素》全者四十八篇，不全者十六篇，佚者十篇，合計七十四篇。若加上『七大論』，恰爲八十一篇。

第二，《太素》無『七大論』，全元起本亦無『七大論』，不僅可證《太素》以全氏本爲底本，亦可證『七大論』斷非《素問》原有，林億稱此『七大論』雖『亦古醫經，終非《素問》第七矣』，確爲智者之言。

第三，全元起本亡於北宋南渡，據《太素》及《素問》新校正（包括八十一篇標題下之新校正及注中新校正），可追踪全氏本大體面貌。

第四，『刺法論』『本病論』全元起本及《太素》均無。『鍼灸甲乙經序』所云『亦有所亡失』，蓋謂亡《素問》卷七及『刺法論』『本病論』也。此兩篇亡佚甚久，忽於明趙府居敬堂本刊出，一九六五年人民衛生出版社《素問》橫排本附於卷末，有人稱此兩篇爲『亡而復得』，是不得不辨。以下簡考現傳之『刺法論』『本病論』乃後出之文，不可與《素問》其他篇章同樣視之。

『刺法論』『本病論』亡於全元起《素問訓解》前。《素問·病能論》『度者，得其病處，以四時度之也』，王冰注：

> 凡言『所謂』者，皆釋未了義。今此『所謂』，尋前後經文，悉不與此篇義相接。似今數句少成文義者，終是别釋經文。世本既闕第七二篇，應彼闕經錯簡文也。古文斷裂，繆續於此。（人民衛生出版社《素問》橫排本頁二五九）

所謂『世本既闕第七二篇』，謂傳世之全元起《素問訓解》已缺第七卷之『刺法論』『本病論』兩篇。王冰以全元起本爲底本，則全氏本已缺此二篇，史有明文。

《素問》林億新校正謂當時所傳之『刺法論』『本病論』載『托名王冰爲注，辭理鄙俗，無足取者』。《素問·六元正紀大論》第七十一標題下附亡篇篇名：『「刺法論篇」第七十二，亡。「本病論篇」第七十三，亡。』林億云：

詳此二篇，亡在王注之前。按，『病能論』篇末王冰注云：『世本既闕第七二篇，謂此二篇也。』而今世有『素問亡篇』及『昭明隱旨論』，以謂此三篇，仍托名王冰爲注，辭理鄙陋，無足取者。舊本此篇名在『六元正紀篇』後列之，爲後人移於此。若以《尚書》亡篇之名皆在前篇之末，則舊本爲得。（人民衛生出版社《素問》横排本頁四五七）

觀新校正，此二亡篇在北宋林億校定《素問》前已流傳，且托名王冰注。林億《素問》新校正成於北宋嘉祐中（一〇五七），則亡篇成於嘉祐之前王冰撰注《素問》（七六二）之後。

現傳之『刺法論』『本病論』始著録於《明史·藝文志》卷九十八『藝術類』：『趙簡王補刊《素問》遺篇一卷。』下有小注：『世傳《素問》王冰注本中有缺篇，簡王得全本補之。』『簡王』指朱厚煜，明嘉靖間人，所刻《素問》通稱趙府居敬堂本，此本卷末附此遺篇。

趙府居敬堂本附刻之遺篇來自元代至元五年胡氏古林書堂《素問》刻本；胡氏古林書堂本之遺篇得自宋代劉温舒《内經素問論奥》四卷本。《宋史·藝文志》載：『劉温舒《内經素問論奥》四卷。』據清《四庫全書總目提要》云，《内經素問論奥》四卷，包括《素問入式運氣論奥》三卷，《黃帝内經素問遺篇》一卷。『遺篇』一卷爲『刺法論』『本病論』兩篇。元代胡氏古林書堂取此兩篇附刻於書中。明成化十年（一四七四）熊氏種德堂《素問》本、明嘉靖趙簡王朱厚煜居敬堂本均依元代古林書堂本之例附刻書末。二十世紀六十年代人民衛生出版社《素問》横排本亦將兩遺篇附於書末，題云『黄帝内經素問遺篇』，從此知之者益多。

宋代劉温舒從何得此遺篇？據《素問入式運氣論奥》劉温舒自序（該序寫於北宋元符己卯二年，西元一〇九九年），自署朝散郎太醫學司業劉温舒撰，是知劉氏北宋末人。從元符己卯二年（一〇九九）向上推算至北宋林億校定《素問》並於新校正中斥此兩遺篇『托名王冰爲注，辭理鄙俗，無足觀者』（一〇五九年左右），二者相距四十一年左右。林億此時已見此亡篇，則劉温舒所收録之《素問遺篇》當爲林億所見者，則此兩遺篇又遠在北宋嘉祐以前。《四庫全書總目提要》云：『劉温舒生北宋之末，何從得此，注亦不知出自何人，殆不免有所依托，未可盡信。』但『廉石居藏書記』云：『温舒爲太醫學官，所得《内經》亡篇，必非無本。』（見中華書局《醫藥編》頁三三四左側上欄）《四庫全書簡明目録》云：『所附「刺法論」一篇，其亡在王冰作注之前。温舒自何得之，存而不論可矣。』

現傳之《素問》遺篇兩篇，當出自王冰《素問》注成書之後。據王冰『素問序』，該序寫於唐寶應元年（七六二），因王冰於《素問》注中多次稱『刺法』『本病』爲古醫經，惜已久亡，而一字未及『遺篇』之事：

『評熱病論』：『病名曰風水，論在「刺法」中。』王冰注：『「刺法」，篇名，今經亡。』（人民衛生出版社《素問》横排本頁一九六）

『腹中論』：『居齊上爲逆，居齊下爲從，勿動亟奪。論在「刺法」中。』王冰注：『今經亡。』（人民衛生出版社《素問》横排本頁二二五）

『奇病論』：『「刺法」曰：無損不足，益有餘，以成其疹。』（人民衛生出版社《素問》横排本頁二五九）王冰於『刺法』無注，但准前注，亦必當云『今經亡』。

考『遺篇』所引《玄珠》之語，亦證『遺篇』成於王冰之後。《素問》王冰序：『辭理秘密，難粗論述者，别撰《玄珠》，以陳其道。』林億注：『詳王氏《玄珠》，世無傳者。今有《玄珠》十卷，《昭明隱旨》三卷，蓋後人附托之文也。』（人民衛生出版社《素問》横排本頁七）林億在『六元正紀大論』注中，引後人附托之《玄珠》與王冰注相比較，指出僞《玄珠》與王冰注之理論體系截然兩事：

間谷命太者，王冰注：『命太者，謂前文太角商等氣之化者，間氣化生，故云間也。』林億新校正云：『按，《玄珠》云：歲谷與間谷者何？即在泉爲歲谷，及在泉左右間者皆爲歲谷。其司天及運間而化者，名間谷。又别有一名間谷者，是地化不及，即反有所勝而生者，故名間谷。即邪氣之化，又名並化之谷也，亦名間谷。與王注頗異。』

在林億之後，又將《玄珠》稱爲《玄珠密語》，著録於《宋史·藝文志》二百零七卷：『王冰《素問六脉玄珠密語》一卷。』『宋志』作『一卷』，鄭樵《通志·藝文略》卷六十九作『十卷』：『《玄珠密語》十卷。』按，當作『一卷』。《玄珠密語》堪稱『辭理鄙俗，無足取者』。《四庫全書總目提要》稱此書『迂怪』『粗野道流之言』『怪妄不可信』：

考冰所注《素問》，義藴宏深，文詞典雅，不似此書之迂怪。且序末稱傳之非人，殃墮九祖，乃粗野道流之言。序中又謂余於百年間不逢求志之士，亦不敢隱没聖人之言，遂書五本，藏之五嶽深洞中，是直言藏此書時，其年已在百歲之外，居然此號神仙矣。尤怪妄不可信也。

附篇『刺法論』云：『不及扶資，以扶運氣，以避虚邪也。資取之法令出《密語》。』（人民衛生出版社《素問》横排本頁五七八）『本病論』云：『四時不節，即生大疫。注《玄珠密語》云：陽年三十年，除六年天刑，計有太過二十四年。』（人民衛生出版社《素問》横排本頁五八九）從『遺篇』引用《密語》《玄珠密語》觀之，後人附托之『刺法論』『本病論』，成於王冰之後林億之前；於林億之後，似又續有增補，此兩遺篇舉《密語》《玄珠密語》之名可爲其證。

從『臉』字詞義演變上，亦可證遺篇晚出。

《説文》無『臉』字，此字約出現於六世紀以後，早期指肉羹。《龍龕手鏡·肉部》：『臉，七廉反。臉，臛也。又力斬反，羹屬也。』但『臉』字的常用義在唐宋時代指兩頰。人有兩頰，故人有兩個『臉』。唐代杜牧（八〇三—八五二）《冬至日寄小侄阿宜》『頭圓筋骨緊，兩臉明且光』。王昌齡《采蓮曲》『荷葉羅裙一色裁，芙蓉向臉兩邊開。亂入池中看不見，聞歌始覺有人來。』人有兩臉，故云『芙蓉向臉兩邊開』。宋代晏殊詞：『芳蓮九蕊開新艷，輕紅淡白匀雙臉。』晏幾道詞：『輕匀兩臉花，淡掃雙眉柳。』《集韵》收『臉』字：『臉，頰也。』後來『臉』字詞義擴大，指人的整個面部。『本病論』中有『臉』字：『久而伏鬱，即黄埃化疫也，民病夭亡，臉、肢、府黄疸滿閉。』若指頰而言，古人多稱『兩臉』『雙臉』，觀『本病論』之『臉』，乃指整個面部，此亦可證『本病論』後出。

總而言之，《素問》所附之兩遺篇，乃後人僞托者，它出現的時間在王冰之後，林億之前；林億之後，似又經後人略加增補，引《玄珠密語》、『臉』指整個面部是其證。

（二）《太素》《九卷》章句對應譜

1．九鍼十二原　　《太素》全

(1)見《太素》仁和寺影印本卷二十一『九鍼要道』全節。

(2)見《太素》仁和寺影印本卷二十一『諸原所生』全節。

(3)見《太素》仁和寺影印本卷二十一『九鍼所象』從『九鍼之名，各不同形』至篇末。

2．本輸　《太素》全

見《太素》卷十一『本輸』全節。（頁一六五至一七五）

按，《靈樞》從『九鍼十二原』第一至『終始』第九於題目之下分别注以『法天』『法地』『法人』『法時』『法音』『法律』『法星』『法風』『法野』，《太素》無此諸『法』。馬玄台謂：諸法『乃後人襲本經七十八篇用鍼之意而分注之。殊不知彼乃論鍼而非論篇目也。』

3．小鍼解　《太素》全

見《太素》仁和寺影印本卷二十一『九鍼要解』全節。

4．邪氣藏府病形　《太素》全

(1)見《太素》卷二十七『邪中』全節。（頁五〇八至五一一）

(2)見《太素》卷十五『色脉尺診』全節。（頁二八〇至二八二）

(3)見《太素》卷十五『五藏脉診』自『黄帝曰：請問脉之緩急小火滑澀之病形何如』至『勿取以鍼，調其甘藥』。（頁三〇〇至三〇五）

(4)見《太素》卷十一『府病合輸』全節。（頁一七八至一八二）

5．根結　《太素》全

（1）見《太素》卷十『經脉根結』全節。（頁一六〇至一六四）

（2）見《太素》卷十四『人迎脉口診』自『一日一夜五十營，以營五藏之精』至『預之短期者，乍數乍疏也』。（頁二六五）

（3）見《太素》卷二十二『刺法』自『黄帝問曰：逆順五體，言人骨節之小大』至篇末。（頁三四八至三五〇）

6．壽夭剛柔　《太素》不全

見《太素》卷二十二『三變刺』全節。（頁三五七至三五八）

7．官鍼　《太素》不全

（1）見《太素》卷二十二『九鍼所主』自『九鍼之要，官鍼最妙』至篇末。（頁三五〇至三五一）

（2）見《太素》仁和寺影印本卷二十二『九刺』全節。

（3）見《太素》仁和寺影印本卷二十二『十二刺』全節。

（4）見《太素》仁和寺影印本卷二十二『三刺』全節。

（5）見《太素》仁和寺影印本卷二十二『五刺』全節。

8．本神　《太素》不全

見《太素》卷六『藏府之一』首篇全節。仁和寺本缺首葉一紙。仁和寺《太素》影印本注云：『首一紙缺。』全標簽題及小標題亦缺。仁和寺影印本自『在我者氣也』以上缺，蕭延平據『本神』補入。（頁七〇至七五）

9．終始　《太素》不全

（1）見《太素》卷十四『人迎脉口診』，自『凡刺之道，畢於終始』至『故陰陽不相移，虚實不相傾，取之其經』。（頁二六六至二七一）

（2）見《太素》卷二十二『三刺』自『凡刺之屬，置刺至轂』至篇末。（頁三五二至三五六）

10．經脉　《太素》不全

（1）見《太素》仁和寺影印本卷八『經脉連環』全節。又見蕭延平本卷八首篇從『雷公問於黄帝曰：禁脉之言』至篇末。（頁九五至一一三）

（2）見《太素》卷九『經絡别異』全節。（頁一三一至一三三）

（3）見《太素》卷九『十五絡脉』全節。（頁一三四至一三八）

11．經别　《太素》全

（1）見《太素》卷九『經脉正别』全節。（頁一二一至一二五）按，《太素》之『經脉正别』爲《靈樞・經别》之全文。

（2）見《太素》卷十『帶脉』載『足少陰之正，至膕中，别走太陽心而合，上至腎，當十四椎，出屬帶脉』。（頁一四五）此二十六字爲重見者。蕭延平云：『太陽下《靈樞》《鍼灸甲乙經》均無「心」字。』按，卷九『經脉正别』亦無『心』字。仁和寺影印本作『之』，並於其右側畫一圓圈表示『之』字當删。

12．經水　《太素》全

見《太素》卷五『十二水』全節。（頁六三至六九）

13. 經筋　《太素》全

見《太素》卷十三『經筋』。(頁二一九至二二八)

14. 骨度　《太素》全

見《太素》卷十三『骨度』全節。(頁二二八至二三一)

15. 五十營　《太素》全

見《太素》卷十二『營五十周』。(頁二一一至二一三)

16. 營氣　《太素》全

見《太素》仁和寺影印本卷十二『營衛氣别』,自『黄帝曰:榮氣之道,内穀爲寶』至『此營氣之行逆順之常也』爲《靈樞·營氣》之全文。又見蕭延平本卷十二『營衛氣』第一節。(頁二〇一至二〇二)

17. 脉度　《太素》全

(1)見《太素》卷十三『脉度』全節。(頁二三五至二三七)

(2)見《太素》卷六『藏府氣液』自篇首『五藏常内閲於上,在七竅』至『關格者,不得盡期而死矣』。(頁八六至八七)

(3)見《太素》卷十『陰陽喬脉』自篇首『黄帝問曰:喬脉安起安止』至『當數者爲經,其不當數者爲絡。黄帝曰:善』。(頁一四六至一四八)

18. 營衛生會　《太素》全

見《太素》卷十二『營衛氣』自『黄帝曰:願聞營衛之所行』至篇末。(頁二〇三至二〇五)

19．四時氣　　《太素》全

見《太素》卷二十三『雜刺』自『黄帝問於岐伯曰：夫四時之氣』至『氣口候陰，人迎候陽』。（頁三九〇至三九五）

20．五邪　　《太素》全

見《太素》卷二十二『五藏刺』全節。（頁三五九至三六一）

21．寒熱病　　《太素》全

（1）見《太素》卷二十六『寒熱雜説』全節。（頁四七五至四八二）此爲《寒熱病》全文。

（2）見《太素》卷十『陰陽喬脉』自『陰喬陽喬』至『陰氣盛則瞑目』。（頁一四八）凡三十字重出。

22．癲狂　　《太素》全

見《太素》卷三十以下諸節。

『目痛』自『目眦外决於面者』至『下爲内眦』凡二十三字。（頁五七二）

『癲疾』自『癲疾始生先不樂』至篇末。（頁五八八至五八九）

『驚狂』全節。（頁五八九至五九一）

『風逆』全節。（頁五九四）。

『厥逆』全節。（頁五九一至五九二）

『少氣』全節。（頁五七九）

23．熱病　　《太素》不全

(1)見《太素》卷二十五『熱病説』自『偏枯身偏不用而痛』至篇末。(頁四三〇至四三五)

(2)見《太素》卷三十『氣逆滿』自『氣滿胸中息喘』至『氣下乃止』三十一字。(頁五八〇)

(3)見《太素》卷二十六『厥心痛』『心疝暴痛，取足太陰厥陰，盡刺去其血絡』十六字。(頁四七五)

(4)見《太素》卷三十『喉痹嗌乾』自篇首至『去端如韭葉』。(頁五七一)

(5)見《太素》卷三十『目痛』『目中赤痛，從内眦始，取之陰蹻』十二字。(頁五七二)

(6)見《太素》卷三十『風痙』全節。(頁五九四)

(7)見《太素》卷三十『癃泄』『癃，取之陰蹻及三毛上及血絡出血』十四字。(頁五八六)

(8)見《太素》卷三十『如蠱如妲病』全節。(頁五八七)按，『妲』爲『阻』之俗訛，蕭延平蘭陵堂本及人民衛生出版社本《太素》皆誤作『妲』，今據仁和寺原抄《太素》影印本改。

24．厥病　《太素》全

(1)見《太素》卷二十六『厥頭痛』自篇首『厥頭痛面若腫起而煩心』至『後取足少陽陽明』。(頁四七〇至四七一)

(2)見《太素》卷二十六『厥心痛』自篇首至『腹憹痛形中上者』。(頁四七二至四七四)

(3)見《太素》卷三十『耳聾』自篇首至『先取手，後取足』；(頁五七二至五七三)『髀疾』全節；(頁五八五)『癃泄』『病泄下血，取曲泉』七字。(頁五八六)

(4)見《太素》卷二十八『痹論』『風痹淫病不可已者』至『不出三年死』。(頁五四二)

25．病本　《太素》佚

26. 雜病　　《太素》全

（1）見《太素》卷二十六『厥頭痛』自『厥夾脊而痛』至篇末。（頁四七一至四七二）

（2）見《太素》卷三十以下諸節：『喉痹嗌乾』自『喉痹不能言』至『口中熱如膠，取足少陰』；（頁五七二）『痿厥』全節；（頁五八六）『刺瘧節度』自『瘧不渴，間日而作』至篇末；（頁六〇〇）『頭齒痛』自『齒痛不惡清飲』至篇末；（頁五七〇）『耳聾』自『聾而不痛，取足少陽』至篇末；（頁五七三）『衄血』全節；（頁五七三至五七四）『喜怒』全節；（頁五七四）『頷痛』全節；（頁五七〇）『項痛』全節；（頁五七一）『刺腹滿數』自『少腹滿大，上走胃至心』至『不已，刺氣街，已刺按之，立已』；（頁六〇〇至六〇一）『氣逆滿』『氣逆上，刺膺中陷者與下胸動脉』十三字；（頁五七九）『療噦』全節。（頁五八〇）

（3）見《太素》卷二十六『厥心痛』自『心痛，引腰脊，欲嘔』至『上下求之，得之立已』。（頁四七四至四七五）

按，卷三十《雜病》篇分爲五十四小段，多以該段之首句或首兩字作爲該段之小標題。將《靈樞·雜病》分爲十餘小節，即分爲十餘種病證進行分析，顯示楊氏對疾病認識的精密化。

27. 周痹　　《太素》全

見《太素》卷二十八『痹論』自『黄帝問於岐伯曰：周痹之在身也』至『十二經脉陰陽之病也』。（頁五三九至五四一）

28. 口問　　《太素》全

見《太素》卷二十七『十二邪』全節。（頁四九九至五〇四）

29．師傳　《太素》不全

見《太素》卷二『順養』自篇首至『故氣將持，乃不致邪僻』。（頁一至四）

30．决氣　《太素》全

見《太素》卷二『六氣』全節。（頁一〇至一一）

31．腸胃　《太素》全

見《太素》卷十三『腸度』自篇首至『其回曲環反三十二曲』。（頁二三一至二三三）

32．平人絶穀　《太素》全

見《太素》卷十三『腸度』自『黄帝曰：願聞人之不食，七日而死』至篇末。（頁二三三至二三五）

33．海論　《太素》全

見《太素》卷五『四海合』全節。（頁六一至六三）

34．五亂　《太素》全

見《太素》卷十二『營衛氣行』自『黄帝曰：經脉十二者，别爲五行』至篇末。（頁二〇九至二一一）

35．脹論　《太素》全

見《太素》卷二十九『脹論』自篇首至『如鼓之應桴，惡有不下者乎』。（頁五五〇至五五四）

36．五癃津液别　《太素》全

見《太素》卷二十九『津液』全節。（頁五四四至五四六）

37．五閲五使　《太素》佚

38.逆順肥瘦　《太素》不全

（1）見《太素》仁和寺影印本卷二十二『刺法』及蕭延平本卷二十二『刺法』，自篇首至『血濁氣澀，疾寫之則經可通也』。（頁三四三至三四八）

（2）見《太素》卷十『衝脉』自篇首至『其非夫子，孰能導之』。（頁一五一至一五四）

按，仁和寺影印本《太素》『刺法』中的楊上善注有大量缺文，蕭延平本『刺法』中的正文與楊上善注均有缺文。

39.血絡論　《太素》全

見《太素》卷二十三『量絡刺』全節。（頁三八八至三八九）

40.陰陽清濁　《太素》全

見《太素》卷十二『營衛氣行』自『黄帝曰：余聞十二經脉以應十二水』至『清濁相干者，以數調之』。（頁二〇八至二〇九）

41.陰陽繫日月　《太素》全

見《太素》卷五『陰陽合』自篇首至『散之可千，推之可萬，此之謂也』。（頁五四至五七）

42.病傳　《太素》佚

43.淫邪發夢　《太素》佚

44.順氣一日分爲四時　《太素》不全

見《太素》卷十一『變輸』自篇首至『是謂五變。黄帝曰：善』。（頁一七五至一七七）相當『順氣一日分爲四時』中間一段，缺首尾兩段。

45．外揣　《太素》全

見《太素》卷十九『知要道』全節。（頁三一六至三一八）

46．五變　《太素》佚

47．本藏　《太素》全

（1）見《太素》卷六『五藏命分』全節。（頁七五至八三）

（2）見《太素》卷六『藏府應候』全節。（頁八三至八五）

48．禁服　《太素》全

見《太素》卷十四『人迎脉口診』自篇首至『脉代以弱，則欲安靜，無勞用力也』。（頁二五八至二六四）

49．五色　《太素》不全

見卷十四『人迎脉口診』自『雷公曰：病之益甚與其方衰何如』至『脉口盛緊者，傷於食飲』。（頁二六四至二六五）僅爲《靈樞・五色》篇中間一段，缺首尾。

50．論勇　《太素》佚

51．背輸　《太素》全

見《太素》卷十一『氣穴』『黄帝問於岐伯曰：願聞五藏之輸出於背者』至『傅其艾，須其火滅也』。（頁一八七）按，『傅其艾』之『傅』《靈樞・背輸》作『傳』，誤。楊上善注云：『傅音符，以手擁傅其艾吹之，使火氣不散也。」當據《太素》正之。

52. 衛氣　《太素》全

見《太素》卷十『經脉標本』全節。（頁一五五至一六〇）

53. 論痛　《太素》佚

54. 天年　《太素》不全

見《太素》卷二『壽限』自『黄帝曰：人之壽夭各不同』至『形骸獨居而終矣』。（頁二一一至二一二）缺『天年』之首尾。

55. 逆順　《太素》全

見《太素》卷二十三『量順刺』全節。（頁三八三至三八四）

56. 五味　《太素》全

見《太素》卷二『調食』自篇首至『黄黍、鷄肉、桃皆辛』。（頁一四至一七）

57. 水脹　《太素》全

見《太素》卷二十九『脹論』自『黄帝問於岐伯曰：水與膚脹鼓脹』至『亦刺去其血脉，黄帝曰：善』。（頁五五五至五五六）

58. 賊風　《太素》全

見《太素》卷二十八『諸風雜論』全節。（頁五二四至五二六）

59. 衛氣失常　《太素》佚

60．玉版　《太素》不全
見《太素》卷二十三『疽癰逆順刺』全節，(頁三八四至三八七)僅爲『玉版』之前段，缺後段。
61．五禁　《太素》佚
62．動輸　《太素》全
見《太素》卷九『脉行同異』自『黄帝曰：經脉十二』篇末。(頁一二八至一三一)
63．五味論　《太素》全
見《太素》卷二『調食』自『黄帝問少俞曰：五味之入於口也』至『故曰甘入走肉矣』。(頁一八至二十)
64．陰陽二十五人　《太素》佚
65．五音五味　《太素》不全
見《太素》卷十『任脉』全節，(頁一四八至一五一)缺首段。
66．百病始生　《太素》全
見《太素》卷二十七『邪傳』自篇首至『毋逆天時，是謂至治』。(頁五一二至五一七)
67．行鍼　《太素》全
見《太素》卷二十三『量氣刺』全節。(頁三八二至三八三)
68．上膈　《太素》全
見《太素》卷二十六『蟲癰』全節。(頁四九〇至四九一)
69．憂恚無言　《太素》佚

70.寒熱　《太素》全

見《太素》卷二十六『寒熱瘰癧』全節。（頁四九二至四九三）

71.邪客　《太素》不全

（1）見《太素》卷十二『營衛氣行』自篇首至『久者，三飲而已』。（頁二〇六至二〇七）

（2）見《太素》仁和寺影印本卷五第一篇，此篇自『天有陰陽，人有夫妻』以上缺，蕭延平本據『邪客』篇補入。又見蕭延平本卷五『人合』首段。（頁五三至五四）

（3）見《太素》卷九『脉行同異』自篇首至『真氣堅固，是謂因天之序』。（頁一二五至一二八）

（4）見《太素》仁和寺影印本卷二十二首篇，首段缺。仁和寺影印本在此卷第一篇之首有『首十二行缺』五字小注。具體言之，仁和寺影印本自『黃帝曰：持鍼縱舍奈何』以上缺，現存之文字，亦頗多斷爛及缺文。又見蕭延平本卷二十二『刺法』自『黃帝曰：持鍼縱舍奈何』至『骨節機關不得屈伸，故病攣』。（頁三四四至三四六）

72.通天　《太素》佚

73.官能　《太素》全

見《太素》卷十九『知官能』全節。（頁三三七至三四二）

74.論疾診尺　《太素》全

（1）見《太素》卷十五『尺診』全節。（頁二八三至二八五）

（2）見《太素》卷十七『證候之一』自『目色赤者病在心』至篇末。（頁三一一三）

(3)見《太素》仁和寺影印本卷十六『雜診』自『診血脉者多赤多熱』至『手足温易已也』。

(4)見《太素》卷十四『人迎脉口診』自『安卧小便黄赤』至末。(頁二七二)

(5)見《太素》卷三十『四時之變』全節。(頁五六五)

75．刺節真邪　　《太素》不全

(1)見《太素》卷二十二『五節刺』全節。(頁三六一至三六五)

(2)見《太素》卷二十二『五邪刺』全節。(頁三六五至三七一)

(3)見《太素》仁和寺影印本卷二十九『三氣』全節。考蕭延平本卷二十九無『三氣』之目，依『刺節真邪』補入『黄帝曰：余聞氣者有真氣有正氣』至『堅有所結』一段文字，與仁和寺影印本合。然仁和寺本自『不能自去』之『不』字下至『薄於脉中』之『薄』字上缺。仁和寺本在『其中人也深不』字下注云『十行欠』三字。

76．衛氣行　　《太素》全

見《太素》卷十二『衛五十周』全節。(頁二一三至二一八)

77．九宫八風　　《太素》全

見《太素》卷二十八『九宫八風』全節。(頁五二六至五三〇)按仁和寺影印本之『九宫八風圖』與《靈樞》元古林書堂本、明熊宗立本、明詹林所本、明趙府居敬堂本及朝鮮活字本均異。

78．九鍼論　　《太素》不全

(1)見《太素》仁和寺影印本卷二十一『九鍼所象』自篇首至『此九鍼小大長短之法也』。

(2)見《太素》卷十九『知形志所宜』自篇首至『治之以按摩醪藥，是謂五形』。（頁三二一至三二二）

(3)見《太素》卷二『調食』自『五味所入，酸入肝』至篇末。（頁二十）

(4)見《太素》卷六『藏府氣液』自『精氣並於肝則憂』至『脾主肌，腎主骨』。（頁八八至八九）

(5)見《太素》卷二十七『邪傳』自『五發陰病發於骨』至『陰病發於夏』二十七字，（見頁五一八）與《素問・宣明五氣》重。

(6)見《太素》卷六『藏府氣液』自『心藏神，肺藏魄』至『脾主肌，腎主骨』，（頁八九）與《素問・宣明五氣》重。

(7)見《太素》卷十九『知形志所宜』自『形樂志苦，病生於脉』至『刺少陰出氣惡血』，（頁三二一至三二二）與《素問・宣明五氣》重。

79．歲露　《太素》不全

(1)見《太素》卷二十八『三虛三實』全節。（頁五三〇至五三三）

(2)見《太素》卷二十八『八正風候』全節。（頁五三三至五三五）

80．大惑論　《太素》全

見《太素》卷二十七『七邪』全節。（頁四九五至四九九）

81．癰疽　《太素》全

見《太素》卷二十六『癰疽』自篇首至『其皮上薄以澤，此其候也。黃帝曰：善』。（頁四八三至四八九）

通過以上對比，《太素》尚保留《靈樞》全文者五十二篇，殘缺者十七篇，已佚者十二篇。合計八十一篇，與《靈樞》篇數合。

《太素》殘缺不全者爲：

『壽夭剛柔』『官鍼』『本神』『終始』『經脉』『熱病』『師傳』『逆順肥瘦』『順氣一日分爲四時』『五色』『天年』『玉版』『五音五味』『邪客』『九鍼論』『刺節真邪』『歲露』，計十七篇。

《太素》已佚者爲：

『病本』『五閲五使』『病傳』『淫邪發夢』『五變』『論勇』『論痛』『衛氣失常』『五禁』『陰陽二十五人』『憂恚無言』『通天』，計十二篇。

《太素》引用《九卷》之文多保留《九卷》完整結構，而且許多篇段標題直接取自《九卷》之標題，如：《太素》有的篇段的標題，雖與《九卷》標題有一兩字之異，但顯係取自《九卷》而稍加變化者，使之更突出本篇内容和主旨，如下表（表1、表2）。

表1

《九卷》	《太素》	説明
本輸	本輸	《太素》録其全文
脹論	脹論	《太素》録其全文
脉度	脉度	《太素》分三節録其全文
骨度	骨度	《太素》録其全文
經筋	經筋	直接取自《九卷》，《太素》録其全文

表2

《九卷》	《太素》	說明
水脹	脹論	
海論	四海合	
周痹	痹論	
寒熱病	寒熱雜說	
營衛生會	營衛氣	
營氣	營衛氣別	
五十營	營五十周	
經水	十二水	
經別	經脉正別	
根結	經脉根結	
小鍼解	九鍼要解	
九鍼十二原	九鍼要道 九鍼所象 諸原所生	《太素》三個標題包括『九鍼』或『十二原』

《太素》所佚之十二篇，在《太素》亡佚之五卷中。

從《太素》引用《九卷》篇數、所用題目相同或相近等諸方面觀察，《太素》中之《九卷》，係以唐以前流傳之《九卷》爲底本而類編之。《太素》與《九卷》標題偶有小異，但顯係取自《九卷》——指出這一點十分重要，不僅對校勘《九卷》(即《靈樞》)十分重要，而且對於研究中醫學術發展史、中醫思想史、《黃帝内經》發展史，都是十分重要的。

首先，可勘破《靈樞》晚出之說。宋代王應麟《玉海》卷六十三云：『王冰以《鍼經》爲《靈樞》，故席延賞云：《靈樞》之名，時最晚出。』席延賞，北宋神宗時人。李燾《續資治通鑒長編》卷三百五十一云：『元豐八年正月，上寢疾，二月乙丑朔，詔朝散大夫致仕孫奇、知太醫局潘璨、席延賞教授、邵化即赴御藥房祗候，從執政請也。』席延賞僅謂『《靈樞》之名最爲晚出』，非謂《靈樞》之書晚出。清代杭世駿《道古堂集》甚至稱《靈樞》『其爲王冰所僞托可知』。王冰乃唐中期人，楊上善爲唐初高宗時代人，《太素》已將《九卷》全書引入而類編之，是『《靈樞》晚出』之説，『王冰僞托』之説，皆爲無根之論。《四庫全書總目提要》取杭世駿《道古堂集》之説，謂杭氏『王冰所僞托』之説『考證尤爲明晰』，又稱：『其書雖僞，而其言則綴合古經，具有源本，譬之梅賾古文，雜采逸書，聯成篇目，雖抵牾罅漏，贋托顯然，而先王遺訓，多賴其搜輯以有傳，不可廢也。』清乾隆帝編四庫全書時，《太素》尚未發現，故有此誤説。

其次，通過《太素》所録《九卷》，基本上可將《九卷》流傳脉絡勾勒清楚。

《九卷》中許多篇爲《素問》引用。如《素問·陰陽類論》『雷公曰：臣悉盡意，受傳「經脉」，頌得從容之道』。此『經脉』即《靈樞》卷三第十『經脉』篇。《素問·鍼解》係解《靈樞·九鍼十二原》者。此例甚多，不煩備舉。西漢劉向父子校書將《九卷》《素問》統稱《黄帝内經》，東漢班固始著録於《漢書·藝文志》。『九卷』之名始見於漢末張仲景『傷寒論序』，再見於魏晋時期王叔和《脉經》，西晋皇甫謐於『鍼灸甲乙經序』改稱《九卷》爲《鍼經》，《魏書》卷九十一『崔彧傳』復提《九卷》書名，唐初孫思邈《備急千金要方》引用《九卷》句段，從古籍著録觀之，《九卷》歷傳不衰。《鍼灸甲乙經》雖載録《九卷》，但有刪落，已非《九卷》全貌。今可見《九卷》古本者，唯賴《太素》一書。

第三，《太素》所録《九卷》，與南宋史崧進獻之《靈樞》内容相同；史崧之本來自高麗國進獻本，則《太素》中之《九卷》，與高麗國進獻本屬於同一傳本系統。

北宋嘉祐四年（一〇五九）林億校定《素問》王冰本時説，『《靈樞》今不全。』（見《素問·調經論》

注）王冰撰注《素問》時，《靈樞》尚爲全帙。王冰重新編次撰注《素問》結束於七六二年，至北宋嘉祐年間相隔近三百年，則《靈樞》殘損於此時，而殘損於唐末或五代時期可能性更大。北宋哲宗元祐八年，高麗國遣使進獻該國所存《黄帝鍼經》。此事事體較大，《宋史·哲宗紀》《宋朝事實類苑》《續資治通鑒長編》《續資治通鑒》均有記載。

《宋史·哲宗紀》卷十七，元祐八年（一〇九三）春正月庚子，『詔頒高麗所獻《黄帝鍼經》於天下。二月乙酉，詔西南蕃龍氏遷移補官。辛亥，禮部尚書蘇軾言高麗使乞買歷代史及《册府元龜》等書，宜却其請，不許。省臣許之。軾又疏陳五害，極論其不可。有旨：書籍曾經買者聽。』

南宋江少虞《宋朝事實類苑》卷三十一《藏書之府》之二十：

哲宗時，臣寮言：『竊見高麗獻到書，内有《黄帝鍼經》九卷。據「素問序」稱：《漢書·藝文志》載《黄帝内經》十八卷。《素問》與此書各九卷，乃合本數。此書久經兵火，亡失幾盡，偶存於東夷。今此來獻，篇帙具存，不可不宣布海内，使學者誦習，伏望朝廷詳酌，下尚書工部雕刻印板，送國子監，依例摹印施行。所貴濟衆之功，溥及天下。』有旨：『令秘書省選奏通曉醫書官三兩員校對，及令本省詳定訖，依所申施行。』

《蘇東坡全集·奏議集》及南宋李燾《續資治通鑒長編》卷四百八十亦載此事，並全載蘇軾所陳賣予高麗《册府元龜》等書之五害疏文。關於《黄帝鍼經》記述如下：

元祐八年正月，工部侍郎兼權秘書監王欽臣言：高麗獻到書内有《黄帝鍼經》，篇帙具存，不可不宣布海内誦習，乞依例摹印。詔令校對訖，依所請。

清代畢沅《續資治通鑒》卷八十二云：

元祐八年正月庚子，詔頒高麗所獻《黄帝鍼經》於天下。二月辛亥，高麗遣使買歷代史及《册府元龜》等書，禮部尚書蘇軾言宜却其請。省臣許之。軾又疏陳五害，極論其不可，且曰：『漢東平王請諸子及《太史公書》，猶不肯予；今高麗所請，有甚於此，其可與乎？』詔：『書籍曾經買者聽。』……四月庚子，敦逸又言：『近高麗買書，黄河軟堰之事，皆得旨已行。』

北宋朝廷曾選派『通曉醫書官三兩員校對』，然後雕版頒行。靖康之難，北宋南渡，生民塗炭，文物板蕩，簡加校勘之《靈樞》，處於若存若亡中。南宋紹興二十五年乙亥（一一五五）史崧獻其『家藏舊本』。此本即北宋哲宗時代高麗所獻後經簡加校勘者。史崧『靈樞叙』云：『但恨《靈樞》不傳久矣，世莫能究』，『僕本庸昧，自髫迄壯，潛心斯道，頗涉其理。輒不自揣，參對諸書，再行校正家藏舊本《靈樞》九卷，共八十一篇，增修音釋，附於卷末，勒爲二十四卷。』自後史崧本流傳不衰，直至現今。

《太素》所收之《九卷》與史崧增修音釋之《靈樞》，二者顯係來自同一傳本。《太素》卷二十六『厥頭痛』載『厥頭痛，面若腫起而煩心，取足陽明、太陽』，楊上善注：『應有問答，傳之日久，脱略故也。』（頁四七〇）《靈樞·厥病》與『厥頭痛』相當，亦無問答。《太素》卷十『經脉根結』：『岐伯曰：天地相感，寒暖相移，陰陽之道，孰少孰多？』楊上善注：『推前後皆有其問，此中義例須説，岐伯即亦不待於問也。』（頁一六〇）楊注謂前後章皆先有黄帝問後有岐伯答，此爲全書義例，此文無問有答，是不待問而自答。考《靈樞·根結》亦無黄帝問，與《太素》同。是其證。

第四，《九卷》名稱幾經改變，其變化軌迹可得而説。《九卷》之名，始見『傷寒論序』，皇甫謐始稱

《鍼經》，然亦不廢《九卷》之名（見『鍼灸甲乙經序』），至唐而其名漸多，如《舊唐書·經籍志》《新唐書·藝文志》之《黄帝鍼灸經》《黄帝九靈經》，王燾《外臺秘要》之《九墟經》等皆指《九卷》，至王冰始稱《靈樞》，此後遂定於一。《九墟》之名既見於兩《唐志》，又見於《外臺秘要》與《素問》新校正，其爲《靈樞》，可以得到證明。

按，《九墟》：太陽爲關、陽明爲合、少陽爲樞。故關折則肉節潰緩而暴病起矣，故候暴病者取之太陽。合折則氣無所止息，悸病起，故悸者皆取之陽明。樞折則骨摇而不能安於地，故骨摇者取之少陽。《甲乙經》同。（人民衛生出版社《素問》横排本頁五〇）

《素問·陰陽離合論》言：『太陽爲開，陽明爲合，少陽爲樞。』林億新校正曰：

《素問·陰陽離合論》：『太陰爲開，厥陰爲合，少陰爲樞。』林億新校正曰：

按，《九墟》云：關折則倉廩無所輸隔洞，隔洞者取之太陰。合折則氣弛而善悲，悲者取之厥陰。樞折則脉有所結而不通，不通者取之少陰。《甲乙經》同。（人民衛生出版社《素問》横排本頁五一）

考《靈樞》卷二『根結』與上引文同，唯『太陽爲關』『太陰爲關』兩『關』字訛爲『開』。又考《太素》卷五『陰陽合』、卷十『經脉根結』引文亦與新校正同，而《太素》以《靈樞》《素問》爲底本，因可知《九墟》即今之《靈樞》，非《靈樞》之外别有《九墟》也。關於『太陽爲關』『太陰爲關』之『關』字，《素問·陰陽離合論》《靈樞·根結》《鍼灸甲乙經》卷二第五均已作『開』，而林億新校正引《九墟》之文、《太素》之『陰陽合』『經脉根結』均作『關』。《太素》少經後人抄改，得以存真；林億新校正與《素問》《靈樞》原文相較，亦少經後人抄改，得以存真，故知當作『關』。林億云『《甲乙經》同』，今《鍼灸甲乙經》已改爲『開』，從此可窺後人誤改之迹。

第五，《太素》收録《九卷》（《靈樞》）全帙，有力勘破王冰僞造《靈樞》無稽之説。宋人對《靈樞》始發疑竇，但尚未指斥王冰爲作僞者。宋代晁公武《郡齋讀書志》卷十五醫書類云：『《靈樞經》九卷。右王冰謂此書即漢志《黄帝内經》十八卷之九也。或謂好事者於皇甫謐所集《内經》《倉公傳》中抄出之，名爲古書也。未知孰是。』元代戴良在《九靈山房集・滄州翁傳》中僅提出《隋書・經籍志》著録的《黄帝鍼經》九卷與《舊唐書・經籍志》著録的靈寶注《黄帝九靈經》十二卷是兩部書，不是一部書，亦未提出《靈樞》由王冰僞造之説。始提出此謬説者是清代考據學家杭世駿（一六九六——一七七三）。世駿號堇甫，曾校勘武英殿十三經及二十四史，纂修三禮義疏，在清代是一位影響較大的學者。他在《道古堂集》的『靈樞經跋』一文中，沿着《郡齋讀書志》及《九靈山房集》的思路而又鋪張之，提出：『余觀其文義淺陋，與《素問》岐伯之言不類，又似竊取《素問》之言而鋪張之，其爲冰所僞托可知。』乾隆年間修《四庫全書》，《四庫全書總目提要》完全肯定了杭世駿關於王冰僞造《靈樞》的謬説，認爲『其考證尤爲明晰』，《四庫全書簡明目録》亦云《靈樞》『最爲晚出，或以爲王冰所依托』。一九三一年黄云眉先生撰《古今僞書考補證》，稱：『若《靈樞經》乃唐人王冰所造，杭世駿已辨之甚析。』可見王冰僞造《靈樞》之説，影響甚爲深遠。日本丹波元簡在《靈樞識・綜概》已有批駁。清代學者陸心源《儀顧堂題跋》、黄以周《儆季文鈔・舊鈔太素經校本叙》均加辨駁。但丹波元簡、陸心源由於尚未見到《太素》仁和寺傳抄本，而未能引據《太素》以駁杭氏之説。全面深刻論述《靈樞》演變簡史、指出杭世駿之誤説及《四庫全書總目提要》之沿誤者，當首推余嘉錫先生。他在《四庫提要辨證》卷十二《靈樞經》條指出：『靖康之難，經籍散失，故楊上善《内經太素》遂至亡佚，近始自日本得其殘本。』杭氏『不肯旁加考證，而遂輕於立説，臆度之譏，躬自蹈之矣』。又云：『《提要》惑於吕氏、杭氏之言，不復深考，遽以其書爲僞，又過矣。』余氏之文甚長，文繁不引，然研治中醫文獻者，此文當必讀之。

錢超塵

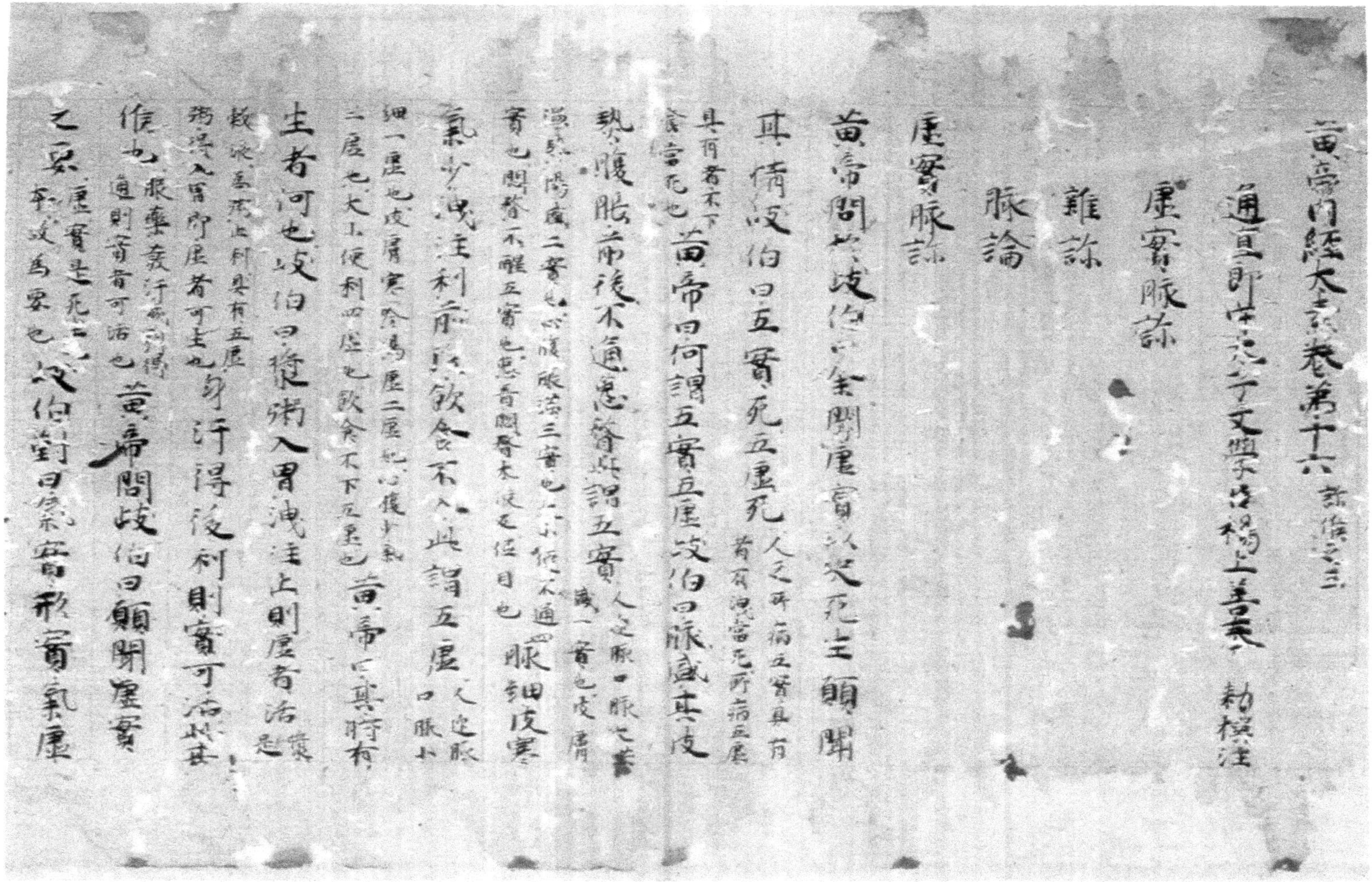
黄帝内經太素卷第十六 診候之三
通直郎守太子文學臣楊上善奉 勅撰注
虛實脉診
雜診
脉論
虛實脉診
黄帝問岐伯曰余聞虛實以决死生願聞其情岐伯曰五實死五虛死
黄帝曰何謂五實五虛岐伯曰脉盛皮熱腹脹前後不通悶瞀此謂五實
脉細皮寒氣少泄注利前飲食不入此謂五虛
黄帝曰其時有生者何也岐伯曰漿粥入胃泄注止則虛者活身汗得後利則實者可活此其候也
黄帝問岐伯曰願聞虛實之要岐伯對曰氣實形實氣虛

仁和寺所藏《黄帝内經太素》卷十六首

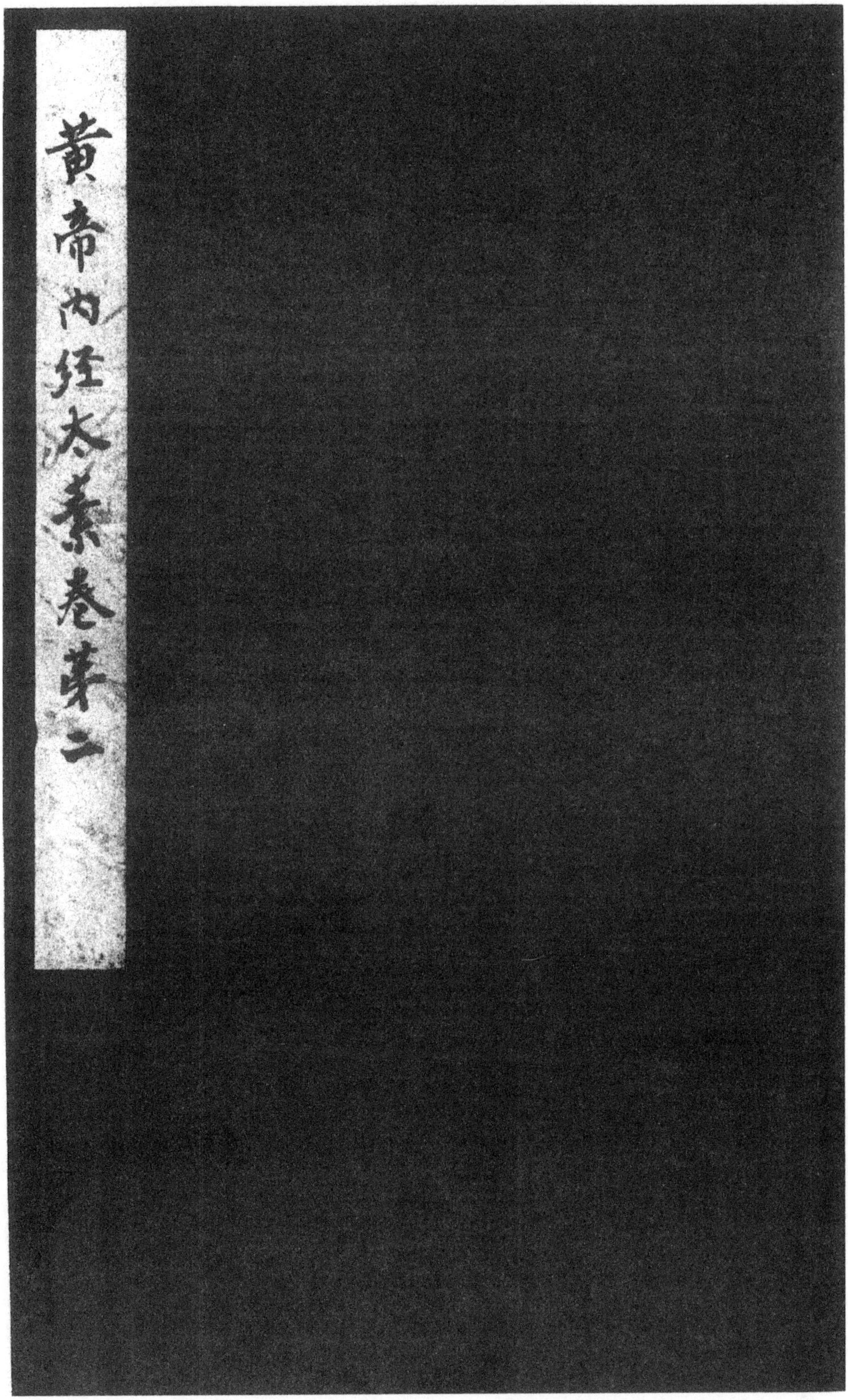
黄帝内经太素卷苐二

黃帝内經太素卷第二　攝生之二

通直郎守太子文學臣楊上善奉　勅撰注

順養

六氣

調食

壽[illegible]

[illegible]謂食

壽階

[illegible]養

黃帝曰余聞先師有所心藏弗著於方

余願聞而[illegible]

謂不著於[illegible]上古[illegible]

[illegible]方傳之藏而則之

上

以治民下[illegible]治[illegible]之情也使百姓無病

上下和親德澤下流理國子孫無憂理家

之意之意

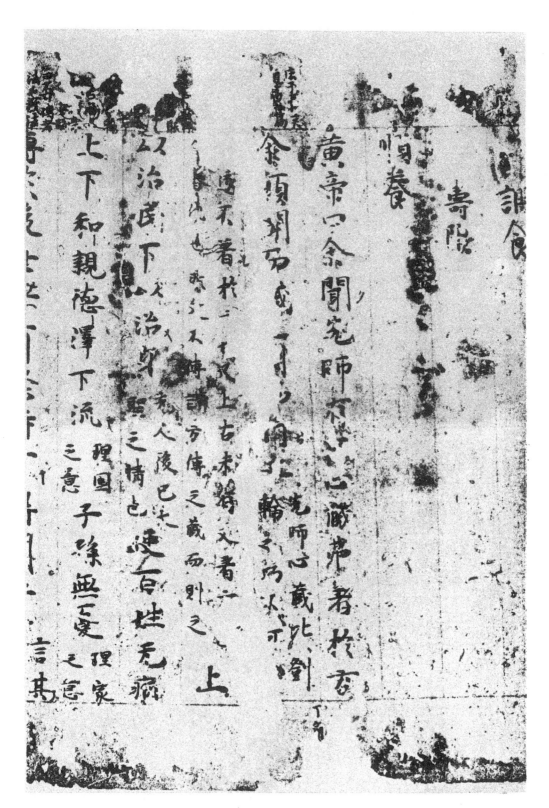

[illegible]言其

□下□壽落澤下流之意乎無□之意

傳於後世無有終時可得聞乎言其叅遠

岐伯曰遠乎哉問也夫治民與自治治

彼與治此治小與治大治國與治家

未有逆而能治者也夫唯順而已矣人之與己彼此小大家國八者守之取全循之取義須順道德陰陽物理故順之者吉逆之者凶斯乃无八之道

順者非獨陰陽脉論氣之逆順也

百姓人民皆欲順其志也非獨陰陽之道十二經脉營衛之氣有逆百姓之情皆不可逆是以順之有吉也故曰

百姓人民皆欲順其志也 二經脉營衛之氣有逆有順
順百姓之情皆不可逆是以順之有吉也故曰
聖人無常心以百姓爲心之志願也 黄
帝曰順之柰何岐伯曰入國問俗入家問
諱上堂問禮臨病人問所便 夫爲國爲家
爲身之道各
有其理不順其理而欲正之身有未之有也所
以並須問者欲各知其理而順之也俗諱禮便
之之理也陰陽四時天地之理也存生之道闕
之不可故常問之也便宜也謂問病人寒熱等
病量其所宜隨順調
之故問所便者也 黄帝曰便病人
柰何 言何方而知其所便也 岐伯曰夫中熱消癉
則便寒……則便熱也 中腸胃中也腸胃

李問其所便也岐伯曰夫中熱消癉

則便寒寒中之屬則便熱中腸胃中也腸中熱多消飲食

[illegible]消癉病也癉熱也音丹熱中宜以寒調寒中宜以熱調解其便也胃中熱則消穀

令人懸心善飢臍以上皮熱自此以下廣言熱中寒中之狀

胃中熱以消穀虚故喜飢胃在臍上胃中食氣上薫故皮熱也腸中熱則出

黄如糜臍以下皮寒腸上陰下胃熱腸寒自是常理今胃中雖

熱不可過[illegible]熱亦常腸中雖寒不可[illegible]和

則多熱虚黄腸寒多熱不通故臍下皮寒也

胃中寒則䐜脹腸中寒則腸鳴飧泄

[illegible]頂此條之張起也飧音孫謂食不消下泄如水

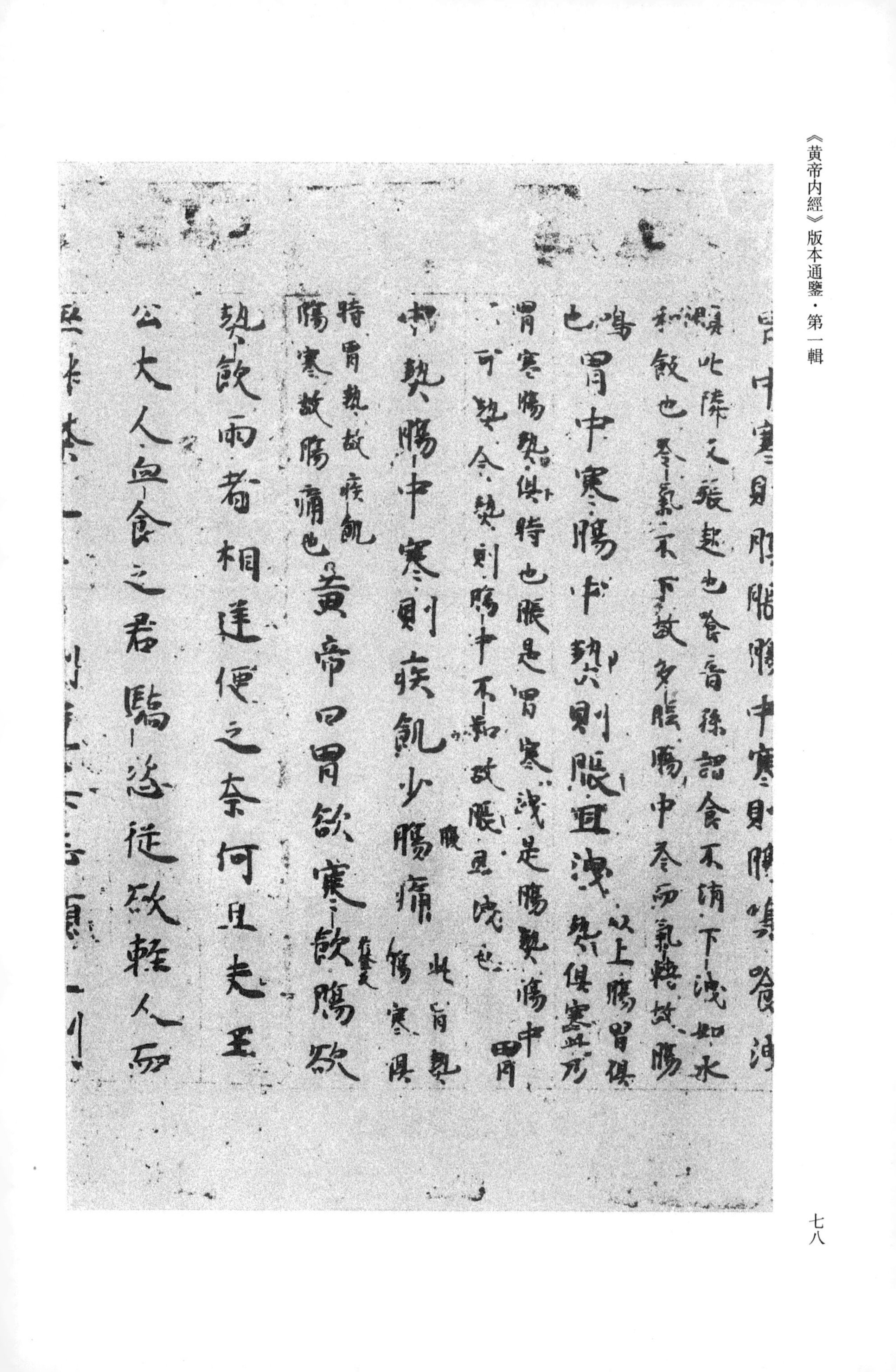

胃中寒則腹脹腸中寒則腸鳴飧泄泄此除又張起也飧音孫謂食不消下泄如水和穀也冷氣不下故多脹腸中冷而氣轉故腸鳴也

胃中寒腸中熱則脹且泄以上腸胃俱熱俱寒此乃胃寒腸熱與特也脹是胃寒泄是腸熱腸中胃可熱今熱則腸中不和故脹且泄也

胃熱腸中寒則疾飢少腸痛腹此胃熱腸寒俱特胃熱故疾飢腸寒故腸痛也

黄帝曰胃欲寒飲腸欲熱飲兩者相逆便之奈何且夫王公大人血食之君驕恣從欲輕人而

[illegible]

公大人血食之君驕恣從欲輕人而無能禁之々々則逆其志順之則其病便之奈何治之何先胃中常熱寒之而飲傷中逆冬故欲灼々而食寒々辛和則損於性命若從欲則加病逆志則生怨二者不立故以先為問也

岐伯曰人之情莫不惡死而樂生告之以其敗語之以其道示以其所便開之以其所苦雖有無道之人惡有不聽者乎正可逆志順取其樂不可順欲而致其所苦

繫不可與設而致其所者故以道語之無理不聽也黄帝曰治之奈
何岐伯曰春夏先治其標後治其本
秋冬先治其本後治其標本謂根与本也標末也方胎又謂枝与葉也春夏之時万物之氣上昇在標秋冬之時万物之氣下流在本候病所在以行療法故春夏取標秋冬取本也黄帝曰便其相
逆者奈何謂適其口則含擒身違其心而利於體者奈何
岐伯曰便此者食飲衣服亦欲適寒溫

所以宜便止者食飲衣服亦欲適寒溫
寒無淒淒暑無出汗食飲者熱無灼灼
寒無滄滄滄滄寒也音倉寒無淒等謂調衣服也熱無灼等謂調食飲
也皆逆其所便也寒溫中適故氣將持乃不致
邪僻五藏之中和適則其真氣內守外邪不入病無由生久視傷血
夫爲勞者必有所損損益陵血等有傷使過瀆目精色久則傷心心主於血故久視傷血
久臥傷氣人臥則肺氣出難故久臥傷肺肺傷則氣傷也久坐傷
肉人久静坐脾則不動不動不使故久坐傷脾脾傷則肉傷也久立傷骨人之久立
則膏髓勞損骨以[illegible]久行傷筋也久行[illegible]

故久坐傷脾〻傷則肉傷也 久立傷骨 久立
則腎〻勞傷腎以主骨故骨髓傷也 久行傷筋此久所病也
人之久行則肝〻勞傷肝傷則筋傷也 春三月此謂發陳 陳〻舊也言
春三月草木舊根舊〻子皆發生也 天地俱生萬物以榮 天之交〻
降之以德地之化也資之以氣德之與氣俱能生也故曰德氣英〻華開發也 夜臥蚤起
春之三月主膽肝之府是少陽用事陰消陽息故養陽者至夜即臥順陰〻消也蚤〻古早〻而起
順陽息也 廣步於庭被髮緩形以使志生 庭遊步於庭
勞以使志也被髮緩形〻遊以使志也暫〻遊衷中〻和而生也故其〻和者是以用攝生者也 生而勿

變中和而生也效其和者是以用攝生者也生而勿
殺予而勿奪賞而勿罰此春氣之應
也養生之道也生与賞者順少陽也殺奪罰者也逆少陽也故順成和則外攝生也
內外和順春之應也斯之順者為身為國養生道也逆則傷於肝夏為
寒為變奉生長者少肝氣在春故晩卧殺晩逆違體息殺殺奪罰
者時逆少陽也故其為身者逆則傷肝夏為傷
寒熱病變也其為國也霜雹風寒害變也春
時內外傷者春夏
生長之道不足也夏三月此謂蕃秀蕃伐元反茂也
夏三月時万物蕃滋茂秀盛長者也天地氣交萬物英實陰陽氣和
故物英華[illegible]夏之三月主少陽心之府手

滋茂秀盛長者也天地氣交萬物華實氣和
故物英華而成實也晚卧蚤起夏之三月主少陽心之府手太陽用事陰退陽盛故警
陽者多起少卧也晚卧以順陰匿早起以順陽盛實也無厭於日使志無
怒日者為陽故不可厭之怒者為陰故使志無怒之使英成秀使氣得
洩使物華皆得秀之之使身開腠氣得通洩也若所愛在外此夏氣
之應也養長之道也内者為陰外者為陽諸有所愛皆欣在陽此之
行者應太陽之氣養生之順也逆之則傷心秋為痎瘧則
奉收者少冬至重病早卧晚起厭日生怒傷英不秀痎氣在内
皆逆太陽氣也故夏氣逆者則傷乎心秋為痎瘧

奉收者少冬至重病傷莫不秀痎瘧氣在内皆逆太陽氣也故夏為逆者則傷乎心秋為痎瘧奉秋收之道不足降冬之氣成勢中病重也

秋三月此謂容平夏氣盛長至秋也不盛不長以結其實故曰容平也

天氣以急地氣以明天氣急者風清氣涼也地氣明者山川景淨也

早卧早起与雞俱興秋之三月主肺藏乎太陰用事陽消陰息故養陰者与雞俱卧順陰息也与雞俱起順陽消也

使志安寧以緩秋刑春之緩者緩於堅急秋之緩者緩於殺戮故寧志以緩刑

收斂神氣使秋氣平夏日之時神氣浮散故收斂順秋之氣使之和平也

無外其志使肺氣清此秋氣之應養收之道也

十斂順秋之氣使之和平也無外其志使肺
氣精此秋氣之應也養收之道也情志存陰
使肺氣之無雜此應秋氣養陰之道也逆之則傷肺冬為飧泄
則奉藏者少晩臥晩起志不寧者秋時以逆太陰氣秋節傷肺至
冬為飧泄奉冬養之道少也之冬三月此謂閉藏陰氣外閉
陽氣内藏水冰地坼勅白反分也無擾乎陽言居陰分故無擾陽
早臥晩起冬之三月主腎藏定少陰用事陽虛陰盈故養陰者多臥少起早臥
順陽虛晩起順陰盈也必待日光使志若伏遁伏遁靜也臥盡
陰分使若有私意若已有得

順陰盈也必待日光使志若伏若匿也卧晝

陰分使志靜也若有私意若已有德去寒就

溫言十一月陰去陽來故養陰者凡有私意諸有所得与陰俱去順陽而來無相擾也

毋泄皮膚使氣不極此冬氣之應也

養藏之道也閉諸腠理使氣不泄極也斯之行者應冬腎氣養陰之道也

逆之則傷腎春為痿厥則奉生少也

早起晚卧不待日光志氣外泄冬為逆者傷腎痿厥奉春養生之道少也痿厥不能行也一曰偏

枯也於厄交也天氣清靜光明者也天道之氣清虛不可見故

靜不可為故得三光七曜光明者藏德

危乏也天氣清靜光明者也虛不可見者靜不可為故得三光七耀光明者也玄元皇帝曰虛靜於天之明也藏德不上天設日月列星辰張四時調陰陽日以曝之夜以息之風以乾之雨露濡之其生物故不下也莫見其所養而物長其所殺也莫見其所喪而物亡此謂天道藏德不上故不下者也聖人象之其起福也不見其所以為福起其禁禍也不見其所由而禍除則聖人藏德不上故不下也玄元皇帝曰上德不德是以有德即其事也上下則日月不明君上情在於己有救脩德遠不為德玄元皇帝曰下德不失德是以无德君之與德則令日月薄蝕三光不明也邪害空竅空竅謂三百六十五穴也君不脩德和陽氣者則病濡賊風入人空竅[illegible]陽氣失和故

也　邪害空竅，循德和陽氣者，則痈瘍賊風入人空竅，傷害人也。

陽氣閉塞，地氣冒明。陽氣失和，故令陰氣冒覆。

三元　雲露不精，則上應甘露不下。交通

陰氣失和，致令雲露無潤澤之精，無德應天，遂微寸露不滋，陰陽不和也。言甘露者，恐後代字

誤也　不表萬物命，故不施。陰陽不得交通，則一中於令無

白布表生於万物，德澤不露，故曰不施也。不施則名木多死，

惡氣發，風雨不節，甘露不下，則菀

槁不榮，賊風數至，暴雨數起，

槁不榮則[宛]數至，暴雨數起，

天地四時不相保，乃道相失，則未央

絕滅。

盗夸君之德不施布，禍及昆虫，災延草木。

其有八種：一者名木多死，謂名好草木不育

所落；二者邑氣歲，謂春氣蔵流行於國；三者風

雨不節，謂風不時而起，雲不披而雨；四者寸落

下，謂和液无施，菀槁當爲宛槁，宛蘊死槁枯也，於槁矣。

阮交陳根舊枝死不榮茂；五者賊風數至，謂風

從衝上來，破屋折木，先有虚者被刻而死；六者

暴雨數起，謂驟疾之雨傷諸苗稼；七者天地四

時不相保，謂陰陽乖繆，寒暑无節；八者失道未

央絕滅，未央者，久也，言盗夸之君絕滅方久也。

唯聖人順之，故身無奇疾，萬物

不失，生氣不竭。唯聖人順天藏德不上故

聖人順之，故身無奇病，萬物
不失生氣不竭唯聖人順天藏德不上故有三德一者身无奇病奇
異邪氣不及於身也二者萬物不失澤及昆虫
悉霑草木各得生長也三者生氣不竭生氣
和氣也知氣不竭致
令雲露精潤時露時降也逆春氣則少陽不
生而肝氣內變少陽足少陽膽府脈為木也肝藏為陰在內也故府氣不
生藏氣變也
逆夏氣則太陽不長心氣內
洞太陽手太陽小腸府脈在外也心藏為陰居
內也故府氣不生藏氣內洞洞疾流洩也
逆秋氣則太陰不收肺氣焦漏太陰手太陰肺
之脈也腠理毫毛受邪入於經絡則脈不收

逆秋氣則太陰不收，肺氣焦滿。大陰肺
之脉也。腠理豪毛受邪，入於經絡，則脉不收
衰，深入至藏，故肺氣焦滿。焦，熱也；滿，濇也。逆冬
氣則少陰不藏，腎氣濁沉。少陰之少陰腎之脉也。少
陰受邪不藏，能靜深入至藏也，故腎氣濁沉，不能營也。失四時陰陽者，
失萬物之根也。陰陽四時，萬物之本也。人君違其本，故万物失其根。
是以聖人春夏養陽，秋冬養陰，以
從其根，故與萬物沉浮於生長之
門。聖人與万物俱浮，即春夏養陽也；與万物俱沉，即秋冬養陰也。與万物沉浮以為養
者，志在生。逆其根則伐其本，壞其真……逆

門俱沉所秋冬養陰也与万物沉浮以爲養者志在生長之門也逆其根則伐其本壞其真四逆時之根者則伐陰陽之本也壞至真之道也故陰陽四時者萬物之終始也死生之本也逆之則灾害生順之則苛疾不起是謂得道陰爲万物終死之本也陽爲万物始生之源也逆之則灾害生入於死地也順之則苛疾除長生之道也道者聖人行之愚者佩之聖人得道之言行之於身寶之於心府也愚者得道之章佩之於衣裳寶之於名利也順陰陽則生逆之則死順之則治逆之則生死在身

衣裳寶之於名利也順陰陽則生逆之則
死順之則治逆之則亂 生死在身理亂在國 反順爲
逆是謂內格 不順四時之養身內有關格之病也 是故聖人不
治已病治未病不治已亂治未亂此之
謂也夫病已成而後藥之亂成而後
治之譬猶渴而穿井鬭而鑄兵不亦晚
乎 身病國亂未有豪微而行道者古之聖人也病亂已微而散之者賢人之道也病亂已成而後理之者衆人之失也理之無益故以穿井鑄兵無救之失以譬之也

氣

故以穿井鑄兵無救之矣以譬之也

六氣

黃帝曰余聞人有精氣津液血脈余意以為一氣耳今乃辨為六名余不知其所以願聞何謂精一氣者真氣也真氣在人分一以為六別故索其義也岐伯曰兩神相薄合而成形常先身生是謂精但精及津液與氣異名同類故皆稱氣耳雄雌二靈之別故曰兩神陰陽二神相得故謂之薄和為一質故曰成於此先於身生謂之為精也何謂氣下焦如瀆謂之津液中焦如漚謂之為營血上岐伯曰上焦開

於此先於身生謂之爲精也 何謂氣 謂之津液
中膲如漚謂之爲營血上
膲如霧爲衛精氣未知所由 岐伯曰上膲開發
宣五穀味熏膚薑肉充身澤毛若霧
露之溉是謂氣 上膲開發宣揚五穀之味熏
於膚肉充身澤毛若霧露
之溉萬物故謂
之氣即衛氣也 何謂津岐伯曰腠理發泄
汗出腠理是謂津 腠理所泄之
汗稱之爲津 何謂液岐
伯曰穀氣滿淖澤注於骨骨屬屈伸洩
澤補益腦髓皮膚潤澤是謂液 液之淖潤
之濁也通
而言之亦便汗等皆稱津液今別骨節中汁爲液

汁和等開腠[illegible]溱溱，文言汗。又濁無遺

而言之，小便汗等皆稱津液。今別骨節中汁為液，

故餘名津也。青穀之精膏注於諸骨節中，其汁

淖澤，因屈伸之動，流汁上補於腦，下補

諸髓，傍益皮膚，令其潤澤，稱之為液。何謂血？

岐伯曰：中焦受血於汁，變化而赤，是謂

血。五穀精汁在於中焦，注手太陰脈中，變

赤，循脈而行，以奉生身，謂之為血也。何

謂脈？岐伯曰：壅遏營氣，令毋所避，是謂

脈。壅遏營血之氣，日夜營身五

十周，不令避散，故謂之脈也。黄帝曰：六

氣者，有餘不足，氣之多少，腦髓之虚

實，血脈之清濁，何以知之？六氣之中有

……氣有餘不足氣之多少腦髓之虛
實血脈之清濁何以知之六氣之中有餘不足捻問
也腦髓等別問求其所知也岐伯曰精脫者耳聾腎以主耳故精
脫則耳聾氣脫者目不明五藏精氣為目故氣脫則目闇津脫者
腠理開汗大泄前之二脫言脫所由然清脫也次下三脫直著其脫狀
故津脫腠理開汗泄為狀液脫者骨屬屈伸不利色夭
腦髓消脛痠耳數鳴骨節相屬之處無液故屈伸不利無
液潤澤皮毛故色夭腦髓無液故腦髓消脛痠耳鳴所衛遺也血脫者色白無血
夭然不澤其脈空虛此其候也

故悗悗髓消胻痠耳鳴胻衝血脫者色白

夭然不澤其脈空虛此其候也無血潤膚故不澤脈中無血故空虛以爲不足虛之候也黃帝曰六氣者

貴賤何如岐伯曰六氣者各有部主也

其貴賤善惡可爲常主然五穀與胃爲

大海六氣有部有主有貴有賤有善有惡人之所受各有其常皆以五穀爲生成大海者也

九氣

黄帝曰余聞百病生於氣也怒則氣上喜則氣緩悲則氣消恐則氣下寒則氣收聚炅則腠理開氣洩憂則氣亂勞則氣耗思則氣結九氣不同何病之生

炅音桂熱也人之生病莫不内因怒喜思憂恐等五志外因陰陽寒暑以發於氣而生百病所以善攝生者内除喜怒外避寒暑故无道夭遂得長生久視者也若縱志放情怒以氣上傷魂魂傷肝傷也若喜喜氣緩傷神神傷心傷也若憂氣消亦傷於魂魂傷肝傷也恐以氣下則傷志志傷腎傷也若多寒則氣收聚内傷於肺也若多熱腠

太傷於魂，魂傷肝傷也。恐，以氣下，則傷志，志傷腎
傷也。若多寒，則氣收聚，內傷於肺也。若多熱，腠
理開洩，內傷於心也。憂則氣亂，傷魄，魄傷，肺
傷也。若多勞，氣耗，則傷於腎。思以氣結，傷意，意
傷則脾傷也。五藏既傷，各至不勝時則致死
也，皆由九邪生於九氣所生之病也。岐伯曰：怒則氣逆，甚則歐
血及食而逆，氣逆上也。因引氣而上，致氣逆，怒甚氣逆則致歐血及食，氣逆上也。喜則氣和志達，營衛通
利，故氣緩焉。喜則氣和，志達，營衛行利，故氣緩，爲病也。悲則心
系急，肺布葉舉，兩焦不通，營衛不散，
……肝脈上入頏顙，連目系，安

系急肺布葉舉而焦不通營衛不散

熱氣在中故氣消 肝脈上入頏顙連目系又者從肝別貫膈上注肺

以主悲中上兩焦在於心肺悲氣聚於肺葉舉心系急營衛之氣在心肺聚而不散神歸不移所以熱

而氣消屋也 恐則精却〻則上焦閉〻則氣還〻

[illegible]

則下焦脹故氣不行 雖命門藏精通名為腎脈從腎上貫肝膈

入肺中文若從肺絡心注胸中故人驚恐其精却

細上焦起胃口上上焦既閉不通則氣不得上還

於下焦〻〻脹

滿氣不得行也 熱則腠理開營衛通故汗大

氣不得行或因熱而腠理

泄 開營衛外通汗大泄也 寒則腠理閉氣

不行故氣收矣 因營衛不通遇寒則腠理

開開營衛外通汗大泄也寒則腠理閉氣

不行故氣收聚因營衛不通過寒則腠理閉寒則氣聚為病也

驚則心無所寄神無所歸慮無所定

故氣亂心神之用人之憂也意於衆事雖有心情無所從物故因無所寄氣營之處神

必歸之今既憂繁氣聚不行故神無歸也慮

亦神用也所以百變也不能達慮於事以氣無主

守故氣亂也勞則喘喝汗出內外皆越故氣耗

人之用力勞之則氣并喘喝皮腠及內藏府皆汗以汗即是氣故汗出內外氣衰耗也思則

身心有所存神有所止氣留而不行故氣

[illegible]人專思一事則心氣駐一物所以神務一物

與心相[illegible]而[illegible]氣[illegible]不行故氣

結矣專思一事，則心之氣駐一物，所以神務一物之中，心神引氣而聚，故結而爲病也

調食

黄帝曰：願聞穀氣有五味，其入五藏，分

別柰何？穀氣津液，未有五種名，入其五藏，別之柰何伯高曰：胃

者，五藏六府之海也，水穀皆入於胃，五

藏六府皆稟於胃。之受水穀，變化以滋五藏六府，五藏六府皆受其氣，故曰皆

稟也五味各走其所喜，喜音憙，許記穀味酸，先走肝，

穀味苦，先走心[illegible]

也五味各走其所喜穀味酸先走肝

穀味苦先走心穀味甘先走脾穀味辛

先走肺穀味鹹先走腎五味所喜謂津液變為五味則五性有殊性有五行故各喜走同性之藏

穀氣津液已行營衛大通

乃化糟粕以次傳下水穀化為津液清氣猶如霧露名營衛行脉內外無所滯藏故曰大通其滓濁者名為糟粕泌別汁入於膀胱故曰以次傳下也粕傾洛反

黃帝曰營衛之行奈何因前營衛以通之言故問營衛所行伯高曰

穀始入於胃其精微者先出於胃之兩

焦以溉五藏別出兩行營衛之道精微

穀始入於胃其精微者先出於胃之兩
膲以溉五藏別出兩行於營衛之道精微津液
也津液資五藏已衛氣出胃上口營氣出於中膲之後故曰兩行道也其大氣之摶
而不行者積於胷中命曰氣海出於肺
循喉嚨故呼則出吸則入摶謂各受聚也穀化為氣計有四道
精微營衛以為二道化為糟粕及濁氣并尿其與精下傳復為一道摶而不行積於胷中名氣海
以為呼吸復為一道合為四道也天之精氣其大數常出
三入一故穀不入半日則氣衰一日則氣
少矣天之精氣則氣海中氣也氣海之中穀

故穀不入半日則氣衰一日則氣少矣天之精氣則氣海中氣也氣海之中穀之精氣隨呼吸出入也人之呼也穀之精氣三分出已及其吸也一分還入即須資食充其腸胃之虛以接不還之氣若半日不食則腸胃漸虛穀氣衰也一日不食腸胃大虛穀氣少也七日不食腸胃虛竭穀氣皆盡遂命終也黃帝曰穀之五味可得聞乎伯高曰請盡言之充虛接氣內穀爲寶故因其問請盡言之五穀五穀五畜五果五菜用之充飢則謂之食以其療病則謂之藥是以脾病宜食粳米即其藥也用充飢虛即爲食也故但是入口資身之物例皆若是此穀畜果菜等廿物乃是五行五性之味藏府血氣之本也充虛接氣莫大於茲奉性養生不可斯須離也黃帝並依五行相配相剋相生各入藏府

府之氣之本也充虛接氣莫大於茲奉性養生未
可斯須離也黃帝並依五行相配相剋相生各入藏府
以爲和性之道也素神農及名醫本草左右不同
各依其本具錄注之冀 味苦平無毒稻
其學者量而取用也 秔米飲甘 米不可溫生
麻酸 胡麻味甘平 麻子味甘平 大豆鹹 大豆黃卷味甘平 無毒生大豆味甘平
麥苦 大麥味鹹溫微寒無毒以作糵麥無皮穬麦 味甘微寒無毒小麥味甘微寒無毒
黃黍辛 丹黍米味苦微溫無 毒黍米味甘溫無毒 五菓棗甘 大 棗
味甘平殺烏頭 毒生棗味辛 李酸 人味苦甘平 無毒實味苦 栗鹹 味鹹溫 無毒
杏苦 核味甘苦溫花味 苦無毒實味一酸 桃辛 核味苦甘平無 毒實味酸
五畜 肉味甘心……牝猪肉味 猪鹹 肉味

苦無毒實味一酸本　毒實味酸

五畜牛甘肉味甘平無毒犬酸牡狗肉味鹹酸無毒豬鹹肉味苦

羊苦味甘大熱無毒雞辛丹雄雞味甘微溫微寒無毒白雄雞肉微溫烏雄雞肉溫也

五菜葵甘冬葵子味甘寒無毒黃芩為之使葵根味甘寒無毒葉為百菜主心傷人

韭酸味辛酸溫無毒藿鹹案別錄小豆葉為藿薤苦味辛苦溫無毒

葱辛葱實味辛溫無毒根主傷寒頭痛汁平五色黃色宜甘青色宜

酸黑色宜鹹赤色宜苦白色宜辛養生療病

各依五味之外色以其味益之也色此五者各有所宜所言五宜

……謂病食

以六味益之也此五者有所宜所言五宜

者脾病者宜食粳米飯牛肉棗葵脾病食甘素問

甘味補苦味為瀉心病者宜食麥羊肉杏薤心病食苦素問鹹味

補甘味為瀉腎病者宜食大豆黄卷豬肉栗藿

腎病食鹹素問鹹味瀉苦味為補也黄卷以大豆為之肝病者宜食麻

犬肉李韭肝病食酸素問酸味補辛味為瀉肺病者宜食黄

黍雞肉桃葱肺病食辛素問辛味瀉酸味為補五禁肝病

禁辛心病禁鹹脾病禁酸腎病禁甘

肺病禁苦五味所剋之藏有病[illegible]

禁辛心病禁鹹肝病禁鹹脾病禁下

肺病禁苦。五味所剋之藏，有病宜禁其能剋之味。肝色青，宜食甘，粳米飯、牛肉、棗、葵皆甘。肝者木也，甘者土也。宜食甘者，木剋於土，以所剋資所也。心色赤，宜食酸，犬肉、李、韭皆酸。心者火也，酸者木也，木生心也，以母資子也。脾色黃，宜食鹹，大豆、豕肉、栗皆鹹。脾者土也，鹹者水也，土剋於水，〻味鹹也，故食鹹以資於脾也。肺色白，宜食苦，麥、羊肉、杏皆苦。肺者金也，苦者火也，火剋於金也，以能剋為資也。腎色黑，宜食辛，黃黍、雞肉、桃

[illegible]腎者水也，辛者金也。[illegible]所酸，注叙，欲

能魁爲資也。用[illegible]

皆辛。腎者水也，辛者金也。金生於水，以母資子。辛散。肝酸，性收，欲得散者，食辛

以散之。酸收。肺辛，性散，欲得收者，食酸以收之。甘緩。肝性急，欲得緩者，食甘以緩之。

之。苦堅。心苦，性堅，欲得濡者，食鹹以濡也。鹹濡。腎鹹，性濡，欲得堅者，食苦以堅之。

毒藥攻邪。前總言五味有備養之功，今說毒藥攻邪之要。邪謂風寒暑濕外邪

者也。毒藥則有五味，故次言之。五穀爲養。五穀五味，爲養生之主也。五菓

爲助。五菓五味，助穀之資。五畜爲益。五畜五味，益穀之資。五菜爲

埤。五菜五味，埤穀之資。氣味合而服之，以養精益氣。

穀之氣味入身養人[illegible]

埤穀之資 味合而服之以養精益氣

穀之氣味入身養人五精益人五氣也 此五味者有辛酸甘

苦鹹各有所利或散或收或緩或堅或

濡 五味各有所利利五藏也散收緩堅濡等調五藏也 四時五藏病五

味所宜 於四時中五藏有所宜五味所宜 黄帝問曰五

味之入於口也各有所走各有所病酸走

筋多食之令人癃 力中反淋也篆字癃也 鹹走血多食 [illegible]

之令人渴辛走氣多食之令人洞心 七貢

憂心氣[illegible]

（交心氣流洩疾）苦走骨，多食之，令人變嘔；甘走肉，多食之，令人心悗。余知其然也，不知其何由，願聞其故。（苦木各走五藏所生，盡其筋血氣骨肉等不足，皆有所少有餘，走招於病，其理是要，故請聞之。）少俞對曰：酸入胃，其氣濇以收，上之兩焦，弗能出入也。（濇，所勒反，不滑也。酸味性為濇收，故上行兩焦，不能與營衛俱出而行，復不能自反還入於胃也。）不出則留於胃中，胃中和溫，即下注膀胱，膀胱之胞薄以懦，得酸則縮綣，約而不通，水道

於胃中，胃中和溫，則下注膀胱，膀胱
之胞薄以濡，得酸即縮綣，約而不通，水道
不通，故癃。胞不能出胃，自胃氣勢下，泄膀胱之中，膀胱皮薄而又耎，故得酸則縮
約而不通，所以成病為癃。又淋也。胞苞盛尿也。陰者積筋之所終也。
故酸入走筋。人陰器一身諸筋終聚之處，故酸入走於此陰器。
黃帝曰：鹹走血，多食之，令人渴，何也？少俞
曰：鹹入於胃，其氣上走中焦，注於脈，則
血氣走之，血與鹹相得，則血凝，凝則胃
汁注之，注之則胃中竭，竭則咽路焦，故舌本乾而善

血氣走之，血與鹹相得則凝，凝則胃

汁注之，注之則胃中竭，竭則咽路焦，故舌乾善

渴。腎主於骨，鹹味走骨，言走血者，以血爲水也。鹹味之氣走於中膲，血脉之中，以鹹與血相得，即澀而不中，胃汁注之，因涸胃中，枯竭，咽焦，舌乾，所以渴也。咽爲下食，又通於膲，故爲路也。渫音泄，水厓吹義，當凝也。

血脉者，中膲之道也，故鹹入而走血矣。以脉從中膲而起，以通而氣，鹹胃之鹹味走於血也。

黃帝曰：辛走氣，多食之，令人洞心，何也？少俞曰：辛入於胃，其氣走於上膲，上膲者，受氣而營諸陽者也。心洞，通洩也。辛氣慓悍，走於上膲，上膲

薑韭

氣走於上膲上膲者受氣而營諸陽者

也洞通洩也辛氣慓悍走於上膲上膲
衛氣行於脉外營腠理諸陽
薑韮

之氣薰之營衛之氣不時受之久留

心下故洞心以薑韮之氣辛薰營衛之氣非時
受之則辛氣久留心下故令心氣洞
洩也

辛者與氣俱行故辛入而與汗俱出矣

辛走衛氣即與衛氣俱行故
辛入胃即與衛氣汗俱出也
黃帝曰苦

走骨多食之令人變歐何也少俞曰苦

入於胃五穀之氣皆不能勝苦苦入下

脘三焦之道皆閉而不通故變歐苦是

入於胃五穀之氣皆不能勝苦苦入下
管三膲之道皆閉而不通故變歐苦是火味
計其走血以取資骨令堅故苦走骨也苦味堅
燥五穀之氣不能勝之故入三膲則營衛不通
下膲復約所以食之還出名曰變歐也齒者骨之所終也故苦
入而走骨齒為骨餘以楊枝苦物資齒則齒鮮好故知苦走骨故入而
復出知其走骨人食苦物入咽還出故知走骨而出歐也
黃帝曰甘走肉多食之令人悗心何也少
俞曰甘入於胃其氣弱少不能上於上膲而
與穀留於胃中甘者令人柔潤者也胃

與穀留於胃中者，令人柔潤者也。胃柔則緩，緩則虫動，虫動則令人心悗。甘味氣弱不能上於上膲，入令柔潤，胃氣緩而虫動，虫動者，穀虫動也。穀虫動以撓心，故令心悗。悗，悶。其氣外通於肉，故曰甘入走肉矣。脾以主肉，甘通於肉，故甘走肉也。

五味所入：酸入肝，辛入肺，苦入心，甘入脾，鹹入腎，淡入胃，是謂五味。五味各入其藏，甘味二種，甘與淡也。穀入於胃，變為甘味，未成為淡，屬其在於胃；已成為甘，走入於脾也。

五走：酸走筋，辛走氣，

……九卷一文

已減，食甘走入於腑也。酸走筋，辛走氣，苦走血，鹹走骨，甘走肉，是謂五走。九卷一文及素問皆苦走骨，鹹走血。九卷此文言苦走血，鹹走骨，皆左右異，具釋於前也。五裁：病在筋毋食酸，病在氣无食辛，病在骨无食鹹，病在血無食苦，病在肉无食甘，口嗜而欲食之，不可多也，必自裁也，命曰五裁。裁，禁也。筋氣骨肉血等，乃是五味所資，以理食之，有益於身，從心多食，致招諸病，故須裁之。

壽限力胡簡反

黃帝[illegible]

黄帝曰：人之夭壽各不同，或夭或壽，或卒死，或病久，願聞其道。問有四意：夭、壽、卒死、病久。岐伯曰：

答中答或得壽餘三略之得壽有九

五藏堅固，謂五藏形堅而不虚，固而不變，得壽一也。血脉和調，謂血常和，脉常調，得壽二也。肌肉解利，謂外肌肉各有分利，得壽三。皮膚緻密，緻，大利反，謂之腠閉密，肌膚緻實，得壽四。營衛之行，不失其常，謂營衛氣一日一夜各循其道，行五十周，營衛其身而無錯失，得壽五。呼吸微徐，謂吐納氣，微微不麤，徐徐不疾，得壽六。氣以度行，呼吸定息，氣行六寸，以循六府化穀，胃受五穀，小

[illegible]呼吸微徐徐徐不疾得壽六氣以度行呼吸[illegible]氣行六寸以循度數日夜百刻得壽七六府化穀胃受五穀小腸盛受大腸傳導膽爲中精決三焦司決瀆膀胱主津液共化五穀以奉生身得壽八津液布揚行謂逕行經脈去壽布揚謂藏得壽九也各如其常故能久長上之九種營身之事各各无失守常不已故得壽命長生久視之也黃帝曰人之壽百歲而死若何以致之問其得壽所由岐伯曰使道隧音遂以長謂有四事得壽命長使道謂是鼻使氣之道隧以長出氣不壅爲壽一也基牆高以方鼻之明堂牆基高大方正爲壽二也通調營衛[illegible]部[illegible]三部謂三焦部也三里謂是膝下

基牆高以方大方正為壽二也通調營衛三部三里三部謂三膲部也三里謂是膝下三里胃脈者也三膲三里皆得通導謂為壽三起骨高肉滿百歲乃得終也起骨謂是明堂之骨明堂之骨高大肉滿則骨肉堅實為壽四也由是四事遂得百歲終也黃帝曰其不能終壽而死者何如問其夭死岐伯曰其五藏皆不堅夭者七一五藏皆虛易受邪傷為夭一也使道不長空外以張喘息暴疾使道短促鼻空又大洩氣復多為夭二也又卑基牆鼻之明堂基墻卑下為夭三也薄脈少血其肉

不石數中風寒血氣虛脈不通真邪相

又卑基精卑下為受三也薄脈少血其肉
不實數中風寒血氣不通真邪相攻亂而
相引脈小血少皮肉空虛故中外邪血氣壅塞真邪相攻引亂真氣為夭四故中壽
而壽盡矣黃帝曰善黃帝聞壽夭之所由故讃述之也黃帝
問其氣之盛衰以至其死可得聞乎須悉
盛衰物化之常故人氣衰時改變以至於死地各不同故請陳之也岐伯曰人
生十歲五藏始定血氣已通其氣在下
故好走廿歲血氣始盛肌肉方長故好趨

故好走廿歲血氣始盛肌肉方長故好走卅歲五藏大定肌肉堅固血脈盛滿故好步卌歲五藏六府十二經脈皆大盛以平定腠理始疏榮華頹落髮頗斑白平盛不搖故好坐無營二字氣衛氣也大盛內盛也始疏外衰五十歲肝氣始衰肝葉始薄膽汁始減目始不明六十歲心氣始衰苦憂悲血氣懈惰故好臥七十歲脾氣虛皮膚枯八十歲肺氣衰魄離魄離故言善誤[illegible]

七十歲脾氣虛皮膚枯八十歲肺氣衰魄

離魄離故言善誤九十歲腎氣燋藏枯經

脈空虛百歲五藏皆虛神氣皆去形骸

獨居而終矣肝為木心為火脾為土肺為金腎為水以次為相生次第故先肝衰次

肺衰腎也至於百歲五藏虛壞五神皆去枯骸獨居稱為死也黄帝問於岐

伯曰人年老而无子者材力盡耶將天

數然材力補養之力也天數天命之數也岐伯曰女子七歲腎

氣盛更齒髮長腎主骨齒故腎氣盛之爲齒髮長二七而天癸

至任脈通太衝脈盛月事以時下

氣盛，齒更髮長。氣盛之齒髮長。二七而天癸

至，任脈通，伏衝脈盛，月事以時下，故有

子。天癸，精氣也。任衝脈起於胞中下極者也。今天癸至，故任脈通也。伏衝之脈起於氣街，又天

癸至，故衝脈盛也。二脈並營子胞，故月事來以有子也。三七腎氣平均，故

真牙生而長極。真牙，後牙也。長極，身長也。四七筋骨堅，

髮長極，身體盛壯。身之筋骨體髮，元不盛極。五七陽明脈

衰，面始焦，髮始墯。陽明脈起於面，行於頭，故陽明衰，面焦髮始墯矣。六

七，三陽脈衰於上，面皆焦，髮白。三陽，少陽、大陽、陽明也。三陽脈

俱在頭，故三陽。七任脈虛，伏衝脈衰少，天癸

以三陽脈衰於上面皆焦 明也三陽脈
俱在頭故三陽衰而燋髮白 七七任脈虛伏衝衰少天癸竭
地道不通故形壞而无子 任衝二脈氣血俱少精氣盡于内閇
下宮壞故无子 丈夫年八歲腎氣實髮長齒更二
八腎氣盛天癸至精氣溢寫陰陽和故
能有子三八腎氣平均筋骨勁强故真
牙生而長極四八筋骨隆盛肌肉滿五八腎
氣衰髮墮齒槁六八陽氣衰於上面焦
髮鬢頒白七八肝氣衰筋不能動天癸

氣衰，髮墮齒槁。六八，陽氣衰竭於上，面焦，
髮鬢頒白。七八，肝氣衰，筋不能動，天癸
竭，精少，腎藏衰，形體皆極。八八則齒髮去。
齒槀者，骨先衰，內不附，故令齒槁也。腎者主水，受五藏六府之
精而藏之，故五藏盛乃寫。今五藏皆衰，

黄帝内經太素卷第三

黄帝内經太素卷第三　陰陽

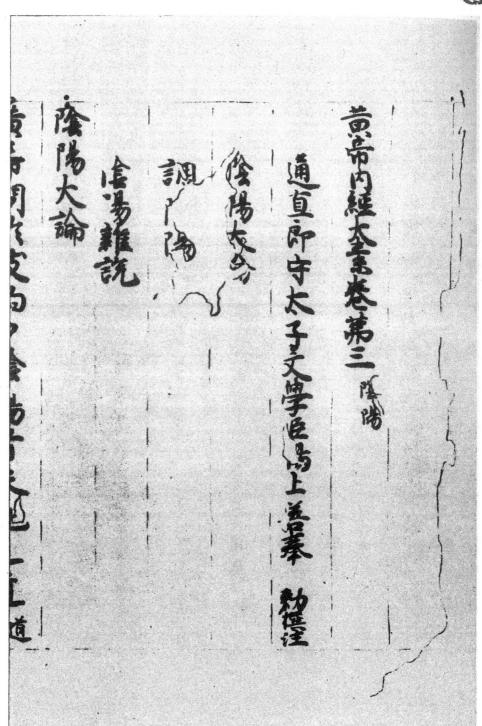

通直郎守太子文學臣楊上善奉　勅撰注

陰陽大論

調陰陽

陰陽雜說

陰陽大論

黄帝問於岐伯曰陰陽者天地之道

陰陽大論

黄帝問於岐伯曰陰陽者天地之道道者理也天地有殺之大也陰陽者氣之大陰陽之氣天地之殺皆得其理以生萬物故謂之道也万物之綱紀也秋氣之本造化之源由乎陰陽故為其綱紀變化之父母也万物生忽然而有故謂之化也化成已於異而端謂之變也莫不待以陰陽雄雌合成變化生殺之本始也陰為殺本陽為生始神明故曰本之府也兩儀之謂神明言日星□夫不能轉日月不能行風不能燥雨不能潤雖變之爪謂之神明靳則陰陽之所不測紀陰陽以為神通竅冥以息知鏡七曜而為則一也人法天地具有五藏六府四支百體中有鑒物之靈為神明二

通寤冥以忘知鏡七曜而爲則一也人法天地具有五藏六府四支百體中有鑒物之靈爲神明二也未以陰陽和氣數得神而无似故爲府也治病必求之於本本謂陰陽故積陽爲天積陰爲地萬物極從生兩儀所有兩陰陽二氣二氣之起必有兩儀之形是即所謂形生氣積氣成形狀積清陽以爲天積濁陰以爲地形陰靜陽躁陰氣主靜陽氣主躁陽生陰長少陽春也生起万物少陰秋也長熟万物陰殺陽藏五月是陽起一陰爻殺氣者也十一月是冬藏起一陽爻生氣者元本之陰生陽殺也之陽化氣陰成形陰陽化起物氣以陽爲父故言陽也陰陽共成於形以陰爲母故言陰也寒極生熱熱極生寒一物極而變未自天氣三篇

陰成形陰陽共成於形以陰爲母故言陰也寒

極生熱熱極生寒物極而變未自然之所然耳也寒氣生濁

熱氣生清濁爲地寒氣所以起濁清爲天熱氣所以生也之清氣在

下則生飧泄濁氣在上則生䐜七鄰反脹清氣處陽

在上濁氣爲陰在下今濁陰既處清陽下升以其陽藏所以飧泄也清陽既處濁陰上昇以其陰藏所以

䐜脹飧泄也食不化而出也陰陽之反祚乍故反也病之逆

順也祚福也逆之則爲殃順之爲福也故清陽爲天濁陰爲

地地氣上爲雲天氣下爲雨地之濁氣上昇與陽氣合

爲雲天之清氣下降[illegible]而走地之

地氣上爲雲天氣下爲雨昇与陽氣合

爲雲天之清氣下降与陰氣合爲雨也雨出地氣出天雨是地之陰氣上昇

降陽爲可氣是天之陽氣下降得陰爲雺〻霧故清陽出上竅濁陰

出下竅夫陰陽者有名而无數也所以數之可十離之可百散之可千推之可萬故有上下清

濁陰陽內外表裏陰陽等變化无窮也月衆者脉內

營氣稱爲清陰脉外衛氣名爲濁陽是則陰清陽濁

者也言上下者清陽爲天濁陰爲地是則陽清陰濁

渚也枝說內外清濁陰陽此言上下清濁陰陽也是

以穀入於胃分爲四道出於上焦慓悍行於分內之

間日五十周行衛氣也述於中膲並於胃口出上

膲之後泌糟粕蒸津液化其精微上注肺脉行於經

隧化而爲血以奉生身名爲營氣其衛氣上行於達

而以資七竅故曰清陽出上竅此若以內外陰陽則內

泌化而為血以奉生身名曰營氣其衛氣上行於達

而以資七竅故曰清陽出上竅此若以内外陰陽則府

者為清外者為濁若以上下陰陽則上者為清下

者為濁有此不同濁者則迴腸

下行故曰濁陰出下竅也

清陽發腠理

此

名

衛氣為清陽發腠

理所濁為清也

濁陰走五藏

此名營氣為濁

陰走於五藏也

清為

濁也

清陽實四支濁陰實六府

四支六府

雖渕為陽

復分陰陽也四支在外故清氣

實之六府在内故濁穀實之

水為陰火為陽

五穀為食中水谷謂之陰

也食中火爇為之陽也

陽為氣陰為味

食中

火爇

穀五氣也食中水谷穀

穀五味也之

味歸形

五味各入於形

藏以成大穀

歸氣　陰散陽氣歸青　氣生五[illegible]　五

穀五味也之 可也開藏以成大之散開
歸氣陰形陽氣有也氣歸精氣生五味精華精食氣五
精華五氣變為形食味得於形者以食為味味傷形五味各走其藏
淫則各傷其藏氣傷精ㄑ化於氣精本是氣化有氣淫還各傷其
也精氣傷於味食中氣盛定傷五味味出下竅氣出
上竅五味糟粕為大小便也穀氣不行經隧者積於胃中成於呼吸也味厚為
陰薄為陰之陽夫陰陽之道推之可万也如五味是陰味之厚薄亦是
陰陽故味之厚者陰中之陰味薄者陰中之陽也氣厚為陽薄為
之陰五氣是陽氣之厚薄又是陰陽故氣之厚者

味薄者陰中之陽也　氣厚爲陽薄爲

之陰　五氣是陽氣之厚薄又是陰陽故氣之厚者陽中之陽氣之薄者陽中之陰也上下貴賤

吉凶福禍等萬物皆然　味厚則洩薄則通氣薄則洩

厚則發　味厚氣薄則上下洩味薄氣厚則上下通發　壯火之氣

衰少火之氣壯　壯盛火熱之氣盛必衰也少火火煖之氣必爲壯盛以陰陽之

也　壯火食氣氣食少火壯火散氣少火

生氣　壯大壯盛食氣必衰氣食少大氣得有壯發得壯大之盛必散於氣少火之微定聚生氣

也　氣味辛甘發散爲陽酸苦涌洩爲陰

氣之味[illegible]甘[illegible]之厚者發散薄[illegible]

辛甘發散爲陽酸苦涌泄爲陰氣之味辛甘之味下陰之厚者發散薄爲陽也酸苦涌者爲陽下涌泄者爲陰也陰勝則

陽病陽勝則陰病夫陰陽和物生者也今陽虛者陰并之陰乘陽者則

陰勝故陽病陰虛亦尔陰病則熱陽病則寒陰病陽勝故熱

陽病陰勝故寒也重熱則寒重陰則熱謂陰陽極寒傷

形熱傷氣形者和陰也氣者和陽也寒甚有傷於形熱甚傷其氣斯之常

氣傷痛衛氣行於膚肉之中邪氣客於膚肉壅遏衛氣迫於分肉故痛形

傷腫既迫痺傷形即便爲腫也故先痛而後腫者氣傷

形也先邪傷衛氣致痺後形腫者謂衛氣傷及於形也先腫而後痛

者形傷氣也邪先客於皮膚爲腫而後壅衛氣爲痛者謂形傷及於氣也

風勝則腫燥勝則乾邪風客於皮膚則爲瘨脹也邪熱深於皮

膚則皮乾无汗寒勝則附浮付交驗義宜齊寒邪客於肉當膚濕勝

則濡陰濕[illegible]則多汗也天有四時五行[illegible]天之用也以生

長收藏四時之用以生寒暑燥濕五行所生也有本風謂具五行也

人有五藏化五氣以生喜怒悲憂[illegible]五

長收藏之用以生寒暑燥濕有風謂具五行也

人有五藏人之有也有五氣以喜怒悲憂恐五氣五藏氣也喜怒等心肝脾腎五志者故喜怒傷氣內傷者也寒暑傷形外傷者也故曰喜怒不節寒暑過度生乃不固內外傷已去傳暖〻國不道我〻〻來之不也〻重陰必陽重陽必陰故曰冬傷於寒春必病溫〻〻傷過多也冬〻寒〻陰也人於冬時溫衣熟食腠理開發多汗寒涼以快其心〻者寒入腠理〻〻遂閉內行藏府至春寒極變爲溫病也春傷於風夏生飧泄春風陽也春日腠理開發風入腠門內行藏府腸胃之中至夏爲飧泄也飧水洗

也春傷於風夏生飧泄理開發風入腠門內行藏府腸胃之中至夏爲飧泄也飧水流飯也音孫謂腸胃有風水穀不化而出也夏傷於暑秋生痎瘧夏因汗出小寒入腠藏之於內至、、氣發腠理外閉氣氣內發以成瘧痎瘧音皆秋傷於濕冬生欬嗽秋多雨濕人傷受濕、、逆上下至冬寒并傷肺故成欬嗽也憧代反又互吏又謂運氣也黃帝問曰法陰陽奈何陰陽者天地紀紀變化父母養生之道法之以成故問之岐伯荅曰陽勝則身熱陽勝八益爲實陰勝七損爲虛言八益者身熱一益也陰弱陽盛故適身也腠理閉二益也陽閉腠理過盛則閉而發三益也汗盛則腠理皮上麁澁也爲之悗作四益也熱盛上ニ一 [illegible] 五益也陰氣

腠理閉。理，腠理盛則閉。□□腠理皮上溫也，□之
俛仰。四登也，陽盛上下，故身俛仰。汗不出而熱。五登也，陰氣內絕，故汗不
出，身仍熱。齒乾。六登也，熱盛至骨，故齒乾也。以煩冤。七登也，熱以亂神，故煩悶。
腹滿死。八登也，熱歇胃中，故腹滿也。前已七登，後於腹滿，故致死。能冬不能夏。
以其內熱，故能冬之寒，不能夏之小熱。陰勝則身寒。下言陰勝也。身寒一登也，身寒
汗出。二登也，无陽禁腠，故汗出。身常清。三登也，清，冷也。身寒常冷也。
數慄而寒。四登也，數數戰慄也。五登也，戰慄而後寒也。寒則厥。六登也，寒則手
足逆冷也。厥則腹滿死。七登也，前已六登，後於冷氣滿腹，冷氣滿腹，故致死也。
[illegible]寒人遇熱[illegible]

冬也。肩目則熱，牙滿腹，冬氣滿腹，故熱死也。
能夏不能冬。寒人遇熱，故堪熱也。此陰陽更勝之
變也。病之形能也。此是陰陽變極之理，亦是人之病所能也。黃
帝問曰：調此二者奈何？陰陽相勝遂長，七損八益，不知，故調之。
岐伯答曰：能去七損八益，則二者可調。
也。損者損於身，益者益於病者。人能脩道，塞同去
損益之病，則陰陽氣和，无有衰老，壽命无窮，與
天地同極也。不知用此，則蚤衰。人不脩道，不去損益，則陰陽不調，無謂不
脩不道，早衰也。衰之節也。年卌而陰氣自半也，起
居衰矣。始衰時節，年卌也。六府為陽氣，五藏為

早衰也衰之節年卌而陰氣自半也起
居衰矣始衰時節年卌也六府為陽氣五藏為陰氣人年卌五藏陰氣自半已衰腰以
始跡榮華頹落鬢髮頒白行之之勤坐臥之居曰漸已衰也年五十體重耳
目不聰明矣人年五十脾氣衰故體重肝氣衰故目不明腎氣衰故聽不聰
也年六十陰痿大氣衰九竅不利人年上六十腎氣
衰精氣減輸施故宗筋痿於十二經脈三百六十五絡為大
氣也其氣皆上於面而走空竅其精陽氣上於目而
為精其別氣走耳而為聽其宗氣上出於鼻而為
臭其濁氣出於胃走脣舌而為味今經脈大氣竭
衰故九竅不利下虛上實涕泣俱出脊以上為陽以居上也
膂以下為陰以居下也年六十精髓竭陰痿行之口

竅不利……涕泣俱出……陽以居上也
腎以下竅，陰以居下也。年六十者，精竭陰痿，行步无力，即下虛上實也。神氣失守，故涕泣俱出。故曰：知
之則強，知察於同者七損八益生身日強。不知則老，八察於異，有損有……
故身速衰也。玄元皇帝曰：物壯則老，謂之不道，不道早已，此之謂也。故同名異
耶，道類无物不逹，故同名也。物有万殊，故異耶也。智者察同，愚者
察異。察，觀也。智者反物觀道，愚者反道觀物。愚者不足，智者
有餘，有餘則耳目聰明，身體輕強，年
老復壯，壯者益理。愚者於物有三不足，一則睛耳聾則聽不足也，精
□力衰則身不足也，老者衰衰壯老曰老則□不足

老復壯〻者益治耳聽則聰聽不足也賤至力衰則身不足〻〻老者〻衰〻壯〻老日差則聽〻不足也智者觀道神清性明故三者有餘也視聽日勝則耳目有餘也身強體輕則身有餘也年老反同剡子之形年壯更益氣色之理則〻〻行〻是以

聖人為無為之事聖人謂廣〻〻〻等也忘心〻棄我任物之動即為无為之事也

樂恬惔之能怡〻神適性〻恬惔之能也樂從欲快志

於虛无之守聖人欲无欲〻〻欲〻忘元求之志故達快於虛〻〻〻失其遺詔〻守也

故壽命無窮与天地終此聖人之治

身也至有守者其神不擾其性不鐵故外邪不入神不憂故藏府〻〻内与虛无同悉与天地〻同德遂獲有餘无窮之〻〻〻〻〻〻壽〻

身也　外邪不入，神不憂，故藏府〻〻内与虚无同
意与天地〻德〻遂積有餘无窮之〻〻〻〻廣〻
〻語黄帝〻〻善以所无見所〻无聞〻〻无所知
神将自守，故人〻盡充而壽〻獨存〻〻
其事也，斯乃聖人理身之道也　天不足西北，
故西方陰也，而人右耳目不如左明也〻〻
不滿東南，故東方陽也，而人左〻〻足不如
右強也　夫天地者形之大也，陰陽者氣之大也，太〻而生万形，則大形以爲父〻母〻〻形爲子也
故大形有所不足，而生万〻物〻不可〻〻〻，故人
〻法天，則右耳目聰明不足也，手足法地，故左手
足便強不足也，以其天陽不
足西北，地陰不足東南故也　黄帝問曰：何以

足而北，地陰不足東南故也。[illegible]

然。岐伯曰：東方陽也，其ヽ精并上，故上明而下虛，故使耳目聰明而手足不便也。東方之陽ヽ氣上昇，故上實下虛，則人左上勝下劣也。西方是陰ヽ氣下流，故下實上虛，則人右循下勝上劣也。故俱感於邪，其在上也則右甚，在下則左甚，此天地陰陽所不能全，故邪居之。非直左右陰陽虛實，耳目手足有所不善，從左右俱者，於邪虛實亦甚，令人患手足左甚，耳目右甚，即其事也。則天地陰陽有所不全，人法天地，何取可其全，亦直人有不全，萬物皆亦不可全也。故聖人法天則地以

此陰陽有所不全人法天地何敢可具全亦真
人有不全萬物皆亦不可全也故聖人法天則地ㄣ
須万物居不得已接於不足是為備ㄣ之
故天有精地有形天有氣之故人耳目地有質之形故人手足
天有八紀地有五理故能為萬物父母天有八風之紀ㄣ生万物地有五行之理ㄣ成万物故為父母也
清陽上天濁陰歸地故陰陽和也離為万物陰陽離也号為天地也是故天地之
動靜神明為之紀故能以生長化成
收藏終而復始是故以天之紀也以地之靜也以神明御之為綱紀也三
者備故能為四時生長

以藏然而治者也以神明御之爲紀紀以三
者備故能爲四時生長
化成收藏終始者也　唯賢人上配天以養頭
下象地以養足中傍人事以養五藏
人頭象天故配天養頭使七竅俱養同七曜之明也
足以象地故使五常安同山嶽鎮也中傍象於人事
人有五藏餘禽獸等有不具者
故象人藏以養五藏同真人　天氣通於肺　肺与
四藏上蓋是人之天故天氣通肺也　地氣通於咽風氣通
於肝　咽中入食以生五藏六府故地氣通咽也東方生風ゝ生木ゝ生酸ゝ生肝故風ゝ通肝
也　雷氣通於心　心能覺動四支百體故雷氣通心也　穀氣通
於脾　五穀滋味入脾　雨氣通於腎　雨者水

雷氣通於心體故雷氣通心也穀氣通
於脾五穀滋味入脾故穀氣通脾也雨氣通於腎雨者水也故雨
氣通腎也六經為川三陰三陽六經之脉流注也氣以注腸胃故為川也腸胃為
海夫海者一則泉川歸之二則利澤萬物腸胃為彼六經所歸又滋百節故為海也九竅為
水注聲色芳味如水從外流於上之七竅注入經川復滋糟粕之水從內出下二竅也有本為水注理云
糊似水注之氣以天地為之陰陽聲色芳味之氣從外入內有養
故以地為陰也糟粕渡後從內出外得通故以天為陽之陽之汗以天地之雨名
之陽蒸腠理出汗同天地間雨故汗名雨之氣以天地之風前明人汗以天地之
所為名則人之氣暴氣象雷人身中氣上下有

之地間雨，故汙名雨之[illegible]次天地之
風爲名，則人之氣以天地之風名也。暴氣象雷，人身中氣上下有聲，故象雷也。逆氣象陽。无陰之陽即爲災，故氣逆不和，昔象於陽也。故治不法
天之紀，不用地之理，則災害至矣。爲家爲國之道，不依天之八紀、地之五理，國有三破之災，身有夭喪之害也。故風之至傷如
風雨。風謂天之邪氣者也。邪氣至，體則傷，傷人體者，如暴風雨入人腠理，淫爲病者也。
故善治者治皮毛，其次治肌膚，其次治
筋脈，其次治六府，其次治五藏，五藏半死半
三 善者謂上工善知聲色形脈之候，妙識本標

筋脈其次治六府其次治五藏五藏者半

生善者謂上工善知聲色形脈之候妙識本標故療皮毛能愈藏府之病也療藏府能除皮毛之疾故病在皮毛療於皮毛病在五藏療於五藏或病淺而療淺或病深而療深或病淺而療深或病深而療淺皆愈者斯為上智十全者也今天邪氣始入皮毛之淺遂至五藏之深上工療之有十五死五死五生者以其陰陽兩感深重故也

故天之邪氣感則害五藏謂天降八正虛風從衝上來爲損至深故害五藏也之

水穀之寒溫感則害六府天地之間資濟生氣味謂水穀也六府貯於水穀節之失和次害六府也

地之濕氣感則害皮肉筋腎為水藏主於骨又深少濕未能即

失知次容六府也地之濕氣感則害皮肉筋脈腎為水藏，主主骨，又深，少遊未能即傷。餘之四藏，肺主皮、肉、筋、脈在外，感即先傷，未至六府也之。故用針者，從陰引陽，從陽引陰，肝藏足厥陰脈，脈實，肝府膽足少陽脈虛，須寫厥陰以補少陽，即從陰引陽也。若少陽實，厥陰虛，須寫少陽以補厥陰，以即從陽引陰也。餘例准此。以右治左，以左治右，謂以繆刺刺諸絡脈，謂以巨刺刺諸經脈。以我知彼，謂賢不病以能知病人也。以表知裏，或瞻六府表脈以知五藏裏脈，或瞻聲色之表，能知藏府之裏也。以觀過與不及之理，見微得過，用之不殆。寸口之脈，過五十動然後一代，謂之過。

藏府之裏也以審過[illegible]

過用之不殆寸口之脉過五十動然後一代謂之過不滿五十謂之不及見關格藏病得過失也見藏過而救各者謂未病之病療十七宜故无危殆善診者按脉謂善上工善能診候診候之要謂按脉先別陰陽審清濁而知部分候脉之道先須識別五藏陰脉六府陽脉亦須審量榮氣為濁衛氣為清和南平各有寸關尺尺三部之別也視喘息聽音聲而知所苦須看病人喘息遲疾隱[illegible]聽病人五行音聲所知五藏六府皮毛膚肉筋脉骨髓何者所苦此謂聽聲而知者也之觀權衡規矩而知病所在面部有五藏六府五行氣色觀乎

取知病在何藏府也按之[illegible]

權衡矣知何知病所在五行氣色觀乎
所知病在何藏府也按尺寸觀浮沉滑濇
此謂察色而知也
而知病所生濇所動及不滑也人之兩手從關至
魚九分為寸也從關至尺一寸為尺也
尺寸終始一寸九分為尺寸也凡按脈者也按寸口得
五藏六府十二經脈之氣以知善惡又按尺部得知
善惡依此大經竟無關部關者尺寸分處關自无地
依秦越人寸口為陽得地九分尺部為陰得地一寸
尺寸終始一寸九分亦无關地華佗云尺寸關三部
各有一寸三部之地合有三寸未知此言何所依
據王叔和皇甫謐等各說不同並有關地既无
依據不可行用但關部不得言无如是尺寸分
處自无其地脾脈在中有病寄見尺寸兩間至下
脈經之中具定是非也按脈之道先別陰陽清濁知
部分以次察聲色知病所苦所在始按尺又占次一益

脈經之中具定是非也。按脈之道，先別陰陽清濁，知部分，以次察聲色，知病所苦所在，始按尺寸，觀浮沉等四時之脈，以識病源也。以治無過，以診則不失矣。此次診候知病源已，然後命諸針艾湯藥等法療諸病者也。有祛疾脈塞之禍，定无衆等横傷之罪，以其善診則无失也。故曰：病之始起也，可刺而已；以其善診病之始生，即以小針消息去之，不用毒藥者，與則其微易散者也。其盛，可待而衰也；病盛不可療者，如雲之陣不可即擊，待其衰時然後療者易得去之，如瘧病等也。故曰：因其輕而揚之；謂風痹等，因其輕動，道引微針，揚而散之。因其重而減之；謂濕痹等，因其沉重，燔針按熨，漸減損也。因其衰而彰之。謂癲狂等取其[illegible]

揚而散之因其重而減之備針按摩漸減損也
因其衰而彰之謂羸住壽取其衰時彰瀉去之也形不足者
溫之以氣謂寒瘦少氣之徒補其陽氣也精不足者補之
以味五藏精液少者以藥以食五種之味而補養之其高者因而越之
風熱實於膺胸因瀉越之其下者引而竭之寒濕實於膏足引瀉
竭之中滿者瀉之於內氣脹腸胃之中可以瀉之其有邪者
清以為汗其在皮者汗而發之清冷也脹腸胃
寒熱病氣也或入藏府或在皮毛皆用鍼藥以調汗而出之也其慓悍者按
收之慓芳照反急疾也悍胡旦反禁其

毛脉用鍼藥以調汗而出之也其慓悍者按而按之慓芳遥反疾也悍胡旦反禁其氣令不散以手按取然後投鍼也其實者散而寫之諸有實者皆散寫之審其陰陽以别柔剛陽病治陰陰病治陽夫物柔弱者陽之徒也剛强者陰之徒也陰經受邪流入陽經為病是為陰經為本陽經為標療其本者療於陰經即陽病療陰也陽經受邪准陰療陽也即陰病療陽也又陰陽之主陰經若實陽經必虛陽經若實陰經定虛減陽虛病者宜寫陰陰實病者宜補陽也定其血氣各守其鄉血實宜決之氣虛宜掣引之須定所病在氣在血各守血氣病之别鄉寫乃用鍼刺去實血補乃用鍼引

血實宜決之，氣虛宜掣引之。

氣在血，各守一血氣病之別所焉。乃用鍼刺去實血；補乃用鍼引氣，引皮補已，縱皮閉門，使氣不洩。掣，充曳之引也。

調陰陽

黃帝問於岐伯曰：夫自古通天者，生之本也。

古謂上古中古者也。謂陰陽而攝其生，則通天之義。上古中古之人者，攝生莫不法於天地，故生同天地，長生久視。通天地者，生之本也。不言通地者，天高尊也。

本於陰陽。

本於天地陰陽之氣。

天地之間，六合之内，其氣九州、九竅、五藏、十二節，皆通乎天氣。

在於天地四方上下之間，所生之物，即九州等也。九州即是地外物也，九竅等物身内物也，十二節

閒所生之物即九州

寺也九州即是身外物也九竅等物身内物也十二節者謂人身支各有三大節也謂九州等内外物皆通天氣也

其生在其氣三謂天地閒九州等物其生皆在陰陽及和三氣謂

數犯此者則邪氣傷人此壽之本也陰陽分爲四時和氣人之縱志不順四時和氣猶生爲風寒而害賊邪氣傷也此順三氣令生壽之本也

蒼天之氣清靜則志意治蒼天也氣謂四時和氣養也天之和氣清而不濁靜而不亂能令人志意皆清靜也

夫順之則陽氣固雖有賊邪弗能害也此因時之序也人能順清靜和氣則藏氣守其内府氣固其外則雖有八正虛風[illegible]

有賊耶弗能害也，此因時之序也。靜和氣則
藏氣守其内，亦氣固其外，則雖有八正虛風
賊耶，不能傷也。此所以因四序之和，自調攝也。故聖人
摶精神，或天氣，通神明。摶，附也。或，有也。聖人令精神相附
不失，有服清靜之氣，通神令清通
性令明，故得壽弊天地而不遺也。氣失之則内閉
九竅，外壅肌肉，衛氣散解，此謂自傷，氣之削
也。陰氣失和，則内閉九竅，令便不通；外壅肌肉，使腠
理壅塞也。陽氣失和，則腠理開，衛氣發泄也。以
之失者，皆是宗失於攝，
故令和氣銷削也。陽氣者，若天与日，失其
所獨壽不章，故天運當以日光明，是故陽
因而上衛外者也。人之陽氣若天与日，不得相元也。

[illegible] 古今 [illegible]

折壽不彰故天運當以日是故陽

因上而衛外者也人之陽氣若天与日不得相无也如天不得无日々失其行則天不明故天之運動要藉日行天得光明也人与陽氣不得相无若无三陽行於頭上則人身不得章延壽命也故身之生運安待陽臧行身已上故壽命長也是以陽上於頭衛於外也

因於寒志欲如連樞起居如驚神氣乃浮連數也樞動也和氣行身因傷寒氣則志欲不定數動不住故起居如驚神魂飛揚也之

因於暑汗煩則喘喝靜則多言體若燔 [illegible]

炭汗出如散喝漯曷反呵也謂喘呵出氣聲也汗者陰氣也故汗出即熱去令熱汗出而煩懊也若靜而不擾則內熱狂言如

[illegible]汗者陰氣也故汗出即熱去令熱汗出而煩憹也若靜而不捷則內熱狂言如此者雖汗猶熱汗如沐浴汗不作珠故曰如散也

因於濕首如裹攘大筋濡短小筋弛長弛長者為痿如而也攘除也人有病熱用水濕頭而以物裹人望除其熱是則大筋得寒濕攣小筋得熱緩長弛緩也弛尓反筋之緩痛而支不收故為痿也

因陽氣為腫四維相代陽氣而竭巨取氣客於分肉之間衛氣壅遏不行遂聚為腫四時之氣各自維守令四氣相代則衛之陽氣竭壅不行故為腫也

陽氣者煩勞則張精絶辟積於夏使人煎厥辟[illegible]反氣盛將入房過多則陽虛熱精絶辟積生煎厥之病也

則[illegible]

夫精絶辟積於夏使人煎厥 氣盛將入房
過多則陽虚起精絶辟積生煎厥之病也
辟積，辟疊停廢之謂也。煎厥，煎爲作也。 目盲不
可以視，耳閉不可以聽。 精絶則腎府已大虚
脉衰，是太陽脉起目
内眥，故太陽衰者即目盲也。
精絶腎虚則腎官不能聽也。 潰潰乎若壞都，滑滑 滑乎不止都 骨不正
不止 潰，胡對反。潰潰、滑滑，皆亂也。陽氣煩勞則精
神血氣亂，若國都亡壞不可止。一曰滑骨
不正則都大也，言非直精神血氣
潰亂，四支十二大骨痿瘲不正也。 陽氣大怒則形
氣而絶，血菀於上，使人煎厥。有傷於筋，縱 并 陰
於陽盛怒則衝氣壅絶，血之菀陳上并於頭，使
人有仆，故曰煎厥。胃傷於筋，故痿瘲之
其若不容，而汗出偏阻，使人偏枯 [illegible] 沮壞

人有仆故曰病厥并傷於筋故痿疵也之

其若不容而出汗偏沮使人偏枯沮壞也慈呂反容緩也陽氣盛者為傷筋痿緩其若不緩則汗偏出壞身偏枯亦隨之病也或偏枯疼者也

汗出見濕乃生痤疽若汗遍身見濕於風卩邪風客於肌肉壅遏營衛傷肉以生痤疽也痤癰之類然小也俗謂之癤子久壅陷骨者為痤疽也之高梁之

變足生大釘受如持虛高梁血食之人汗出見風亦變為病與布衣不同多足生大釘腫高梁身虛見濕受病如持虛器受物言易得也陽氣者精

則養神柔則養筋氣之精氣晝行六府夜五藏令其神清明行

四支及身令開[illegible]

目養神，養□□養筋□　五藏，令五神清明，行
四支及身，令筋柔弱也。開闔不□，寒氣從之，乃生大僂。
腠理有邪，開令邪出，□□得也。腠理无邪，閉令
不泄，即閉為得也。今腠理開，邪入即便閉之，故不
得也。寒邪入之，客於膂脊，以　陷脈為瘻，流連
尻代踵，故曰大僂。僂，曲也。□□足
肉腠　寒邪久客不散，甚而陷脈，以為
瘻血流，連在肉腠之間，故為瘻。　輸氣化薄，

□別本驚□也□也

傳為善畏，乃為驚駭。□輸者各繫於藏氣，化
薄則精靈不守，故善
畏而好
驚也。　營氣不順，逆於肉理，乃生癰腫。脈円營氣
為邪氣傷，不得循脈，陰陽相注，
故逆於肉理，敗肉所生癰也。　魄汗不盡，形弱
而氣爍，穴□□閉，發為風瘧□□□□

故逆於肉理，敗肉所生癰也。白之不盡，邪氣

而氣爍，穴俞已閉，發爲風瘧。故風者，百

病之始也。魄，肺之神也。肺主皮毛腠理，人之汗者，皆是肺之魄神所營，因名魄汗。夏傷

於暑，汗出不止，秋之寒氣之表，猶濕邪藏於腠理，腠理已閉，至秋得寒，內外相感，遂成風瘧，而氣爍。

故邪風者，百病始爍，式變及淫邪氣。清靜則肉腠閉距，雖有

大風苛毒，弗之能害，此因時之序也。不爲

躁動，毛腠閉距，八風不能傷者，順四時之序，謹養故無病也。今名之音何故人病

久則傳化，上下不并，良醫弗爲。人病雖久，

得有傳變，上下陰陽不并，至其所

如則俱行上下不并良醫弗為雖久得有傳變上下陰陽不并至其所王必當自愈故良醫不為也之故陽畜積病死而陽氣當隔隔者當寫不亟正治粗乃敗之故陽病畜積不得傳化有其死期若陽隔當隔隔者寫之精當急寫之不急療者必當死也隔格也亟急也故陽氣者一日而主外平旦人氣生日中而陽氣隆日西而陽氣已虛氣門乃閉是故暮而收距毋擾筋骨毋見霧露夫陽者生氣也陰者死氣也故陽氣一日而主外陰氣一夜而主內一日外者分為三時平旦人氣始生為少陽也日中人氣隆盛為太陽也日西人氣始衰

霧露陰氣一夜而主内一日外者分爲三時平旦人氣始生爲少陽也日中人氣隆盛爲太陽也日西人氣始衰爲虛陽也陽氣虛也陰氣即開也陰氣開者即申酉戌少陰生也故暮須收距无令外邪入皮毛也亥子丑時即至陰也故至陰時无擾骨也寅卯辰即厥陰也故厥陰時无擾於筋見霧露也陰衰見濕因招寒濕病反此三時形乃困薄不順晝夜各三時氣以養生者必爲病困迫於身薄迫也岐伯曰

陰者藏精而極起者也陽者衛外而爲固者也五藏藏精陰極而陽起也六府衛外陽極而陰固也故陰陽相得不可偏勝也之陰不勝其陽則其脉流薄疾并乃狂陽勝即人迎脉動武傳或陟是則陰并陽陽[illegible]上[illegible]藏氣[illegible]也

則其陽目其脈流薄疾并乃狂脈動疾得狂
遠是則陰并陽盛發爲狂病之陽不勝其陰五藏氣爭九
竅不通陰勝則藏氣不和衝故外九竅閉而不通也是以聖人陳陰
陽筋脈和同骨髓堅固氣血皆順如是則
外內調和邪不能害耳目聰明氣立如故
故聖人陳陰陽使人調外內之氣和而不亂風客淫氣精乃亡邪
傷肝風客淫情之氣逐令發盛施精不已故精亡也肝脈循陰入肝故精亡傷肝也因而
飽食筋脈橫解腸澼爲痔澼音僻泄膿血也肝主於筋大主於
血肝既傷已因飽食點氣盛逼筋脈因而大飲則

飽食筋脈横解，腸澼爲痔肝主於筋，大主於血，汗既傷已，因飽食穀氣盛，迫筋脈解劉腸澼泄膿血，名之爲痔也因而一飲則逆氣一者，大也。既已巨精傷腸，又因大飲，則爲逆氣之病也因而强力，腎氣乃傷，高骨乃壞巨精傷肝，復因力已入房，故傷腎也。腎以藏精，主骨，腎傷則大骨壞也。高，大也凡陰陽之要，陰密陽固，而兩者不和，若春无秋，若冬无夏，因而和之，是謂聖度腠理密不泄，衛乃内陰之力也。又藏藏神固衛外陽之力也。故比四時和氣不得相无也。因四時和氣和於身者，乃是先聖法度者故强不能陰，陰氣乃絶陰氣衰者，可以補陰也。强入房，寫其陰氣因於露風，乃生寒熱精巨肝

是先聖法度若各另不前陰氣乃絶可以補陰也
濕入傷焉其陰氣故陰氣絶也之因於露風乃生寒熱精仁肝傷更濕
寒濕風邪之風成者為寒熱病也是以春傷於風邪氣流連
乃為洞泄夏傷於暑秋為痎瘧秋傷於濕
氣上逆而欬發為痿厥陰陽離決精氣
乃絶冬傷於寒春乃病熱洞大有更瘧流也肺惡寒濕之氣故上
逆欬也至冬寒濕變熱四支不用名為痿厥二氣離之不和故精氣絶也四時之氣
爭傷五藏也風寒暑濕四時邪氣爭而不和即傷五藏也陰之生本
在五味身内五藏是陰陰之五宮傷在五味五

節傷五藏也〔而不和即傷五藏也〕陰之生本在五味〔以內五藏之陰因五味而生也〕陰之五宮陽在五味〔五藏陰之宮也謂眼耳鼻口舌等五宮之陽本於五味者也故五味內滋五藏五宮外是用捴也〕是故味過酸肝氣以津脾氣乃絶〔夫五味者各走其藏淫出則益傷多則損故傷酸者能令肝氣下流勝脾脾傳遂成於癊滿洩病也脾氣魁肝令肝氣津洩則脾氣所魁故脾氣乏用也〕味過於鹹則大骨氣勞短肌氣抑〔鹹以資骨今鹹過傷骨則脾元所魁故肌肉短少脾氣與抑也〕味過於苦心氣喘滿色黑腎不衛〔苦以資心今苦過傷心喘滿歐吐則腎氣元力故色黑不能衛也〕味過於甘脾氣濡胃氣乃厚〔甘以資脾氣今

色黑腎不衡則腎氣无力故色黑不能衡也
味過於苦脾氣濡胃氣乃厚苦以資脾氣今苦過傷脾氣濡
令心悶胃氣厚盛也味過於辛筋脈沮弛精神乃英辛以
資肺今辛多傷肺以主氣筋之氣壞弛於皮毛也
心神魅肺氣沮弛神亦英盛淳龍无用也之
是故謹和五味則骨正筋柔氣血以流腠
理以密調五味各得其所者則鹹能資骨故骨
正也酸能資筋故筋柔也辛能資氣故氣流
也若能資血故血流也苦
能資内也故腠理密也如是則骨氣以精謹
道如法長有天命謹順也如是調養身者則氣
骨常得精勝上順天道如
先聖法則壽弊天地

道，如以長，有天命。言常得精勝，上順天道，如先聖法則，壽敝天地，故長有天命也。

陰陽雜說

黃帝問於岐伯曰：天有八風，經有五風，八風發邪氣，經風觸五藏，八風，八正邪風也，正月朔日有此八風發為邪氣，傷人者也。經風，八虛風也，謂五時八風從虛鄉來，觸於五藏，舍之為病也。邪氣發病。所謂得四時之勝者，謂得四時相勝之脈，以為候。春勝長夏，長夏勝冬，冬勝夏，夏勝秋，秋勝春，所謂得四時之勝也。謂天風經風，在身邪氣。東風生於春，病

夏勝冬々勝夏々勝秋々勝春所謂得四時之
勝也謂天風經風在身邪氣行於寸口有相勝之候東風生於春病
在肝輸在頸項東風從春出已与肝為病者肝之病氣逆致於頸項々々為春
也南方風生於夏病在心輸在胷脅胷脅當心故
為夏也西方風生於秋病在肺輸在肩肩背
當肺故為秋也北方風生於冬病在腎輸在膂股
膂股近腎故為冬也中央為土病在脾輸在脊故精
者身之本也脊膂當脾故為仲夏也土為五藏之精以長四藏故為身之本
也故春氣者病在頭在頭

精氣之本也（數之精以長四藏故爲身之本也）故春氣者病在頭（在頭頸項）夏氣者病在藏（藏謂心藏）秋氣者病在肩背（肩背肺之府秋氣也）冬氣者病在四支（冬爲痹厥故在四支）故春善病鼽衄（傷寒春病在頭故善鼽衄也）夏善病洞泄寒中（傷風夏病在藏故善病洞泄寒中者也）仲夏善病胸脇（傷溫夏病在胸脅故善病胸脅）秋善病風瘧（仲夏傷暑者秋善病風瘧也）冬善病痹厥（傷濕冬病故爲痹厥）故冬不按蹻春不病鼽衄春不病頸項（夫冬不傷寒氣在於腠理者以冬按蹻按蹻多勞因腠理開寒氣入客令冬

按蹻者不病鼽衄，俞不病頸項。氣在於腰理，背以冬強勇，按蹻多勞，因膝理開，寒氣入客。今冬不作按蹻，則无傷寒，至春不鼽，以病鼽衄，故依□病至頭項也。蹻兒小又強勇自也。夏不病洞泄寒中，仲夏不病胷脇。春傷風將多，循於頭入於府藏，故至夏洞作飧泄寒中病也。所以春无傷風，即无夏飧泄之病，故至仲夏不病胷脇。秋不病風瘧，秋不病肩背胷脇。仲夏不傷暑於胷脇，至秋无瘧及肩背胷脇病也。冬不病痺厥飧泄，汗出藏於精者，至春不病溫。冬之病痺厥飧泄內虛，又因汗出寒入藏於內，故至春病溫。是爲冬傷於寒，春爲溫病，所由者也。夏暑汗不出者，秋成風瘧。小寒入腠理，不[illegible]泄[illegible]

爲冬傷於寒寒春爲温病謂由著也集集不
出者秋成風瘧小寒入腠理不行行洩大二秋寒氣感而成成瘧也此平人
脈法地也平人脈法要須知風寒暑濕四氣爲本然後使知諸絡毛沉四時脈也地即
本也岐伯曰陰中有陰陽中有陽平旦至
日中天之陽陽中之陽也日中至昏天之陽
陽中之陰也子午已東晝爲陽也卯酉已北夜爲陰故平旦至日中陽中之陽也日中至昏陽中之
陽也合夜至雞鳴天之陰陰中之陰也雞鳴
至平旦天之陰陰中之陽也子午已西夜爲陰行酉已南晝爲陽故合
夜至雞鳴陰中之陰也雞至平旦故人亦應之人同陰陽故故人

至黃昏天之陽陽中之陰也而已前晝爲陽故令

夜至雞鳴陰中之陰也雞鳴至平旦陰中之陽也故人亦應之人同陰陽故人亦有陰中之陽々中之陰々々中之陰々々中之陽也夫言人之陰陽則外爲陽內爲陰皮毛膚肉在外爲陽筋骨藏府在內爲陰言人身之陰陽則背爲陽腹爲陰背在胃上近頭故爲陽也腹在胃下近腎故爲陰者也言人之身五藏中之陰陽則藏者爲陰府者爲陽肝肺心脾腎五藏皆爲陰膽胃大腸小腸三膲膀胱六府皆爲陽就身之中五藏々於精神爲陰

六府對於水[illegible]

小腸三焦膀胱六府皆為陽〻於精神為陰六府對於水穀為陽也所以欲知陰中之陰而陽中之陽何也為冬病在陰夏病在陽春病在陰秋病在陽所以須知陰陽相在者以其四時風寒暑濕在陰陽也何者冬之所患欬嗽痹厥得之秋日傷濕陰也夏之所患飧洩病者得之春日傷風陽也春之所患溫病者得之冬日傷寒陰也秋之所患欬瘧病者得之夏日傷暑陽也之皆視其所在為施針石視聽候也宜以三部九候瞻知所在然後命於針灸砭石湯藥導引五去療方施之不誤使十全者也

故背為陽〻中之陽心也背為陽〻中之陰肺也腹為陰〻中[illegible]心肺在隔已上

故背爲陽々中之陽心也背爲陽々中之
陰肺也腹爲陰々中之陰腎也心肺居膈已上又近背上所以
爲陽也心以屬火々爲太陽故爲陽中之陽也肺以屬金々爲少陰故爲陽中之陰也腹爲
陰々中之陽肝也腎肝居膈已下又近下極所以爲陰也腎以屬水々
爲太陰故爲陰中之陰也肝以屬木々爲少陽故爲陰中之陽也之腹爲陰々中
之至陰脾也脾居腹中至陰之位以資四藏故爲陰中之陰此皆陰
陽表裏外内左右雌雄上下相輸應也
故以應天之陰陽也五藏六府即表裏陰陽也皮膚筋骨即内外陰陽也
肝肺所主即左右陰陽也牝藏牡藏即雌雄陰陽也

古[illegible]府[illegible]天之[illegible]陽[illegible]也。皮膚筋骨即内外陰陽也。

肝肺，肝主，即左右陰陽牡藏牝藏，即雄雌陰陽也。

鬲上鬲下即上下陰陽也。此五陰陽氣相輸會，故

曰合於天也

問曰：五藏應四時，有收乎？答曰：有。東方

青色，入通於肝，開竅於目，藏精於肝

精謂木精汁也

三合藏之肝府膺中也之

其病發驚駭

驚起怪巨魂，故驚駭也

其味辛

肝味正酸而言辛者，於義不通。有云：金剋木為妻，故肝有辛氣

其類草木

五行各別多類，故五行中各擇類也，草木類同也

其畜雞，其穀麦，其應四時，上為歲星

春當歲星

是以春氣在頭也，其音

頭為身之初首

肝，其在天為星（歲星），是以春氣右頭也。其音

角，（頭為身之初首，故春氣在也。）其數八，（成數八。）是以知病之

在筋也。其臭臊，（是以知筋位居春，故病在筋也。）其色赤，入通

於心，（火生於木，心又為火，火之色赤，故通心。）開竅於耳，（九卷云心氣通舌，舌既非竅，通於耳。）

藏精於心，（心有七孔三毛，心藏精汁三合。）故病在五藏，（心為五藏

主，不得受於外邪，外邪受則五藏皆病也。）其味苦，（酸為苦母，并以言之，故有苦酸。）

其類火，其畜羊，其穀黍，（九卷云黄黍，黍味辛，苦味剝章，仍金伏胡湯，故并

言之。）其應四時，其星上為熒惑，（夏時上為熒惑。）以知病

在脈也，（脈位居夏。）其音徵，其數七，（成數七。）其臭焦

之其應四時上爲熒惑 爲熒或[illegible]知病

在脈也 脈位居夏，故病在脈 其音徵其數七 或數七也 其臭

燋黄色入通於脾胃 五色皆自通藏，不言其府，此言府者，以胃爲四藏資粮，故兼言也

開竅於口藏精於脾 精藏脾中，[illegible] [illegible]以溫五藏也

故病在於舌本 脾脈足太陰，連舌本，故憂恚病在舌本也 其味

甘其類土其畜牛其穀稷其應四時上爲

鎮星 其脾王四季，故季夏上爲鎮星也 故知病在肉也其音宫

其數五 脾肉在夏，故有病在肉，其數五，號土數 其臭香白色入

通於肺開竅於鼻藏精於肺 精肺故病

其數五內其數五謂生數其臭香白色入
通於肺開竅於鼻藏精於肺精肺液也故病
在於背肺為陽中之陰在背故病在背其味辛其類金其
畜馬其穀稻九卷云稻米味甘素味辛米中稻辛其應四時
上為太白星秋時上為太白星是知病在皮毛皮毛
在秋故病在皮毛也其音商其數九其臭腥九為成數是
色入通於腎開竅於二陰二陰謂前後陰也藏精於
腎精謂腎液病在於谿谷其味鹹其類水其
畜彘其穀豆肉之大會為谷小會為谿肉分之間谿

腎。故病在谿。其味鹹。其類水。其畜豕。其穀豆。肉之大會爲谷，小會爲谿，肉分之間，谿谷之會。腎間動氣爲原，氣在谿谷間，故冬病在也。其應四時，上爲辰星。冬時上爲辰星。以知病在骨。骨氣在冬，故病在骨。其音羽。其數六。其臭腐。六爲成數。

岐伯曰：善。爲脉者，謹察五藏六府，逆順陰陽表裏，雌雄之紀，藏之心意，合心於精，非其人勿教，非其人勿授，是謂得道。善使脉者，謹察藏府之氣有逆有順，陰陽表裏，雌雄經紀，得之於心，合於至妙，然後教於人。教於人之道，觀人所能，妙知聲色之情，可使瞻聲察色，諸如是等，謂其人也。教謂教量至妙然後教於人教於人之道觀人所能妙知聲色之情可使瞻舉察色諸如是等謂真人也教謂教童發後謂後久學也如是行者可謂上合先聖人道也

黃帝問於岐伯曰人有四經十二順四經謂四時經脉也十二順謂六陰爻六陽爻相順者也四經應四時十二順應十二月肝心肺腎四脉應四時之息十二爻應十二月十二月應十二脉十二經脉也脉有陰陽三經脉六陰六陽知陽者知陰知陰者知陽妙知人迹之變所懸識氣口於氣口之動太過人迹凡陽有五五五廿五陽五藏之脉於五時見隨一時中即有五脉五脉見時皆有胃氣即陽有五也五時脉見即有廿五陽數所謂[illegible]

陽時皆有胃氣，即陽有五也。五時脉見，即有廿五陽數者也。所謂陰者真藏，其見則為敗，〻必死。於云時中五藏脉見，各无胃氣，唯有真藏獨見，此為陰也。所謂陽者胃脘之陰陽。胃脘之中穀氣五穀，其五藏為粮，此則封藏陰為陽，故曰胃脘陰陽者也。別於陽者知病之處。陽胃氣也，足陽明脉通於胃，是以妙別陽明胃氣，則諸脉受病所在並知之。別於陰者知死生之期。妙別五藏之脉，即知死生有期。三陽在頭，三陰在手。三陽行胃人迎之脉在頭，三陰行太陰寸口之脉在手也。所謂一也。陰陽上下動如引繩，故曰一也。別於陽者知病忌時。善別胃脉，即知胃氣有无禁忌。

別於陰者知死生之期。善別手太陰脉

也天絕，故曰一也。別於陽者，知病忌時（即知胃氣有无禁忌，在於四時。）別於陰者，知死生之期（善別手太陰脈，即知真藏脈之有无死生之期。）謹熟陰陽，无與衆謀（謹熟讀熟陰陽脈氣之道，決於心者，不復有疑，故不与衆人謀議也。）所謂陰陽者，去者為陰，至者為陽；動者為陽，靜為陰；數者為陽，遲者為陰。（凡陰陽者，去靜与遲皆為陰，至動与數皆為陽。）凡持真藏之脈者，肝至懸絕九日死，（有本為十八日。）心至懸絕九日死，肺至懸絕十日死，腎至懸絕五日死，脾至懸絕四日死。（得真藏脈者死，然死之期，得五藏懸絕

□氣絶一日死，即至懸絶五日死，□三□懸

絶四日死。得真藏脈者死，然死之期，得五藏懸絶已去，各以其藏之氣分盡之，爲其脈至即絶久而不於彼日懸絶

闘曰：二陽之病，發心脾，有不得隱

曲，女子不月，其傳爲風消，其傳爲息賁。

三日者死不治。二陽者陽明也，陽明謂手陽明大腸脈，足陽明胃脈也。陽明所發心脾等病也。隱曲大小便。風消謂風熱病消骨肉也。息賁〻隔也，爲隔息也。

曰：三陽爲

病，發寒熱，下爲癰腫，及爲痿厥腨痟，其

傳爲索澤，其傳爲頹疝。三陽太陽也，謂手太陽小腸脈也，足太陽

膀胱脈也。太陽所發寒熱等病，痟季綿及疊

曰：一陽

傳爲索澤其傳爲頹疝 一陽小腸脈也足太陽
膀胱脈也太陽所發寒熱等病情索綿反覆 曰一陽
悉也索橐也頹憂悉不已傳爲橐人色潤澤也
發病少氣善欬善洩傳爲心瘛其傳爲隔
一陽小陽也手少陽三焦脈也足少陽 二陽一陰發
膽脈也小陽發少氣等病滿寒也
病主驚駭背痛善噫善欠名曰風厥 二陽
〻明也一陰厥陰也手厥陰心包脈也足厥 二陰一陽
陰肝脈也此二脈發驚駭等病風厥也
發病善脹心滿善氣 二陰少陰也手少陰心脈也
足少陰賢脈少陰少陽發
善脹等病 三陽三陰發病爲偏枯痿易四支不
三陽太陽也三陰太陰也手太陰肺脈也足一陽

寺病三陰三陽·其病·直作本藏則四支不
擧、三陽太陽也·三陰太陰也·手太陰肺脈也 足太陰脾脈也·太陰義偏枯寺病也 ·鼓一陽
曰鉤·曰鼓一陽十陽也·少陽脈·至手太陰寸口其脈 鼓也·鼓脈鼓動也·一陽之鼓曰鉤也
一陰曰毛·一陰厥陰也·厥陰脈·至之寸口·曰毛此 陰脈不得鼓也·有本一曰陰曰毛也之鼓陽
勝隱曰弦·脈鼓陽勝 於隱曰弦 鼓陽·至而絶曰石 至者爲陽也· 鼓陽至絶曰
石 也 陰陽相過曰彈 陰陽之脈·至寸口 相擊曰彈也 凡痹之客五
藏者·肺痹者煩則滿·喘而歐 邪氣·客肺及手太 陰·故煩滿·喘歐也
心痹者不通·煩則·下鼓·暴上氣而喘嗌乾善
噫厥氣上則恐 邪氣客心及手太陽·故上下于

[illegible]

噫厥氣上則恐邪氣客心及手太陽故上下不通煩則少腸故脹等病也肝

痺者夜臥則驚多飲數小便上為演壞邪氣客肝及足厥陰脉厥陰脉絡目及陰故臥驚數小便演宮延謂延流皆中心也腎痹

者善脹尻以代踵脊以代項邪客腎及少陰之脉故善脹脊由也

脾痺者四支懈惰發欬歐汁上為大寒邪客脾及足太陰脉不得營於四支故令懈惰又發脾欬胃寒歐冬水也大腸痹者數

飲出而不得中氣喘爭時發飧泄邪客大腸及手

陽明脉大腸中熱故便難肺[illegible]

飲出而不得中氣喘爭時發飧泄 腸及手
陽明脈大腸脈也大便難肺
氣喘爭時有溏飧也 胞痺者少腹膀胱按之
之兩髀若沃以湯濇於小便上為清涕 膀胱盛尿
故謂之胞即尿胞之後也邪客膀胱及足太陽膀胱
中熱故按之髀熱下則小便有濇上則鼻清涕出也
陰氣者靜則神藏躁則消亡 五藏之氣為陰
氣也六府之氣
為陽氣也人能不勞五藏之氣則五神各守其藏
故曰神藏也躁即不爾若怵惕思慮悲哀動中喜樂无
極愁憂不解盛怒不止恐懼不息
躁動不已則五神消滅傷藏者也 飲食自倍腸
胃乃傷 凡人飲食胃實則腸虛腸實則胃虛腸
胃更實更虛故得氣通長生久視若飲
食自倍則氣不通必人
淫氣喘息痺聚在肺

開戶作 胃更實更虛故得氣通長生久視若飲食自倍則氣不通殺人壽命也此則傷腑也 淫氣喘息痺聚在肺 淫過也喘息肺所為也喘息過者則肺虛邪客故痺聚也 淫氣憂思痺聚在心 憂思心所為憂思過者則心傷邪客故痺聚也 淫氣歐唾痺聚在腎 歐唾腎所為也歐唾過者則腎虛邪客故痺聚也 淫氣渴乏痺聚在肝 肝以主血今有渴乏多傷血肝虛故痺聚也 淫氣飢絕痺聚在胃 飢者胃少穀也飢過絕食則胃虛故痺聚 淫氣壅塞痺聚在脾 穀氣過寒則實而痺聚於脾也 陰爭於內陽擾於外魄汗未藏四逆而起起則動肺

熱[illegible]前[illegible]目[illegible]而痹聚於脾也。陰[illegible]於內，
陽擾於外，魄汗未藏，四逆而起，起則動肺，
使人喘喝。五藏爲陰，內邪陰氣以傷五藏，故曰爭內。六府爲陽，外邪陽氣以擾六府，故曰擾外。皮毛腠理也。肺魄所主，故汗出腠理，名魄汗也。藏猶閉也。陰陽爭擾，汗出腠理，未閉寒氣因入，四支逆冷，內傷於肺，故使喘喝。喝，喘聲，呼割反。
陰之所生，和本曰味。五藏所生，和氣之本，曰五味也。
是故剛與剛，陽氣破散，陰氣乃消亡。剛與剛，陽盛也。陽盛无衰，故破散也。无陽之陰之消亡也。
淖則剛柔不和，經氣乃絕。淖，亂也。前獨言陽散陰消，此剛柔不和，則十二經氣絕也。
岐伯曰：所謂生陽死陰
[illegible]肝之心謂之生陽，木生火。心之肺謂之[illegible]

桑不和則十二經氣絶也[illegible]

者肝之心謂之生陽（木生火也）心之肺謂之死陰

（火尅金也）肺之腎謂之重陰（水陰重至陰也）腎之脾謂之

辟陰死不治（辟重疊至陰大陰重也）結陽者腫四支（結聚）

結陰者便血一升再結二升三結三升（二聚多至

三聚也）陰陽結者針多陰少陽曰石水少腹腫（小陰為水也少字誤耳也）

三陽結謂之消（消渴消中也三陽太陽）二陽結

謂之隔（便溲不通也二陽陽明也）三陰結謂之水（三陰太陰）一陰

[illegible]陽結謂之[illegible]（厥陰少陰）專陽則[illegible]

言之門 二陽陽明也三陰絲言三刀太陰一陰

一陽結謂之喉痹厥陰少陽也陰搏陽別謂之有

子陰脈聚陽脈不并八也陰陽虛腸辟陰陽府藏脈皆虛者腸澤疊死

死陰之屬不過三日死而生陽之屬不過四

日而已陰陽死生期也陽加於陰謂之汗加脉之也陰

虛陽搏謂之崩崩下血也三陰俱搏廿日夜半

死大陰憋得三陰之氣二陰俱搏十三日夕時死少陰憋得二陰

之氣一陰俱搏十日平旦死厥陰氣皆來聚故曰俱也三陽俱

專且鼓三日死三陽手脈三陽三陰具尊□□

氣一陰俱搏一陽□見死聚絶日俱也三陰俱

搏且鼓三日死三陽之脈聚而且鼓三陽三陰俱搏心腹

滿發盡不得隱曲五日死二陽俱搏發

病溫死不治不過十日死陽明之氣皆聚則陽明發病有本

爲募也

黃帝内經太素卷第三

仁安二年丁亥閏七月十二日以家本書寫之　丹波頼基

本云

仁平元年三月二日以家本書寫移點校合了

仁善

黃帝內經太素卷第五

首一張缺

二節故以謂予也　天有陰陽人有夫妻歲有三百

六十五日人三百六十五節地有高山

人有肩膝地有深谷人有腋膕 戈麦反 由胁

也　地有十二經水人有十二經脈地有泉

水人有衛氣地有草蓂 千古反草名

地有十二經水人有十二經脈地有雲
氣人有衛氣地有草蓂（千古反草名也又死草也）
有豪毛天有晝晦人有卧起天有列
星人有齒牙地有小山人有小節地有
山石人有高骨地有林木人有募筋
地有聚邑人有䐃肉歲有十二月人有
十二節地有時不生草人有毋子此人所以
與天地相應者也（募音爲膜亦幕覆也膜筋十二經筋
及十二筋之外裹膜分肉者名膜筋也）

上六支本節者也膜筋十二經筋

及十二筋之外裹膜分肉者名膜筋也

人身上有卅六形應天地之形也

陰陽合

黄帝曰余聞天爲陽地爲陰日爲陽月爲陰其合之於人奈何岐伯曰腰以上爲天腰以下爲地故天爲陽地爲陰

夫人身陰陽應於更體自有背腹上下陰陽有藏府內外陰陽有五藏雄雌陰陽有身手足左右陰陽有腰上下天地陰陽也

足之十二脈以應十二月月生於水故足爲陰

腰下爲地故兩足各

地陰陽也足之十二脈以應十二月〻生於水故在下者為陰胃下為地故兩足各有三陰三陽為十二月故十二脈也人脚左右足是一邊舟者十二脈者天地應取也月為太陰之精生水在地故為陰也手之十指以應十日〻生於火故在上者為陽日為太陽之精生火在天故為陽也黃帝曰合之於脈奈何岐伯曰寅者正月生陽也主左足之少陽未者六月主右足之少陽卯者二月主左足之太陽午者五月主右足之太陽

[illegible]足之太陽午者五月主右足之太陽

者三月主左足之陽明巳者四月主右足之陽明此兩陽合於前故曰陽明（從寅至未六辰為陽從申至丑六辰為陰十一月一陽生十二月二陽生正月三陽生三[illegible]發令万物生起故曰少陽生物陽氣正且未大故曰少陽六月陽氣衰少故曰大陰二八陽氣[illegible]入故曰太陽五下上陽氣偏大故曰太陽三月四月二陽合明故曰陽明也）

申者七月生陰也主右足之少陰丑者十二月主左足之少陰酉者八月主右足之太陰子者十一月主左足之太陰戌者九月主右足之

[illegible]陰[illegible]者十月[illegible]

子者十一月主左足之太陰戌者九月主右足之

厥陰亥者十月主左足之厥陰此兩陰交盡

故曰厥陰 五月一陰生六月二陰生七月三陰生三陰已生 能令万物始衰故曰生陰生物七月陰氣尚少

故曰少陰十二月陰氣之衰故曰少陰八月陰氣已太故

曰太陰十一月陰氣猶大故曰大陰九月十月二陰交盡

故曰厥陰

厥盡也 甲主左手之少陽己主右手之少陽也

乙主左手之太陽戊主右手之太陽丙主左手之陽

明丁主右手之陽明此兩火并合故為陽明也 甲

景丁巳為手之陽也庚辛壬癸為手之陰也甲巳為

少陽者春氣矣而言故曰少陽巳為少陽将[illegible]說

曰小陽甲在東方故為左也己在中宮故為右也乙代

少陽有春氣[illegible]故曰少陽三爲[illegible]陽[illegible]
曰小陽甲在東方故爲左也己在中宮故爲右也己戊
爲午戊陽者己爲一月陽氣已大故曰太陽戊是陽
故大[illegible]乙在東方[illegible]左也景丁[illegible]
者景爲五月丁爲六月皆是[illegible]也二火合明故曰陽明
也　庚主右手之少陰癸者左手之少陰辛主右
手之太陰壬主左手之太陰故足之陽者陰中
之少陽也足之[illegible]太陰也[illegible]者十二辰爲
地十幹爲天天中更有陰陽故曰乙[illegible]爲陽庚辛等
[illegible]陰[illegible]爲七月申陰氣未大故曰少陰[illegible]爲十一[illegible]
子陰氣始終故曰少陰[illegible]爲[illegible]陰者[illegible]八月[illegible]
陰氣已大故曰太陰云爲十一月子陰氣盛大故曰
太陰心主厥陰之脈亦是心脈[illegible]

陰氣已大故曰大陰云爲廿五度予陰氣盛大故曰
大陰心主厥陰之脈非正心脈廿寸參冰無所云也
足之爲陰也誠之背陽陰中少也足之有陰之中大也 手之
陽者陽中之太陽也 手之陽陽乃遠胃以上陽中之陽故曰太陽 手之
陰者陽中之少陰也 手之六陰乃是胃以上陽中陰也大陰少故曰少陰
胃以上者爲陽胃以下者爲陰 以上下陰陽也 其
於五藏也心爲陽中之太陽肺爲陽中之少
陰 以上之下論陽於爲五藏陰陽心肺居高以上爲陽 肝脾腎居高以下爲陰陰陽者於心爲肺也陰
膈之上與胃也心陽之陽心之 故爲陽中
大陽也心肺俱陽肺以爲金 少陽中少陰也 肝爲
陰中之少陽脾爲陰中之……

太陽也，心肺俱陽，肺以爲金，故陽中少陰也。肝爲陰中之少陽，脾爲陰中之至陰，腎爲陰中之太陰。三藏居高以下爲陰，肝藏屬木，故爲陰中少陽也；脾在高下屬土，以居下，故爲陰中至陰；腎藏屬水，故爲陰中之太陰也。黃帝曰：以治之奈何？岐伯曰：正月二月三月，人氣在左，無刺左足之陽；春之三月，人三陽氣在左足，王處，故不可刺也。四月五月六月，人氣在右，無刺右足之陽；夏之三月，人三陽氣在右足，王處，故不可刺也。七月八月九月，人氣在右，無刺右足之陰；秋之三月，人三陰氣在右足，王處，故

[illegible]右足之陰三陰氣在
右足不變故不可刺也十月十一月十二月人氣在左無刺
左足之陰冬之三月人三陰氣在左足不變故不可刺之也黃帝曰五行
以東方為甲乙木主春春者蒼色蒼色主
肝肝者主足厥陰今乃以甲為左手之少
陽不合於數何也岐伯曰此天地之陰陽也
非四時五行之以次行也且夫陰陽者有名而
無形故數之可十離之可百散之可千推之
[illegible]可萬此之謂也五行次第於陽以甲為最後上下也

無形故數之可十推之可百數之可千推之

可方洪之謂也五行次素恭陽以卑高衆陰上下之地陰陽微…陰陽者良以陰陽之道無形無狀載成造化理物無窮可稱名以名實故數之奇十推之可方也之黄帝曰余聞

天為陽地為陰日為陽月為陰行三百六

十五日成一歲人亦應之今聞三陰三陽

不應陰陽其故何也言天之陰陽之數各三不應地日月陰陽二數何也黄帝

非不知之故發問廣演陰陽變化無窮以之數也岐伯曰陰陽者數之

可十離之可百散之可千推之可万

之大不可勝數也然其要一也言陰陽一

之大不可勝數也然其要一也言陰陽之大而無外細入無間豪末之數並陰陽雕刻故數者不可勝數也然陰中有陰陽中有陽陽中有陰陰中有陽然則混成同爲一氣則要一也

天覆地載萬物方生也二氣合氣也未出

地者命曰陰處名曰陰中之陰辨陰陽所在雖陰者之與物未生以前含在陰中未出地也未生爲陰在陰之中故爲陰中之陰也則出

地者命曰陰中之陽所生已生爲陽初生未離於陰故曰陰中之陽也

陽予之正陰爲之主陽氣以爲大生正陰氣以爲人物養主也

陰[illegible]之[illegible]陰爲之主 氣以爲人陽養主也 [illegible]

生因春長因夏收因秋藏因冬失常則天

地四塞 一氣離爲陰陽陰陽[illegible]本復分四時遂爲生長收藏之[illegible]後始[illegible]無[illegible]諸

之常也者於長當[illegible]之施[illegible][illegible]不許之 陰陽之變其在人者

亦數之可數也 [illegible]也陰陽之變隨通内外之物既合内外之變式分爲死生

[illegible]勝數也 黃帝曰願聞三陰三陽之離合也 別爲三陰三陽推之

可[illegible]故爲離[illegible]陰一陽故爲合也 岐伯曰聖人南面而立 古者聖人職法天地

人三才[illegible]象[illegible]其[illegible]堂南面而立以取法焉也 前曰廣明後曰太衝太衝之[illegible]

[illegible]聖人中身以上爲陽以爲表[illegible]故曰廣

南面而立以取法焉也　前曰廣明後曰太衝

池名曰少陰　聖人中身以上陽氣為表在前故曰廣明々陰為裏在後故廣明下名々大

衝　脉在少陰之下故稱後曰太衝太衝在下然有少陰故曰少陰為地以腎藏居下々　少陰之上

名曰太陽　太陽即足太陽是腎之府膀胱脉也前陰在穴封陽居故處上者也　太々

陽根於至陰結於命門　至陰是腎少陰脉也至陰之經陽生之處故曰至陰者

陽起至陰氣起故曰根於至陰上行於頭聚於目也結聚也　名曰陰中之陽　少陰下於而有此陽氣故曰陰中之陽也

中身而上名曰廣明廣明之下名曰太陰　身中裁之上名曰廣明肝藏足太陰脉從足至舌下太陰脉在廣明裏故為下也廣明為表故為上也

太陰之前名曰陽明

陰太陰脉在廣明裏，故爲下也；廣明爲表，故爲上也。
太陰之前，名曰陽明，陽明根起於厲兌，結於
顙大。陽明胃府之脉，在太陰表，前從足指厲兌上行，飛於額上。顙，顱額也。蘇蕩反。名曰
陰中之陽。人身爲陰，陽明從太陰而起，行於腹陰，上至於顙，故爲陰中陽。厥陰
之表，名曰少陽，少陽根起於竅陰，結於窻
籠，名曰陰中之少陽。厥陰之脉起於足大指聚毛之上，循陰股，上注於肺，厥陰
行内也。少陽膽府之脉起足竅陰，上行於耳，
爲表，陽府也。以其少陽屬表，故爲陰中少陽也。是故三
陽之離合也，太陽爲關，陽明爲闔，少陽爲樞。
三陽離合爲關闔樞，以營於身也。夫爲門者具有三義，

陽之離合也太陽為開陽明為闔少陽為樞

三陽離合為關闔樞以營於身也夫為門者具有三義者門關主禁者也膀胱足太陽脉主禁津液及於毛孔故為關也二者門闔謂是門扉主關閉也胃足陽明脉令真氣止息復無留滯故名為闔也三者門樞主轉動者也膽足少陽脉主筋絡維諸節令其轉動故為樞也

三經者不得相失也

摶而勿傳命曰一陽

雖有太陽開者則真氣行止留滯骨搖動也雖有陽脉闔者則內府變實動搖也雖有少陽樞者則真氣行止留滯內府內敗也故總各守所司同為一陽之道也摶相得迍傳之行守也

願聞三陰岐伯曰外者為

陽內者為陰然則中為陰其衝在下名

曰太陰太陰根起於隱白名曰陰中之陰

陽明者直陽然則曰有陽其種石下[illegible]

名曰太陰太陰根起於隱白結於太倉名曰

陰中之陰衝在太陰之下少陰脈上足太陰脈從隱白而出聚於太倉上至舌下足脾陰之脈

行於腹陰故曰陰中之陰也太陰之後名曰少陰少陰根起於涌

泉結於廉泉名曰少陰衝脈足少陰從足小指之下入涌泉上行聚

於廉泉至於舌本也少陰之前名曰厥陰厥陰根起於大

敦結於玉英肝脈足厥陰從少陰以起於大指叢毛之上入大敦聚於玉英上頭與督

脈會於顛注於肺中也陰之絕陽名曰陰之絕陰無陽之殺是陰之極故

曰陰之[illegible]是故太陰為開厥陰為闔[illegible]

於肺中也陰之絶陽陰之絶陰是陰之絶陽

曰陰之絶陰是故三陰之離合也太陰為開厥陰為闔少陰為樞三陽為外門三陰為內門內門亦有三者一者門關主禁者也脾藏足太陰脈主禀水穀之氣輸納於中不失故為開也二者門闔主關閉者也肝藏足厥陰脈主守神氣出入通塞悲樂故為闔也三者門樞主動轉也腎藏足少陰脈主行津液通諸經脈故為樞者也三經者不得相失也摶而勿沉名曰一陰三陰經脈也三陰之脈摶聚而不偏沉故得三陰同一用也陰陽鍾鍾也傳為一周鍾鍾行不上侯白[illegible]衛行三陰三陽之氣相注不已猶行周旋一日一夜五十周也氣裏形表而相

五藏之氣在裏內營形也

血行周旋一日一夜五十周也[illegible]

成者也五藏之氣在裏內營形也六府之氣在表外成形者也

四海合

黃帝問岐伯曰余聞刺法於夫子夫子之所言不離於營衛血氣夫十二經脈者內屬於府藏外絡於支節子乃合之於四海向乎血謂十二脈中血也氣謂十二脈中當經氣也之岐伯曰人亦有四海十二經水十二經水者皆注於海々有東西南北命曰四海

然夫十二經脈者內屬於府藏

此命曰四海

黃帝曰以人應之奈何岐伯曰人亦有四海

黃帝曰請聞人之四海岐伯曰人有髓海有血

海有氣海有水穀之海凡此四者所以應四海者

也十二經水者皆經東海東海周環還為四海十二經脈皆歸胃海水穀胃氣環流還為氣血髓穀之海故以水穀之海比於東海也黃帝曰遠乎哉夫子之合人天地

四海也願聞應之奈何岐伯曰必先明知陰陽

表裏滎輸所在四海定矣胃源以為陽表也

四海也。黄帝問：應之奈何？岐伯曰：必先明知陰陽表裏營輸所在，四海定矣。胃脈以為陽表也，手太陰足少陰脈為陰裏也，衝脈為十二經脈及絡脈之海，即亦表亦裏也。黄帝曰：定之奈何？岐伯曰：胃者為水穀之海，其輸上在氣街，下至三里。胃盛水穀，故名水穀之海。胃脈足陽明也。足陽明脈過於氣街、三里，其氣上下輸此，此等穴也。衝脈者為十二經之海，其輸上在於大杼，下出於巨虛之上下廉。衝脈管十二經脈之大杼，是太陽手少陽脈所發之穴；巨虛上下廉，則足陽明脈所發之穴。此等諸穴，皆是衝脈致氣之處，故名輸也。膻中者為

氣之海

諸穴皆是衝脈致氣之處，故名輸也。膻中者為

氣之海，其輸上在柱骨之上下，前在於人迎。

膻，胸中也，音檀。食入胃已，其氣分為三道，有氣上行經隧，聚於胸中，名曰氣海，為肺所主，于陽明是肺府，脈行於

柱骨上下，入缺盆支者上行至鼻，為足陽明脈，循頸下人迎之前，皆是膻中氣海氣之輸也。腦為髓

之海，其輸上在其蓋，下在風府。胃流津液

液入骨空，變而為髓，頭中最多，故為海也。是腎所生，其氣上輸腦蓋百會之穴，下輸風府也。黄帝

曰：凡此四海者，何利何害，何生何敗？岐伯曰：

得順者生，得逆者敗，知調者利，不知調

[illegible] 得生得敗，言逆順大也。[illegible]

得順者生得逆者敗知調者利不知調

者害 得生得敗，言逆順大也。為利為害，言調不調也。黄帝曰：四海之逆

順奈何？岐伯曰：氣海有餘者，氣滿胸中悗

息面赤；氣海不足，則氣少不足以言。悗煩謂邪熱。

盛真氣也。面赤謂氣上衝面，陽脈盛也。血海有餘者，則常想其

身大，怫然不知其所病；血海不足，則常

想其身小，狹然不知其所病。血多脈盛，故神想其身大也。悗

悗亦悗悶不安，不知所苦也。水穀之海有餘者，則腹

安不知所苦也 水穀之海有餘者則腹

滿脹水穀之海不足則飢不受穀食髓

海有餘者則輕勁多力自過其度髓海

不足則腦轉耳鳴胻痠眩冒目無所見懈

殆怠安臥 腦減氣滿顱中故腦易轉言耳鳴也髓不滿脛中故胻痠疼也腦虛故眩冒悉無奇

精液不足故眩冒無所見也髓虛以□費無力故 懈殆怠安臥也痠息官反眩玄遍反瞑目亂也瞑亡到反

覆也 黃帝曰余以聞逆順調之奈何岐伯曰

審守其輸而調其虛實無犯其害順

者得復逆者必敗 輸謂

者得復通者必敗黄帝曰善

十二水

黄帝問於岐伯曰經脉十二者外合於十二
經水而内屬於五藏六府 天下之大有八十一州此中國州於一也名曰
赤縣神州每一州之外有一重海水環之海之外有一重
大山遶之如此三重海三重山環而圍遶人居其中名曰
一州一州之内乃有十二大水自外小山小水不可勝數人身亦
尔大脉總有十二以外大絡小絡亦不可數天下八十一州之
中唯取中國一州之地用法人身十二經脈内屬
藏府以人之生在此州中稟此州地形氣者也

藏府以人之生在此州中稟此州地形氣者也

經水者其大小深淺廣狹遠近各不同五

藏六府之高下小大受穀之多少亦不等

相應奈何 願聞其十二經脉取法所由也 夫經水者受水而

行之 此問其藏府經脉各有所主調養所由于十二經水各從其源受水藏之大海故受水行也

五藏者合神氣魂魄而藏 五藏合五神之魂魄合精神所合於

合於魂魄合於營衛合於精五藏与五精稱氣合而藏之也 六府者受穀而行

之受氣而揚之 胃受五穀故傳入小腸小腸盛受也小腸傳入大腸大腸傳

導也大腸傳入廣腸廣腸所出也胃則法勝

之受第六相之盛受也小腸傳入大腸大腸傳
導也大腸傳入廣腸廣腸傳出也胃則諸腸
之貯傳陰下洩也膽為中精有木精三合藏而不寫出陰
六府受穀行之者也六府与三焦六氣故
六府受氣三焦行之為原故曰腸也

經脈者受血而營之合而以治奈何刺之深淺灸壯數可得聞乎

營氣從中焦並胃口出上焦之後所謂受氣泌糟粕蒸津液化清液精微注之肺脈之中化而為血流十二脈中以奉生身故生身之貴無過血也故營氣獨得行於十二經道營身故曰營營氣氣行經如霧者也經中血資如渠中水也故十二經受血各營也

岐伯答曰善哉問也天至高不可度地至廣不可量此

[illegible]

哉問也天至高不可度地至廣不可量此之謂也且夫人生天地之間六合之内此天之高地之廣非人力所能度量而至也若夫八尺之士皮肉在此外可度量切循而得也死可解剖而視也二儀之大人力不可度量人之八尺之身生則觀其皮肉切循色脉死則解其小部視其府藏不同天地故可知也其藏之堅脆府之大小穀之多少脉之長短血之清濁多少十二經之多血少氣與其少血多氣與其皆多血氣與其皆少血氣皆有大數

皆多血氣，與其皆少血氣，皆有大數。其治以針艾，各調其經氣，固其常有合乎？夫人稟氣變形，雖有七獨不同，以針艾調養，固有常契，不可同乎天地无度量也。黃帝曰：余聞之，快於耳，不解於心，願卒聞。快於耳流之也，願卒心深識也。岐伯答曰：此人之所以參天地而應陰陽，不可不察。正以天地不可度量，人參天地，故不可不察也。足太陽外合於清水，內屬膀胱。清水出魏郡內黃縣南，經清泉東縣東北流[illegible]

陽外合於清水內屬於膀胱 黃縣南經[illegible]
縣東北流入河也 足少陽外合於渭水內屬於膽 渭水出隴西首陽縣鳥鼠同穴山東北至華陰入河過郡四行一千八百七十里雍州浸也 足陽明
外合於海水內屬於胃 海晦也言其水廣難望之晦闇不測崖際故曰
海也海即四海也足陽明脈血氣最多合之四海經水之長也 足太陰外合於湖
水內屬於脾 湖當為虖虖沱水出代郡鹵城縣東流過郡九行千三百卅里為并州川一評
云湖當為沽沽水出漁陽郡東南入海行七百五十里此二水亦得為合也 足少陰外
合於汝水內屬於腎 汝水出汝南郡定陵縣高陵山東南流入淮過郡四行
一千三百
足厥陰外合於澠水內屬於肝

[illegible]陵山東[illegible]流入淮過郡[illegible]行一千三百卌里也足厥陰外合於沔水內屬於肝沔綿善反沔水出武都郡嶓冢山東流入江也手太陽外合於淮水內屬於小腸而通水道焉淮水出南陽郡平氏縣桐柏山東南流入海過郡四行三千二百卌里也手少陽外合於漯水內屬於三焦漯湯合反漯水出平原郡東北流入於海又河內亦有漯水出王屋山東南流入河此二水並得爲合也手陽明外合於江水內屬於大腸江水出蜀岷山郡汁邊縣東南流入海過郡九行七千六百六十里也手太陰外合於河水內屬[illegible]肺河水出崑崙山東北隅便潛行至葱嶺于

手太陰外合於河水內屬

七千六百六十里也

於肺河水出崑崙山東北隅潛行至蔥嶺于闐國到積石山東北流入海過郡十六行九千四百里也手少陰外合於濟水內屬於心濟水出河東恒縣至王屋山東北流入于河

手心主外合於漳水內屬於心包漳水清漳濁漳也出上黨沾縣西北少山東流合濁漳入於海一解是濁漳濁漳出於上黨長子縣西發鳩山東流入海也

凡此五藏六府十二經水者皆外有源泉而內有所稟此皆外內相貫如環無端人經亦然十二經水如江出岷山河出崑崙即外有源也流入於海即內有所稟也皆至於海之上為

者女至無頭人然大外 岷山河出崑崙

即外有源也流入於海即内有所稟也源至於海已上爲
天河復從源出流入於海即爲外内相貫如環無端也人
經亦尔足三陰脉從足指起即外有源也上行胳府屬
藏此之入海即内有所稟也以爲手三陰脉從胷至手變
爲手三陽脉從手而起即外有源也上行胳藏屬府即
内有所稟也上頭以爲足三陽脉從頭之下足復變爲足
三陰脉即外内相貫如環無端也

故天爲陽地爲陰胷已上爲天胷以下爲地

人胷以上爲天爲陽也内脉以下爲地爲陰也經脉界天降地与經水同行故得合也

故清以北者爲陰湖以北者爲陰中之陰

清水以北已是其陰湖在清北故爲陰中之陰也

漳以南者爲陽河以北至漳者爲陽中之陰 漳貞

為陰中之陰 漳北故為陰中之陰也 漳以南

者為陽河以北至漳者為陽中之陰 漳南為陽

河北為陰故河北至漳為陽中之陰也 漯以南至江者為陽中之太

陽 漯居陽地故為陽中太陽 此一州之陰陽所以人與天

地相參者也 陰陽之理無形大之無外小之無內但人生一州之地形也象之故以一州陰陽合人者也

黃帝曰夫經水之應經脈也其遠近淺深

水血之多少各不同合而以刺之奈何 問有之意經水

經脈遠近一也淺深二也水之與血多少三也然則身經脈有三不同請隨調之 岐伯荅曰足

陽明五藏六府之海 胃受水穀化成血氣為之

三也然則身經脉有三不同請隨調之也然者宜之

陽明五藏六府之海胃受水穀化成血氣爲足陽明脉々々潤五々藏々六々府々

禀藏血氣辟之四海滋澤無窮故名爲海也其脉大血多氣盛熱壯

足陽明脉其有四義故得名海其脉粗大一也其血之多二也其穀氣盛三也陽氣熱四也有此四義故得此

海也刺此者不深弗散刺此道刺中度人足三陽脉足陽明脉須深於分以

爲深也其脉在皮下深血氣又盛故深六分方得散其氣也不留不寫血氣既々

溢之方得頓而寫也若熱在皮膚之中發爲病者即疾寫之故曰熱即疾寫也足太陽深

五分留七呼足小陽深四分留五呼

足陽明深六分留十呼足陽明深六分留十呼

五分留七呼　足少陽深四分留五呼

足陽明深六分留十呼　足陽明深六分留十呼

足太陰深三分留四呼　足少陰深二分留三呼

足厥陰深一分留二呼　問曰十二經脈之氣三百發
穴多少不同然則三百六十五

穴各屬所發之經此中刺手足十二經皆為是注脈所發
三百六十五穴是四支流注五藏世稱乃六府於六輸穴
也答曰其正取四支於輸及於六輸餘之間穴有多處發
會其穴即屬彼脈故取其脈者即是其脈所發之穴也
問曰此手足陰陽所刺分數與明堂分數大有不同若為取
定答曰此及明堂所刺分數各舉一例若隨人隨病其例甚
不可一槩也今足太陽脈在皮肉中有深四分有餘故以別左
爾為例若脈行更有深淺可以意消息取之為言餘皆做
此留七呼者此據太陽脈氣強弱以為一例若病

行爲例，各脈行更有深淺，可以意消息取之爲宜，餘皆放

狀留七呼。若此懷太陽脈氣強弱以爲一例，若病

盛衰更多少，可隨時調之，不可以爲定也，餘皆放此也。手之

陰陽，其受氣之道近，其氣之來疾，其深

皆無過二分，其留皆無過一呼。手之六陰從手至胷，

屬藏，胳府，各長三尺五寸；手之六陽從手至頭，屬府

胳藏，各長五尺；足之六陰從足至胷，屬藏胳府，各長

六尺五寸；足之六陽從足至頭，屬府胳藏，各長八尺。此手足

十二之脈，當經血氣上下，環流也。然足經既長，即血氣[^1]

其道遠也，復是陰氣，故其行遲也。手經既短，即血氣致流

其道近也，復是陽氣，故其行疾也。以其道近，脈淺刺深

無過二分也。以其氣

疾，故留之不過一呼也。其少長、小大、肥瘦，以心

藥之一分中法夫之言　揆力勝及取也。人之生也五時

[^1]: 此行末另有小字“氣流”。

疾故當之不過一呼也　其少長小大肥瘦以心
揆之命曰法天之常　揆力揆反取也人之生也五時不同初生為嬰兒能教以
上為嬰六歲以上為小十八以上為少卅以上為壯五十以
上為老今量卅以下為少卅以上為長黃帝之時七尺
五寸以上為大不滿七尺五寸為小今時人之大小何以意
度之天者理也少長小大肥瘦之變變而不恒以人為
妙以天之常道也賢人以意取之
妙合其理故曰法天之常也　灸之亦然灸而
過此者得惡火即骨枯脉濇刺而過此
者則脫氣　灸法亦須量人少長小大肥瘦氣之盛衰穴之分寸四時寒温壯數多小不可率
守失於常理故壯數不足厥疾不瘳若過其限以為毒
入身諸骨枯槁經脉濇膿若為惡火之病火元善惡
火惟傷多故　[illegible]

入身諸骨，枯槁，經脈，濆膿，名爲惡火之病，火凡善惡火，皆傷身，故名惡火也。黃帝問曰：夫經脈之小大，血之多少，膚之厚薄，肉之堅脆，及䐃之大小，可爲度量乎？膚，皮也。䐃，膝等塊肉也。擧人形有十種不同，請設度量合中之法也。岐伯答曰：其可爲度量者，取其中度者也，不甚脫肉而血氣不衰者也。若失度之人，瘠瘦而形肉脫者，惡可以度量剌乎。審切循捫按，視其寒溫盛衰而調之，是謂因適而爲之真者也。中度者，謂取七尺五寸以爲中

柎柎神其寒溫適書亦言是謂同道

而爲真者也　中度者亦唯取七尺五寸以爲中度亦取肥瘦寒溫[illegible]等

者以爲中度齊音稱也七尺五寸

人爲中度者量定欄須也又讀也　[illegible]也

黃帝内經太素卷第五　人合

仁安二年二月十一日以同本書寫之

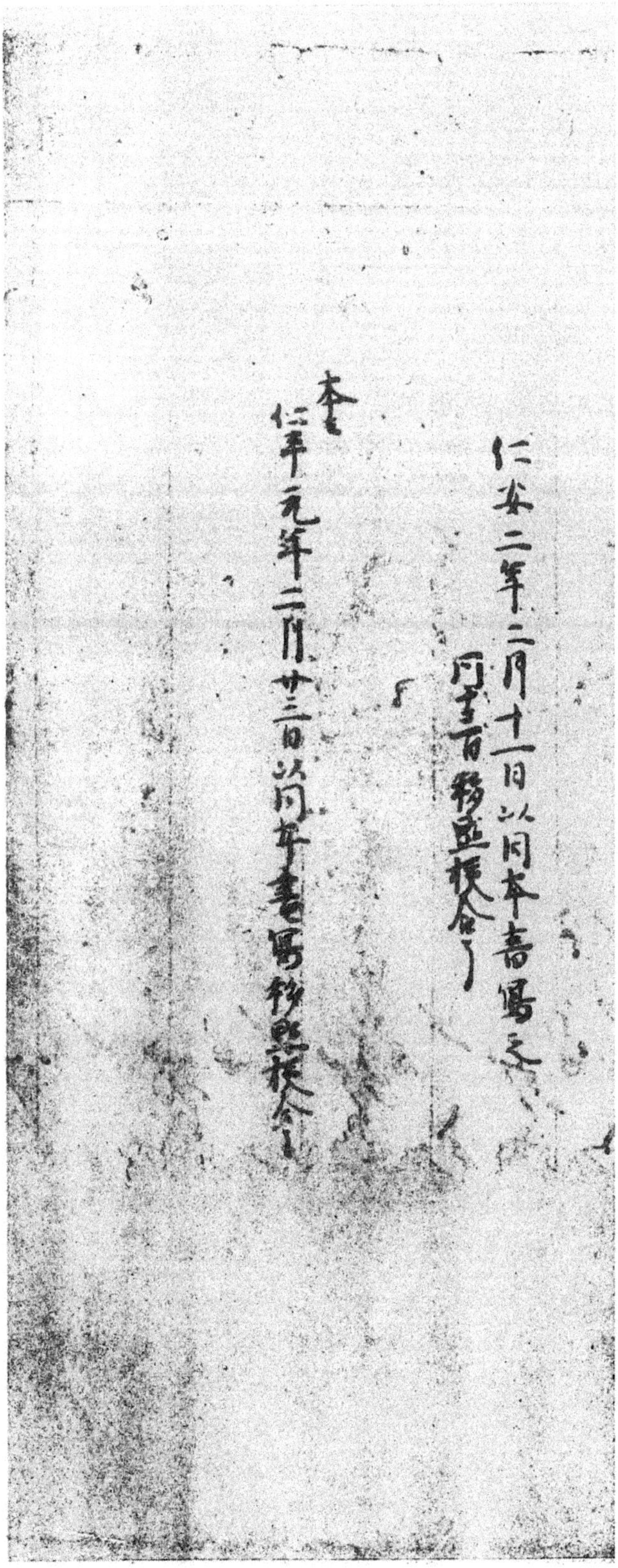

仁安二年二月十一日以同本書寫之

同十二日移點校合了

本云

仁平元年二月廿三日以同本書寫移點校合了

黃帝内経太素巻第六

首一紙缺

在我者氣也，德流氣薄而生者也。未形之分，稟與我身，謂之德者，天之道也。故莊子曰：未形之分，物得之以生，謂之德也。陰陽和氣，質成我身者，於之道也。德中之分，流動陰陽之氣，和亭遂使天道無形之分，動氣和亭，物得生也。故生之來謂之精，雌雄二靈相搏，共成一形，先我而生，故謂之精也。

[illegible]之[illegible]者。所謂兩[illegible]六氣，故一形之中靈者，故之神者也，斯乃身之微也。問[illegible]之神者，身知於此精中始生，未知先有，今來[illegible]，案此內經但

……者……者謂之神者也即乃身之微也問曰謂之神者未知於此精中始生未知先有今來答曰案此內經但有神傷神去與此神生之言是知來者非始生也又案釋教精合之時有神氣來託則知先有理不虛也故孔丘不答有知無知量有所極唯佛明言是可依

隨神往來者謂之魂魂者神之別靈也故隨神往來藏肝名魂

並精而出入者謂之魄魄亦神之別靈也並精出入而八識論……也……薄……交

所以任物者……物方物之心……用也任知萬物必有所以……神……而……物者……也

心有所憶謂之意意亦神之用也任物之心有所追憶謂之意也

意之所存謂之志志亦神之用也所憶之意有所專存謂之志也

因志而存變謂之思思亦神之用也專存之志變轉異

因思而遠慕謂之慮慮亦神之用也變

意有所專存謂之志也　因志而存變謂之思　用也專存
之志變轉異求謂之思　因思而遠慕謂之慮　慮亦神之用也變求之思逆慕將
來謂之慮也　因慮而處物謂之智　智亦神之用也因慮所知處物是非謂之智也
故智者之養生也　智爲神之所用最在於養生也　必順四時而
適寒暑　智者養生要有三道春夏養陽使適於暑也秋冬養陰使適於寒　和喜怒
而安居處　喜怒所生生於居處居處安則喜怒和節故因以和安也　節陰陽
而調剛柔　陰以致剛陽以起柔若有剛柔則諧矣　如是則邪僻
不至長生久視　久視者行循性知節養無道則五藏神守寧魂調經絡漸固堅優理實
識如此病痛元本不生忘如邪無由得斯已　是故

不至長生……神……

緻如此病痛元本不生正以邪無從至斷已 是故

宗或發大池古先修行或須數蕃積坐忘魂也

怵惕思慮者流溢而不固 怵惕傷思慮多傷於心 神傷無守所為不固

也 悲哀動中者竭絕而失生 人之悲哀動中傷於肝魂魂傷筋竭故

失生也之 喜樂者憚散而不藏 喜樂志達氣散作於肺魄 歡樂神守不守藏也 憚亡安

及肺也 愁憂者閉塞而不行 愁憂氣結傷於脾意故閉塞不行也

盛怒者迷惑而不治 盛怒氣聚傷於腎志故迷惑失理也 恐懼

者蕩憚而不收 右腎命門藏精精為恐懼驚蕩則精氣無守而精自下故曰不收 憚

……傷……藏也 怵惕腎來

者□□□不收精氣無守而精自下故曰不收攝

為也 心怵惕思慮則傷神 □懼也怵惕腎來乘心也思慮脾來乘心二邪乘之故傷神也 神傷則恐懼自失破䐃脫肉 神爲其主故神傷則心傷右腎故恐懼自失也大肉之傷䐃故破䐃脫肉也 毛悴色夭死于冬 毛悴肺傷色夭肝傷也以神傷則五藏皆傷也冬大死時也 肝悲哀動中則傷魂 肝藏也悲哀之甚傷肝故以動中肝傷則傷魂 魂傷則狂忘

不精 心壹也 一魂荒傷狂輕太傷戕仁反不精不敢當人也 縮攣筋兩脅骨不舉 肝足厥陰脉環陰器故魂肝傷宗筋縮也肝又主諸筋故攣也肝在

兩脅故肝病兩□□□□□□夭死□

筋脉骨肉節物經也肝又主諸物故處也肝在
內爲筋故肝病〻〻毛悴色夭死于秋〻〻木死肺也
爲筋骨攣也
樂無極則傷魄肺藏也喜樂心喜魄傷則狂〻
無心無魄傷魄也
魄傷則狂藏故義狂病
者意不存人皮革焦也以樂傷神故於病意
〻〻〻〻毛悴色夭死〻于夏〻〻金
〻〻〻〻〻〻〻〻時
病也〻〻〻故
脾愁憂
而不解則傷意〻傷則悗亂四支不舉
肺來
來脾
亂〻愁憂不〻傷〻悲義狂
悗亂并脾病四支不舉也
毛悴色夭死于春〻〻土死時也問
曰脾主愁憂又云精氣并於肝則憂即肝爲憂也素問云心
在變動爲憂即心爲憂也肺在志爲憂也即肺爲憂其義
何也答曰脾爲四藏之主藏悲一憂故心在變動〻〻〻意

以心變動爲憂，所以心爲憂也；肺在志爲憂也，所以肺爲憂。其義何也？答曰：脾爲四藏之主，四藏之中皆有脾氣，故心在變動爲憂；心之藏在肺志爲憂，志憂之憂也。若居腎志爲憂，亦是之，脾之，故悲憂。肝氣在脾之氣肝也，乘腎。

腎藏怒而不止則傷志，故不已傷志也。志傷則喜忘其前言，腰脊不可以俛仰屈伸，腎志傷，故喜忘。腎在腰脊之中，故腎病不可俛仰屈伸也。毛悴色夭，死于季夏。季夏土，死時也。恐懼而不解則傷精，恐懼起自命門，故不解傷精也。精傷則骨痠痿厥，精精傷，骨髓之液，故精傷則骨痠痿也。是故五藏主藏精

人腎有二，左者爲腎，右爲命門，

則骨髓竭，髓竭則骨痿也

者也人腎有二，左爲腎，右爲命門，命門藏精，精者五藏精液，故五藏之精不可傷，傷則守失而陰虛，陰虛則無氣，無氣則死矣三藏之神不可傷也。傷五神者，則神去無守，藏淫失六六陽五藏爲陰氣，無神守，故陰虛也。陰虛氣無遂致死也。故不死之道者，養其神也。人時嗜欲傷思慮則以傷神，神是動中日亡精性。喜怒暴疾，神無藏機，然憂不解，亦意恐也亦試無矣惡恐驚懼傷神傷精。骨者以千端之禍患非一生以衣精亂真性，仍服金石草實，以斷易生之態多求神仙草草。日復百年之命者，欲解以道怡性壽命避長秦武採藥求仙早昇者，氣故廣成子語黃帝曰：來，吾語汝至道無視無聽，抱神以靜，形將自正也。必靜必清，無勞汝形，無搖汝精，無所思，神將守形，可以長生。故我脩身千二百歲，人皆盡死，而我獨存。得吾道者，上爲皇，下爲王，失吾道形無摇淫，精以無所知，神將守形，可長生。故伐脩身千二百歳，人皆盡死而我獨存。得吾道者上為皇，下為王；失吾道者上見光，下為土。是知安國安人之道，莫大怡神，亡神亡國之實，無出情欲。故使內〻斷而〻上古黄軒，述千古之遺風，極萬葉之秦者也。

是故用針者，察觀病人之態，以知精神魂魄之存亡得失之意。五藏已傷，針不可以治之也。上古但有湯液之為而不用，至黄帝賊邪傷物，故用針石并藥灸等雜合行之，以除疾病。療病之要，以本其人五神存亡，可得可失，死生之意，然後命諸針藥以行調養。若其人以遂五神以傷，愚醫不候神氣存亡，更加針藥為□以致不得濟也。

肝藏血，血舍魂，肝氣虛則恐，實則怒。肝心脾肺腎謂之五藏，〻氣之五脈營氣精謂之五精，氣舍五神也。肝主

肝藏血〻舍魂肝氣虛則恐實則怒腎謂之五
山牙〻氣之血脈營氣精謂之五精氣〻舍五神也肝主
枕寐人臥之時血歸於肝於魂得舍血也腎為水藏主於
恐懼肝為木藏主怒也水以生木故
肝子虛者腎母乘之故肝虛恐也心藏脈〻舍神
心氣虛則悲實則笑不休肝為木藏主
悲哀也心為火
藏主於笑也木以生火故大喜憂
者木母乘之故心虛悲者也脾藏營〻舍意脾
氣虛則四支不用五藏不安實則脹經溲
不利〻脾受營氣肉也脾主水穀藏府之主虛則於
府四支不用陰藏不安實則脹病及女子月經并
大小便不利故
亦他乘致病也肺藏氣〻舍魄肺氣虛則息利
肺主五藏數氣志
少氣實則喘喝胸盈仰息

行他來致病也肺藏氣氣舍魄肺氣虛則鼻塞少氣實則喘喝胷盈仰息肺主五藏數氣太有所代衆故虛則喘息利而少氣實則胷滿息難也腎藏精精舍志腎氣虛則厥實則脹五藏不安肺為金藏生於脾藏腎為水藏子於水脹五藏不安金以生水以水下離於金故乘之故任藏逆也必審五藏之病形以知其氣之虛實而謹調之醫療之道先識五藏氣之虛實已知虛實所生之病然後命乎針藥謹而調之

五藏命分

[illegible]

息亭屬於岐伯曰人之血氣精神者所以奉生

而周於性命者也 大初之無謂之道也太極未形物得以生謂之德也未形德者有分且然無間謂之命也此命流動生物物成生理謂之形也形體保神各有所儀謂之性也是以血氣精神奉於一形之生周於形體所儀之性亦周有分無間之命故命流動成形體保神為性形久居為生者皆血氣之所奉也

經脈者所以行血氣而營陰陽濡筋骨利

關節者也 十二經脈也十二絡脈行營血氣營於三陰三陽濡潤筋骨利關節也 衛氣

者所以溫分肉充皮膚肥腠理司開闔

者也 衛氣慓悍行於分[illegible]者日行又[illegible]

者所以溫分肉充皮膚肥腠理司開闔者也 衛氣慓悍行於分肉司腠理開闔也 志意者所以御精神收魂魄適寒溫和喜怒者也 腎之神志意者能御精神令之守身收於魂魄使之不散調於寒暑得於中和於喜怒之過節者皆志意之德也 是故血和則經脈流行營覆陰陽筋骨勁強關節清利矣 營氣和營也覆謂營氣能營覆陰陽也 衛氣和則分解滑利皮膚調柔腠理緻密矣 衛司腠理故緻密也 志意和則精神專直魂魄不散悔怒不至五藏受邪氣矣 合……為志意當故無悔怒矣志意

……者和……專直……魂魄不散悔怒不起五藏不受邪氣矣其含惡忘當故無悔矣志意則腠理外邪不入故五藏不受也寒溫和則六府化穀風痺不作寒暑內適六府則中和穀化賊風邪痺無由起也經脈通利支節得矣此人之常平也若命五氣之樹……調者乃是人之平和者五藏者所以藏精神血氣魂魄者也六府者所以化穀而行津液者也此人之所以具受於天也愚智賢不肖無以相倚也五藏之神六府化穀此於天之命分愚智雖殊得之不相倚也津液即……汗液……此其……

□□亦相倚也 愚智雖殊得之不相依倚也倚□綺反
[illegible]
然其有獨盡天壽而無邪僻之
百年不衰雖犯風雨卒寒大暑猶不
能害也有其不離屏蔽室內無怵惕
之恐然猶不免於病者何也願聞其故
人有勞神怵惕無所不為雖犯賊風邪氣猶盡天年
或有閑居無思不預外事不免於病不道傷命同稟血氣
何乃有殊願
聞其故也
岐伯對曰窘乎哉問也 窘渠殞反急也 五藏
者所以參天地副陰陽而運四時化五節者
肺心居其上故參天也肝脾腎在下故參地也行心為牡副

者，所以參天地，副陰陽，而連四時，化五節者
肺心居其上，故參天也；肝脾腎在下，故參地也；肝心為牡，副
陽也；脾肺腎為牝，副陰也；肝春心夏肺秋腎冬，即連四時
也；從五時而變，即化
化五節之時也。五藏者，固有小大高下堅脆端正
偏傾者；六府者，亦有長短小大厚薄結
直緩急者。天地陰陽四時八節化不同，所以參之五藏，
何得一也。五藏所以有五別，別有之身脩短
五藏六府五別，故藏府別有各有別五五，六府
也。五藏既五，六府亦三焦一府屬膀胱，故唯有五
凡此廿五者，各各不同，或善或惡，或吉或凶，請言
其方。心則安，此為善也；易傷以憂，即為惡也；心堅則藏安
守固，此為吉也；心脆則善病消癉熱中，此為凶也。如
此藏府隨義時有善[illegible]

吉也，守固此爲吉也。心脆則善病消癉熱中，以脆爲凶也。如

此藏府隨義皆有吉

凶，可以區，請具陳也。心小則安，邪弗能傷，易傷

以憂。心大則憂不能傷，易傷於邪。藏小則神小，

不敢自寬，故常安，邪不入也。藏大則神廣，

縱，故憂不能傷，邪入大不安也。心高則滿於肺

中，悗而善忘，難開以言。心高者則神高也，心高滿於肺

逆於肺，故悗而善忘也。心高其

神高，不受他言，

故難開以言也。心下則藏外，易傷於寒，易恐以

言。心下則在肺藏之外，神在於外，故

寒易傷也。下以神下，故易恐以言也。心堅則藏安守固。

藏堅則神守牢堅固，故其心

藏安不病，其神守堅固。心脆則善病消癉熱。

其藏柔脆，神亦柔脆，故藏柔脆人血脈不行，轉而爲熱。

藏安不病其神守堅固　心脆則善病消癉
五藏柔脆神亦柔脆故藏柔脆人血脈不行轉而為熱
消肌膚故病消癉熱中也□不堅者胃中熱故也
心端正則和利難傷　五藏端正神亦端正也端正性
大和柔故聲色芳味之利難
觸傷也斯乃賢人君
子所以得心神也　心偏傾則操持不一無守司也
心藏偏傾不一神亦如之故持操百端竟無守司之怖
此為衆人小人所得心神也以神有此八變後之
五藏俱言藏變皆不言神變者神為魂魄意之
主言其神變則□□不言
肺小則少飲不病喘喝　大今所得形亦則少飲
喘喝又肺小不受外邪故不
病喘喝
之喘聲　肺大則多飲善病胸痹喉痹逆氣　肺大善受外邪
故善病痹　肺高則上氣肩息欬　肩高則上迫於

之端肺大則喜病胸痹逆氣受外邪故喜病痹及逆氣也肺高則上氣肩息欬肺高則上迫缺盆故上氣喘息兩肩而動故曰肩息肺上迫故數欬欬肺下則居賁迫肝善脅下痛賁當膈也脇痛也肺下居賁迫於肝故脅下痛以肝居脅下故也肺堅則不病欬上氣肺藏堅固不為邪傷故無欬亦無上氣也肺脆則善病消癉易傷以下四藏而心之變同心藏端正則和利難傷也肺偏傾則胸偏痛也偏傾者隨偏所在胸偏處痛也肝小則安無脅下之病肝小不受外邪故無兩脅下痛肝大則逼胃迫咽迫咽則善膈中且脅下痛胃居肝下咽在肝傍肝大下逼於胃傍

兩脅下痛　肝[illegible]下[illegible]則[illegible]

中悗脅下痛　胃居肝下，咽在肝傍，肝大下逼於胃傍迫於[illegible]，迫咽則咽痛不通飲食，故曰膈

也。脅[illegible]肝大受邪，故兩脅下痛　肝高則上支賁切脅悗為息

賁　肝高上支於膈，又肉於脅，支膈切脅既急，亦喘息於賁，故曰息賁也　肝下則安胃

脅下空，空則易受邪　胃居肝下，是以肝下則安於胃上，脅下空於此易受邪氣

肝堅則藏安難傷　肝堅則外邪不入，故安難傷也　肝脆則善

消癉易傷也　肝端正則和利難傷也

肝偏傾則脅下偏痛也　偏近一箱則一箱空受偏病也

脾[illegible]則[illegible]難傷於邪也　脾小風邪不入脾[illegible]

肝偏傾則脅下痛也 空處偏痛也

脾小則安，難傷於邪也 脾小，外邪不入，故安，不病，難傷也 脾大則苦湊䏚而痛，不能疾行 以滿大腹空處之脾大湊向空䏚而痛，太□氣行則腹滿也 脾高則䏚引季脇而痛 脾下行䏚，脾高則䏚中季脇牽痛也 脾下則下加於大腸，加於大腸則藏外善受邪 脾下即是大腸，故脾下加出胃，於脾藏所居之外，故善受邪 脾堅則藏安難傷也 外邪不傷，故安 脾脆則善病消癉易傷也 脾端正則和利難傷也 脾偏傾則善瘈善脹 瘈，尺曳反，牽縱也，耀 □脾偏，欹道一藉動而

腎小則安難傷也 腎小，不受

者黄仁也用仰則其病其用帝縱也經
偏脾偏形近一箱動而多壅又氣聚爲脹也腎小則安難傷也腎小不受外邪故安
難傷也腎大則善病腰痛不可以俛仰易
傷以邪也腎大在於腰中故俛仰皆痛也腎高則善背膂痛
不可以俛仰腎高去背著於脊膂故脊膂痛不得俛仰也腎下則
腰尻痛不可以俛仰爲狐疝腎下入於尻中下迫膀胱故尻痛不可俛仰狐疝者夾小腹痛大小便難四疝之有多種此爲狐疝氣夜時不得小便女腹處痛回出方得人亦如此因名狐疝也
腎堅則不病腰背痛腎在腰背之間故腎堅則腰不痛也腎脆則
善病消癉易傷[illegible]則口則[illegible]傷也腎端正則

腎堅則不病腎脆則腎堅則腎不傷也腎脆則

善病消癉腎端正則和利難傷也腎偏傾則

善腰尻偏痛二腎一有偏傾則偏處痛也凡此廿五變者人

之所以善常病也人之五藏受之天分有此廿五變者不由人之失養之愆故雖不離屏蔽常有

病也黃帝曰何以知其然也五藏廿五變終在身中受生常病未居其外

未知自何候知以爲調養之岐伯曰赤色小理者心小粗理者心

大理者肉之文理也粗者麤也無髑骬者心高髑骬小短舉者

心下髑骬長者心堅髑骬弱以薄者心脆髑

心下髑骬長者心堅髑骬弱小以薄者心脆髑
骬直下不舉者心端正髑骬倚一方者心偏
傾也髑骬胷前蔽骨蔽心神也其心上入肺中太頂蔽骨故心高以無蔽骨為低也高者去意
遠也故雖小舉者高心下之低下者去意卑近也白色小理者肺小粗理者
肺大巨肩反膺陷喉者肺高合腋張脅者
肺下好肩背厚者肺堅肩背薄者肺脆好肩
膺者肺端正脅偏疏者肺偏傾也大肩胷膺反出陷喉骨陷入肺故高
上青色小理者肝小粗理者肝大廣胷反骹者肝高合
脅兔骹者肝下胷脅好者肝堅脅骨弱者肝脆

青色小理者肝小粗理者肝大廣胷反骹者肝高合
脅兔骹者肝下胷脅好者肝堅脅骨弱者肝脆
膺腹好〻相得者肝端正脅骨偏舉者肝偏傾也
骹足脛也反前曲出也 黄色小理者脾小粗理者脾大揭脣者
高脣下縱者脾下縱唇者脾
脾堅脣大而不堅者脾脆脣上下好者脾端正脣
偏舉者脾偏傾也 揭舉也 [illegible] 黑色小理者腎小粗理者
腎大高耳者腎高耳後陷者腎下耳堅者腎
堅耳薄不堅者腎脆耳好前居牙車者腎
端正耳偏高者腎偏傾也 [illegible]

明耳前方明者明居耳好前居牙者明

端正耳偏高者腎偏頃一稱猶高高偏之凡此諸變

者持則安減則病凡此廿五變隨分以為不善減則為病持身安和以為大則也

黃帝曰善哉然非余之所問也願聞人之有不

可病者至盡天壽雖有深憂大恐怵惕

之志猶不能感也甚寒大熱弗能傷也其

有不離屏蔽室內又無怵惕之恐然不免於

病者何也願聞其故千字五藏之變所知是衆然非吾欲聞本意聞本意者人生壽夭

夭壽則深憂大恐怵惕甚寒極熱然無所傷不為病也故文曰

病者何也？願聞其故。吾欲聞本，聞本意者，人生壽於

天壽則深憂大恐，恐則甚寒極熱，熱無所傷，不為病也。今有外無寒暑之侵，內去怵惕之懷，而疾病何端，其故何也？岐伯曰：五藏六府者，邪之舍也。請言其故。五藏六府堅端正者，和利，得人則邪遠之宅也。藏府邪而偏傾，則邪氣舍之，為道之宅，則其性和柔，神明聰利，人之愛附也。為邪之舍，不離病也。心衛邪也，善為盜之所止也，言不順也。是知其五變雖得之於天，調養得中，縱內外邪侵，不為病也。雖治失理乖，不能屏敵，終為病也。前言一藏各有五變，未知其也。今言一變具有五藏，方得盡理，故請言所也。五藏皆小者，少病，苦燋心，大愁憂。夫五神以依藏，故藏小。言心藏之變，神亦隨之次。說四藏之變，不言神變。今總論五藏，初有四變，唯言於神；次有二變，因說其藏；次有二變，後且言神也。心藏既小，外邪難入，故少病。神亦隨之，藏既小[illegible]

於神次有二變但說六藏次有二變後旦言神也心藏形
小外耶難入故少病神亦隨五藏皆大者緩
小故不內中燋心愁憂也
於事難使憂五藏皆高者好高舉措
貴也且故又五藏皆下者好出人下意志卑弱五藏皆堅者
無病五藏皆脆者不離於病五藏皆端正者和利
得人五藏皆偏傾者邪心善盜不可以為人
平反覆言語也喜息反好也和謂神性和柔利謂可於苦利非為人所附也

藏府應候

黃帝問曰願聞六府之應五藏應候已說於前

藏府應候

黃帝問曰：願聞六府之應。五藏應候已說於前，六府之候閒而未論，故次問之。岐伯答曰：肺合大腸，大腸者，皮其應也。心合小腸，小腸者，脈其應也。肝合膽，膽者，筋其應也。脾合胃，胃者，肉其應也。腎合三焦膀胱，三焦膀胱者，腠理毫毛其應也。腎合三焦膀胱，故有五府也。五藏為陰，合於五，六府為陽，故皮脈筋肉腠理毫毛五府候也。黃帝曰：應之奈何？岐伯答曰：肺應皮，皮厚者大腸厚，皮薄者大腸薄，皮緩者大腸緩而長，皮急者

[illegible]作者[illegible]肺應皮〻厚者大腸〻厚〻皮〻薄者大

腸薄皮緩腹〻果大者大腸大而長皮急者

大腸急而短皮滑者大腸直皮肉不相離者

大腸結（應候也肺以皮為候胕合大腸故以其皮候大腸也結紆屈多）心應脈皮厚

者脈〻厚〻者小腸厚皮薄者脈〻薄〻者

小腸薄皮緩者脈〻緩〻者小腸大而長皮薄

而脈沖小者小腸小而短（心合於脈〻在皮中故厚薄皮候脈〻候小腸也沖虛也脈虛）

也諸陽經脈皆多紆屈者小腸結（諸陽經六陽經也小腸之脈太陽）

也太陽為諸陽長故諸陽經紆屈多者則知小腸

[illegible]小腸之脉[illegible]
也。大陽与諸陽為長，故諸陽經紆屈多者，則知小腸
亦紆屈也。紆屈亦名為結也。陽經在於膚不見，候其陽絡
即經可知矣。脾應肉，々䐃堅大者，胃厚；肉䐃麼者，
胃薄。肉䐃小而麼者，胃不堅。䐃以合胃，故人肉䐃候於胃也。麼謂
小也，莫可反。肉䐃不稱其身者，胃下，々者，下管約
不利。肉䐃不堅者，胃緩。謂䐃纇也。䐃与身其大小不相稱也。胃下遙於下管，故使閉不利。
肉䐃無小果累者，胃急。肉䐃多小果累者，胃結，々
者，胃上管約不利。果音顆，謂肉䐃無小顆，疑連累。肝應爪，々厚也
[illegible]

者胃上管約不利 無小頸足連果 肝應爪爪厚色

黃者膽厚爪薄紅者膽薄爪堅者膽急爪濡者

膽緩 肝以合膽膽以應筋爪爲筋餘故以爪候膽也 爪無約者膽直 無約强也爪强膽直也

爪惡色多敗者膽結 人之爪甲色不得明淨又多好破壞者其人膽府屈結也

腎應骨密理厚皮者三膲膀胱厚粗理

薄皮者三膲膀胱薄腠理疏者三膲膀胱緩

急皮而無毫毛者三膲膀胱急毫毛美而粗

者三膲膀胱直稀毫毛者三膲膀胱結

腎以應骨骨應三膲膀胱三膲膀胱氣通腠理故以腠理候

[illegible]三焦膀胱[illegible]

腎以應骨，骨以應三焦膀胱，三焦膀胱氣主腠理毫毛，故以腠理候三焦膀胱也。三焦之氣如霧漚溝瀆，與膀胱水府是同，故合為一府也。腠理毫毛在皮，故亦以皮之毫毛為候也。

黄帝曰：薄厚美惡皆有形，願聞其所病。已聞六府美惡之形狀，未知彼惡生病何如。岐伯曰：

答：視其外應，以知其內藏，則知其所病矣。各視外候，則知所生病矣。

藏府氣液　一卷

五藏常內閱於上在七竅[illegible]

[illegible]五物[illegible]

聲音等五物各有五竅也肺氣通於鼻鼻和則鼻能知香臭矣肺[illegible]
手太陰正别及絡脉不至於鼻而别之入於手陽明脉中上侠鼻孔故得肺氣通於鼻也又氣有不調鼻者精於胸
中上肺循喉嚨而成呼吸故之於鼻也鼻為肺竅故肺氣以[illegible]則鼻得知氣[illegible]知臭香熏悶言有五臭經曰五
香之所[illegible]之臭也心氣通於舌舌之和則舌能知五味矣[illegible]
手少陰別脉循經入心中上繫舌本故得心氣通於舌也[illegible]素也入通於心開竅於耳者腎者水也心者火也水火[illegible]
心氣通耳故以竅言之耳心以耳為竅又手太陽心之表脉入於耳中故以耳竅存於[illegible]肝氣通於[illegible]
目之和則目能辨五色肝脉足厥陰上入頏顙也連目系故得通於目系脾[illegible]
[illegible]口之和則口[illegible]脾足太陰脉上膈侠咽[illegible]

目〻和則目能辨五色（遠同系故得通於目系 [illegible]）

通於口〻和則口能知五穀矣（脾足太陰脉上膈俠咽連舌本散舌下故得義通口也數有五味舌已知之五穀之別口知之也故食美之者不言舌也）腎氣通於耳〻和則耳能聞五音矣（手足少陽手足太陽及手陽明脉皆入耳中手少陽足少陽手太陽並三絡之〻於耳中足太陽脉從耳上角又入腦中所出脉入於耳足陽明耳前上行亦可脉入耳手陽明脉別入耳中計足陰又脉并足六陽皆入耳中經說五脉入耳中疑足太陽脉不至於耳也）五藏不和則七竅不通六府不和則留為癰疽（五藏主藏精神聚脉手足六陽脉於五藏屬於六府七竅者精神戶牖也故六陰於外府屬於五藏六府主鮮水穀受邪入藏則五藏不和五藏不和則七竅不利也六陽受邪入府則六府不和六府不和則）故邪在府則陽脉不和陽氣

受邪入藏則五藏不和五藏不和則七竅不利也六陽受邪入府則六府不和六府不和則陽氣留壅變爲癰疽故邪在府則陽脈不利陽脈不利則氣留之氣留之則陽氣盛矣故以邪循脈府則府脈不調流陽陽脈脈流而不利陽氣留爭不和於陰故陽獨盛也陽氣大盛則陰脈不利陰脈不利則氣留之氣留之則陰氣盛矣陰氣大盛則陽氣弗能營也故曰關陰陰不和陽故陰氣和則也陽氣盛盛不和則陰則陰視流也陰氣溢而留則陰氣獨而盛也陰脈則是和於故陽陽道也陰脈獨盛不和於陽則陽氣不能營陰故陰脈閉關也陽氣大盛則陰氣弗得營也故曰格陰陽俱盛弗得相營之寸陽氣獨獨不和於陰陰則陰脈閉

陰氣太盛則陽氣弗能營也故曰[illegible]陽[illegible]盛

弗得相營也故曰關格 陽氣獨不能於陰則陰脉不能營陽陰陽相離故名格 關

格者不得盡期而死矣 陰陽俱有關格所以其時之短斷不可極于天壽者也

五藏氣心主噫肺主欬肝主語脾主吞腎主欠 噫乙戒反飽滿出氣也五欬逆口中所出之氣皆是人常氣之變也素問主腎遺於同也 六府氣膽

為怒胃為氣逆為噦小腸大腸為泄膀胱不約

為遺溺下焦溢為水 皆是六府之氣所受之病素問胃為逆氣為恐腸為泄[illegible]形不

利癃遺溺也 五并精氣并於肝則憂并於心則喜并

溢也　五并精氣并於肝則憂并於心則喜并於肺則悲并於腎則恐并於脾則畏是謂精氣并於藏也精謂命門所藏精也五藏之所生也五精有所不足不足之藏虛而病也五精有餘并之藏實而病也命門通名為腎肝之母也母實并子故為憂也心為之也精為水也水尅於火遂[illegible]為喜脾為金也水子并母故有悲懼精并在腎則腎實生恐脾為土也水并於土尅土畏是相尅并於脾消食生飢如是相并為病乃有無窮斯為陰陽反作之變也　五惡肝惡風心惡熱肺惡寒腎惡燥脾惡濕此五藏氣所惡東方生風風生於肝肝之賊即便惡風子陵樹生子生多為也衰本樹相生之物理然也故肝惡風也南方生熱熱從火生熱心惡熱心惡西方生燥燥生於肺肺病則肺無於燥今此肺惡寒腎惡濕者燥在於秋寒冬之始也寒在於冬燥之終也所在於歟故肺惡

□而方者燥，燥生於肺，秀介則肺無於燥，今此肺惡寒，腎惡燥者，燥在於秋，秋寒冬之始也；寒在於冬，冬燥之然也。所在於秋，秋肺惡寒之甚，故言其終。腎在於冬，冬腎惡燥不甚，故言其始也。中央生濕，濕生於脾，脾惡濕也。

五液：心主汗，肝主泣，（淚也）肺主涕，腎主唾，脾主涎，此五液所生。汗者水也，遍身腠理之汁也。心者火也，人因熱飲熱食，因行發泄於腠，氣從出腠理，謂之汗也。肝通於目，目中出液，謂之淚也。肺通於鼻，鼻中之液，謂之涕也。腎脉足少陰上至頭顙，遊於口中，名之為唾，故腎主唾也。脾足太陰脉通於五藏之脉，上至廉泉，故名為涎。

五藏：心藏神，肺藏魄，肝藏魂，脾藏意，腎藏精志。五藏財液之腎在二枚，左者為腎，藏志也；在右為命門，藏精。

五主：心主脉，肺主皮，肝主筋，脾主肌，腎主骨。黃帝問[illegible]

命門藏精……

腎主骨黃帝問於岐伯曰余聞方士或以腦髓
為藏或以為府或以腸胃為藏或以為府敢問
更相反皆自謂是不知其道願聞其說言更也昔……道之未……
說藏府不同腦髓骨脈膽及女子胞此六者或有說之為府有說
說之為府胃大腸小腸三焦膀胱此五或有說之為藏或有說之為
府所說藏府相
反皆以為真
岐伯對曰腦髓骨脈膽及女子胞此六
地氣所生也皆藏於陰而象於地故藏而不寫
名曰奇恒之府
胞動要支也凡是地主之納收藏髓
六法地之氣將藏不寫所以名奇恒以其聚
六等皆府之聚也此六亦非……

名曰奇恒之府六法地之氣陰藏不寫故得為府以其聚故
亦得為府之聚也此六非是六府乃是奇恒之府奇異恒常　夫胃大腸小腸三焦膀胱
者天氣之所生也其氣象於天故寫而不藏
此受五藏濁氣故名傳府　天主輸寫風氣雨露故此五者受於五藏糟粕之濁遺
於天氣輸寫濁穢故異恒府唯有五者以膀胱一種而不寫割入奇府是肝之表故得名府也　此不能久留
輸寫魄門　主精一氣之受謂之魄門此五之中三焦大能輸寫精氣於魄門也　亦為五藏
使水穀不得久藏　大腸肉為生六府從於為使之行於水穀也　所謂五藏
者藏精神而不寫者也故滿而不能實　精神盈於藏中
不離故不寫而滿也　六府者實而不能滿所以然者

者藏精神而不寫也故滿而不能實於藏中

不離故不寫而滿也雖滿常虛故不實六府者實而不能滿所以然者[illegible]

水穀之入口則胃實而腸虛食下則腸實而胃

虛故曰實而不滿腸胃更滿故為實也更虛故不滿也飽食未消腸中未有糟

粕則胃實腸虛也飲酒以下其陽明中來者氣入即腸[illegible]胃虛也以其胃虛故氣得上也以其腸虛故氣得下也氣得

上下神氣通通長生久視問曰太陰陽明為表裏脾胃脈也

生病異何也足太陰足陽明脾胃二脈諸經之海生病各不為[illegible]故別為問

答曰陰陽異位更實更虛更逆更順或從內

或從外所從不同故病異名太陰為陰陽明為陽[illegible]

陰陽異位更實更虛更逆更從或從內

或從外所從不同故病異名大陰為陰陽明為陽表裏相伍也春夏陽明為實大陰為虛秋冬大陰為實陽明為虛即更虛實也春夏大陰為逆陽明為順秋冬陽明為逆大陰為順也手三陰從內向外也手三陽從外向內也足之三陰從內向外足之三陽從外向內也十二經脈陰陽六種不同生病固亦多也

黃帝曰願聞其異狀聞其病異

荅曰陽者天氣也主外陰者地氣也主內故陽道實陰道虛陽為天氣主外故陽道實也陰為地氣主內故陰道虛也

故犯賊風虛邪者陽受之食飲不節起居不時者陰受之風寒暑濕虛邪外入腠理則六陽之脈受之飲食男女不節即六陰受之

陽受之則入六府陰受之則入五藏六陽受

不時者陰受之脈受之飲食不節則六陰受之
陽受之則入六府陰受之則入五藏六陽受於外第
傳入六府六陰受於內部傳入五藏也入六府則身熱不時臥上為喘
呼六府陽氣在外故身熱也陽盛晝眠不得垂夜故不時臥也陽氣盛於上故上為喘呼也入五藏則䐜
滿閉塞下為飧泄久為腸澼陰氣在內故䐜脹腸滿閉塞不通屋則
下利腸澼故喉主天氣咽主地氣肺為天也咽為脾中之氣呼吸故主天脾為地也咽主
脾胃穀氣故主地故陽受風氣陰受濕氣風為天氣故陽受之濕從下上故陰受之
故陰氣從足上行至頭而下循臂至指端陽氣從
[illegible]之三陰脈從足至頭之頭下循臂[illegible]

故陰氣從足上行至頭而下行循臂至指端陽氣從
手上行至頭而下至足足之三陰從足至頭從頭下循臂出腋下循臂至指端爲手三陰脈也
陽爲手三陽脈從手指端上行至頭下行至足爲足三陽陰陽相注如環無端故曰陽病者上行極
而下行陰病者下行極而上行故傷於風者上
先受之傷於濕者下先受之陽病者三陰之脈上行至頭極已爲陽受風氣
之下行也陰病者三陽之脈下行至足極已爲陰受寒濕已上行故傷風上先受之傷濕下先受也問曰
眞藏曰死何也無餘物和雜故名眞也五藏之氣皆胃氣和之不得獨用如至剛不得獨用
折何者胃之助國也五藏之氣和於胃氣即得長生若眞獨見無和胃氣故死剛也誠知五藏眞見爲死和胃爲生者
於寸口診手太陰即可知之見者如弦是肝脈也微弦爲平好也

脈無知胃氣必死期也欲知五藏真見爲死和胃爲生者

於寸口診手太陰即可知也見者如弦是肝脈也微弦爲平好也

微弦謂弦之少也三分有一分爲微二分胃氣与一分弦氣俱

動爲微弦也三分並是弦氣竟無胃氣爲見真

藏也見真藏死其理至妙請陳其理故曰何也　岐伯曰五藏

者皆稟氣於胃〻者五藏之本也藏氣者不能自

致於手太陰必因於胃氣乃能至於手太陰也水穀

變化精氣而滋五藏故五藏得

稟於太陰寸口見於微弦也　故五藏各以其時自

爲而至手太陰　五藏在於五時各至其時也其藏有病

甚者胃氣不与之俱來曰胃氣以呼吸

之力獨自至於太陰

寸口見於真藏也　故邪氣勝者精氣衰　真

弦不散

無胃氣者則知肝病藏也所人

者口見於真緣也　故見[illegible]脈者[illegible]胃脈不能

然胃氣者則知肝病勝也肝病肝勝則胃穀精氣衰　故病甚者胃氣不能

与之俱至於手太陰　故真藏之氣獨見　獨見者

為病勝藏也　故曰死　黃帝曰善　真見病甚故致死也　問曰

脾病而四支不用何也　五藏皆連四支何因脾病獨四支不用也　荅曰

四支皆稟氣於胃而不得徑至必因脾乃得稟

今脾病不能為胃行其津液四支不得稟水

之氣　氣日以衰脈道　不利筋骨肌肉皆[illegible]

[illegible]五王四支[illegible]時有盛也脾長四藏　皆有稟也

故不用焉 五五四三并乃時有五也脾長四藏藏皆有降 何者四支百體禀氣於胃胃以水穀津液資

資四支四支之時胃氣不至任到四支要因於脾得以穀味 營衛之氣營於四支四支禀承方得用也爲其脾病脈道不通則

少以骨肌肉無氣以生故不用也 問曰脾之不主時何也荅曰脾者土也

治中央常以四時長四藏各十八日寄治不得獨主

時脾藏者著土之精也 四藏之中皆爲五也七八日靈 故四季之有脾者灌四旁起也脈

土之 轉內對也 土者生萬物而法天地故上下至頭足不得

土氣滋物之精以長天地與萬物爲 體故身與頭足之爲體身有所主時 問曰脾與胃也

□故身與頭平之為體身不别主持脾□胃也

募相連耳而能為之行津液何也　脾陰胃陽脾内胃外其位各别故相

問其何能為胃行津液氣也一曰相連　問義前陰陽氣相順乃可相連也　答曰足太陰者

三陰也其脈貫胃屬脾絡嗌故太陰為之行氣於三陰

足太陰脉也足太陰脉貫胃屬脾上行絡咽其氣強陽　能行三陰之脈故太陰脉為三陰之長也

陽明者表也五藏六府之海也亦為之行氣於三陽

藏府各因其經而受氣於陽明故為胃行其津

液四支不得稟水穀之氣日以益衰陰道不利筋

[illegible]陽明為陰陽之藏之

[illegible]

[illegible]陽明[illegible]藏府各因其經

受氣於陽明故紅脈得為胃行其津液元氣四支稟承

[illegible]益衰陰道不利筋骨脈肉無氣以

[illegible]

黃帝[illegible]

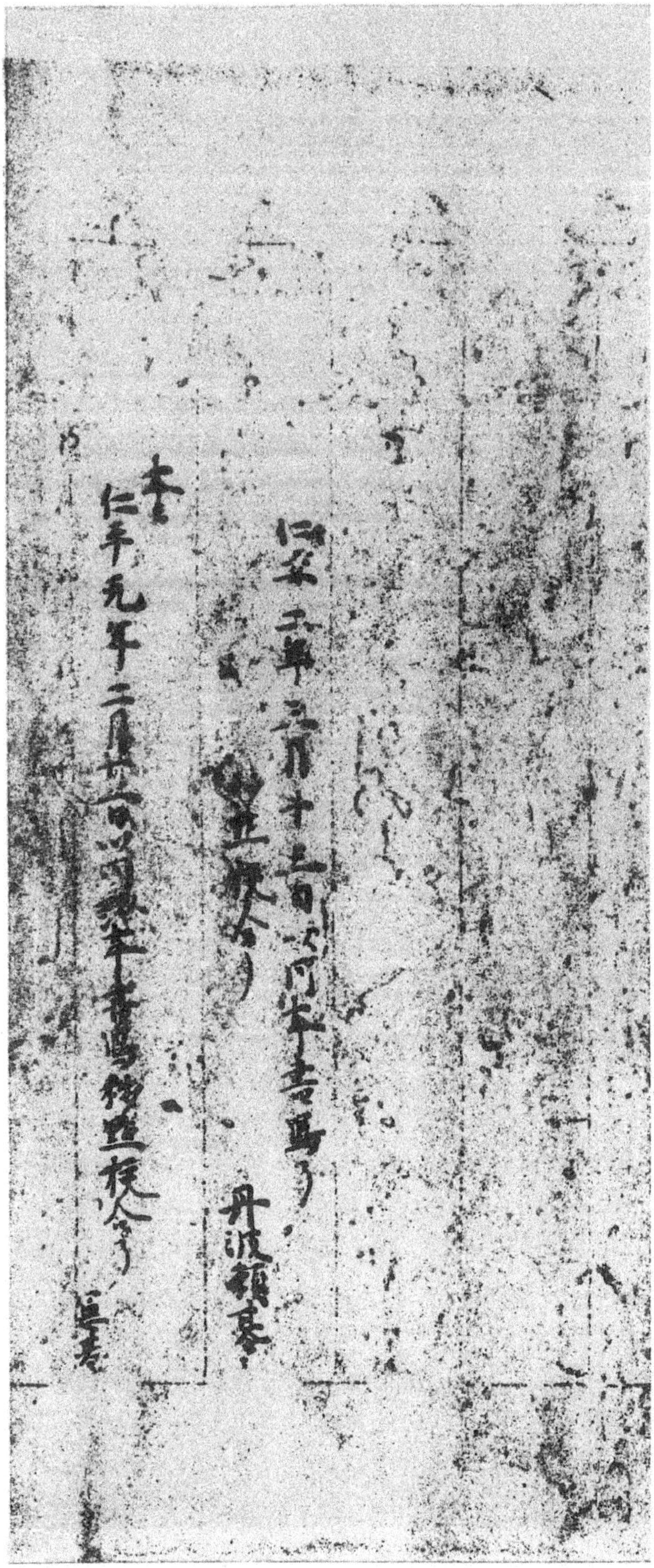

仁安二年二月十二日以同本書寫了
移點校合了
丹波頼基

本云
仁平元年二月廿一日以同本書寫移點校合了
憲基

黄帝内經太素卷第八

黃帝内經太素卷第八　經脉之一

通直郎守太子文學臣楊上善奉　勅撰注

陽明脉病

經脉連環

雷公問於黃帝曰禁服之言凡刺之理經脉為始

雷公問黃帝曰禁服之書凡刺之理經脈爲始

[illegible]營其所行制其度量內次五藏外別六府願盡

[illegible]九鍼六十篇之道勤晝日以爲[illegible]簡垢潰絕予[illegible]誦而其欲黃帝乃令設盟誠之[illegible]

鍼大經脈[illegible]成[illegible]之道故今聞之黃帝曰人始生先成精人生成形凡有[illegible]謂充遺體陰陽[illegible]

精[illegible]也精成而腦髓生陰陽一精變成腦髓腦髓同是骨由暗也在頭爲腦在四支爲髓二也

骨爲幹幹本也腦髓之所[illegible]與皮肉筋脈之本三也脈爲營經脈通行血氣以營其身四

[illegible]筋爲經[illegible]體賊緣維[illegible]約束百體五也肉爲牆其肉成已盛[illegible]筋骨塞[illegible]藏府六

[illegible]皮膚堅[illegible]七也毛髮長毛髮成已潤澤漏長八也穀入於

胃脈道以通血氣乃行八體成長經脈[illegible]雷公曰願

[illegible]竅七也七竅長[illegible]津液長八也素入才

胃脉道以通血氣乃行八體以成是經脉血氣遂得通行雷公曰願

卒聞經脉之始生黄帝曰經脉者所以能決死生

人之死生血氣先見經脉故欲知死生之先候經脉也處百病下病所生經脉由之致處分百病須候經脉也

調虚實不可不通也以之虚實之氣致行之補瀉須通經脉也肺手太陰

之脉手太陰乃始五藏六府經脉通行氣之宗道也是陰陽者變化无方隨物施名之有五種肺住西方金位陰氣始之

右爲少陰居齊已上藏府之蓋居高而尊因名太陰即是肺主也經脉與別營還營氣之所行故名曰脉也之

起於中焦十一經脉皆從此爲起所從之處名出下絡大腸六經至經注此爲例以膈下爲上爲中焦也

[illegible]補佳支五藏六府氣相通

…肺…脈…於…至…注此爲何以隔下齊上爲中膻也…大

腸還循胃口上鬲屬肺 肺續使變炙五藏六府氣相通者藏脈必絡府屬藏府脈也

一紙缺

餘則肩背痛 肺氣盛故上衝肩背痛也 風寒汗出中風不浹

數欠 肺脈盛者則大腸脈盛欠有風寒之時猶汗出藏中身以汗少故曰不浹祖夾受謂潤洽也有本作汗出中風以便數而欠陰陽之氣上下相引故多欠也

氣虛則肩背痛寒 盛氣衝滿肩背痛也肩背无氣虛而痛者陽虛陰并故肩背寒也

少氣不足以息溺色

變 肺以主氣故肺虛少氣不足以息也大腸脈虛令膀胱虛熱故溺色黄赤也溺音尿

爲此諸

病手太陰脈氣盛則…一…則…八十一難曰

變脉虛令膀胱虛熱，故溺色黃赤也。溺音尿。為此諸

病，手太陰脉氣為前諸病也。盛則寫之，虛則補之，八十一難曰：東方實，西

方虛，寫南方，補北方，何謂也？然：金木水火土，當更相平。

東方者木也。木欲實，金當平之；火欲實，水當平之；土欲

實，木當平之；金欲實，火當平之；水欲實，土當平之。東方

者肝也，肝實則知肺虛，寫南方，補北方。南方火，火者木之子也；

北方水，水者木之母也。水以勝火，子能令母實，母

能令子虛，故寫火補水，欲令金去不得平木也。熱則疾之，熱膚衛膚

閇而不遺者，刺之揺大其穴，寫也。寒則留之，有寒痺等在分肉間者，留針

經久，熱氣當集，此為補也之。

陷下則灸之，經絡之中血氣減少，故脉陷下也。火氣壯大，宣補經絡，故宜灸也。不盛不虛以

經取之，八十一難云：不盛不虛，以經取之，是謂正經自病，不中他邪。當自取其經，前盛虛者，陰陽虛實相移相傾，而他經為

病，有當經自受邪氣為病，不因他經作盛虛。盛[illegible]則

經取之當自取其經所盛虛者陰陽虛實相移相傾而他經爲
病有當經自受邪氣爲病不因他經作盛虛
若不當經盛虛即補寫自經故曰以經取之
盛者則寸口
大三倍於人迎虛者則寸口反小於人迎
厥陰小陽其
氣最少故寸
口陰氣一盛病在手足厥陰人迎陽氣一盛病在手足少陽
少陰太陽其氣次多故寸口陰氣二盛病在手足少陰人迎陽
氣二盛病在手足太陽太陰陽明其氣最多故寸口陰氣三
盛病在手足太陰人迎陽氣三盛病在手足陽明所以厥陰少
陽氣盛一倍爲病少陰太陽二倍爲病太陰陽明三倍爲病是
以寸口人迎隨陰陽氣而有倍數像此二脉知於陰陽氣之盛
也其陰陽虛衰寸口
人迎反小唯以可知也
大腸手陽明之脉
手陽明脉起手
之指端上行下
屬大腸通行大腸血氣
故曰大腸手陽明脉也
起於大指次指之端
手陽明与手
太陰合手太
陰從中焦至手大指次指之端陰極即變爲陽如
[illegible]

故曰大腸手陽明脉也[illegible]太陰合手太

陰從中衝至手大指次指之端陰極即變爲陽如此陰極陽起陽極陰起行手頭及足如環无端也之循指上廉

出合谷兩骨之間掌骨及大指本節表兩骨之間也上入兩筋之

中循臂上廉入肘外廉上臑外前廉手三陰行臑内手三陽行臑外

陽明行臑外前廉也上肩出髃前廉髃音隅角也兩肩端高骨即肩角也又五口反上出

於柱骨之會上下入缺盆柱骨謂缺盆骨上極高處也与諸脈會入缺盆之處名曰

會也手陽明脉上至柱骨之上復出柱骨之下入缺盆也絡肺下膈屬大腸府氣通藏故絡

藏屬府也其支者從缺盆上頸貫頰入下齒中還出挾

[illegible]也頰頭前也支謂

游也[illegible]

口交人中左之右〻之左上俠鼻孔（頞項前也交謂相交不相會入也）

是動則病齒痛頞腫（齒痛謂下齒痛也頞謂面顴秀高骨也專芳反）是

主津〻所生病者（八十一難云邪在血爲所生也血主濡之也是爲血及津液皆爲濡也津汗也以

下所生之病皆是血之津汗所生病也之）目黃口乾鼽衄喉痹肩前臑

痛大指次指痛不用（手陽明經是府陽脉多爲熱痛故睛胮所生也種病也鼻孔引

氣故爲鼻也鼻衄爲鼽也有鼽衄是鼻病者非也）氣盛有餘則當脉所

過者熱腫（是動所生之病有盛有虛盛者此脉所過之處熱及腫也之）虛則寒

慄不復（陽是陰弃故寒慄也不）爲此諸病盛則[illegible]

以者胸此脉所過之處腋及腋也之　虛則寒

慄不復　陽虛陰并故寒慄也不復復不得復於平和也　為此諸病盛則寫之

虛則補之熱則疾之寒則留之陷下則灸之不盛不

虛以經取之盛者則人迎大三倍於寸口虛者則

人迎反小於寸口　胃足陽明之脉起於鼻交頞

中下循鼻外入上齒中還出侠口環脣下交承漿

却循頤後下廉出大迎循頰車上耳前過客主人

循髮際至額顱其支者從大迎前下人迎循喉嚨

入缺盆下鬲屬胃絡脾　足陽明脉起於鼻下行屬胃

循頰隊至客[illegible]其支者從大迎前下人迎循喉嚨

入缺盆下鬲屬胃絡脾足陽明脉起於鼻下行屬胃通行胃之血氣故曰胃足陽明脉也手陽明經從手上使鼻孔到此而起下行至於足循名足陽明經十二經脉行處及穴名循左明堂經具釋之也客主人即上關穴也頞阿葛反鼻莖行也顱音盧胃府通氣入藏故屬胃絡脾也其直者從缺盆

下乳內廉下使齊入氣街中其支者起胃口下循

腹裏下至氣街中而合以下髀抵伏兔胃傳食入小腸處名胃下口此脉一道從缺盆下乳內廉屬肉之中下使齊至氣街中前者一道從缺盆屬胃今從胃口下下行至氣街中中者合為一脉而下抵至也下孔反下膝入臏中膝脛頭也臏膝足端骨也頻忍反下循脛外廉

下足跗入中指內間骱故其支者下三寸而別以[illegible]

下礼反下膝入臏中之端骨也頻忍反下循胻外廉

下足跗入中指內間胻故孟反其支者下膝三寸而別以下

有本作胡

入中指外間其支者別跗上入大指間出其端脈從

氣衝下行至足指間凡有三道是動則病洒洒振寒洒洒惡寒皃音洗謂如水灑洗寒也

善伸數欠顏黑凡欠起多伸或為陽上陰下人之將卧陰陽上下相引故數欠顏顙陽也黑陰也

陰氣見顙陽病也病至則惡人与火聞木音則惕然而驚心

欲動至喜也陽明土也土惡木故病喜惡木音也陽明主肉血盛故惡火也陽明厥喘悶悶故惡人者

獨閉戶牖而處陰靜而闇陽動而明今陰氣加陽欲閉戶獨處也甚則欲

上高而歌[illegible]

□問人所不□氣於陽故欲閉戶獨處也

上高而歌弃衣而走陽盛故也賁響腹脹是爲䯒

厥賁音奔響謂陽氣賁發虛滿爲腹脹也以陽盛於腑故欲登高弃衣而走名爲䯒厥也是主血所

生病者狂瘧溫淫汗出陽明主肉血爲肉液故亦主血也淫過也謂傷

寒熱病溫熱過甚淫熱汗出也鼽衄口喎脣胗頸腫喉痹衄出

血也不言鼻衄而言鼽衄者鼽鼻以引氣也鼽鼻形也鼻形之中出血也胗脣瘍瘡音緊腹外腫膝

臏腫痛陽明一道行於腹外一道行於腹內內以水穀行通故女爲腹腹外衛氣數壅故腹外多腫也循

膺乳街股伏兔䯒外廉足跗上皆痛中指不用上七處痛

是足陽明脈所過故循上七處者是陽明脈病也厥䯒內陷脹

股伏兔骭外廉足跗上皆痛中指不用是足陽明脉所過故膺上七處者是陽明脉病也股髀内陰股也足中指内外間陽明脉支所至故脉病中指不用也

氣盛則身以前皆熱是陽明脉唯行身前故脉盛身前皆熱也其有餘於胃則消穀善飢溺色變脉氣有餘身前故身前皆熱若有餘胃中故善飢溺變也氣不足則身以前皆寒慄胃中寒則脹滿有餘身前胃中有熱有飢不足身前胃中寒慄脹滿陽氣有餘陰氣不足陽熱不足陰氣有餘今但舉一邊爲例耳爲此諸病盛則寫之虚則補之熱則疾之寒則留之陥下則灸之不盛不虚以經取之盛者則人迎大三倍於寸口

之感者則人迎大三倍於寸口虛則人迎反小於寸口

脾足太陰之脉 足太陰脉起於足大指端上行属脾通行、脾之血氣、故曰脾足太陰脉者也 一

起於太指之端循指内側白肉際過覈骨後 覈胡革反人足大指本節後骨名為覈骨也 上内踝前廉 十二經脉皆行筋内骨間唯此足太陰經上於内踝薄肉之處脉得見者也 上腨内循䯒骨後交出厥

陰之前 内踝直上名為内外踝直上名為外䯒後脉腨名為腨太陰從内踝上行八寸當䯒骨後交出厥陰之前上行之 上循膝股内前廉太股属脾絡胃 膝内之股近膝名膝股近陰

行之上循膝股內前廉入腹屬脾絡胃股近膝
名膝股近陰處爲陰股也上膈俠咽連舌本散舌下其支者
復從胃別上膈注心中舌下散脉是脾脉也是動則病舌
強食則歐胃脘痛脘胃府也脘音管也腹脹善噫得後
出餘氣則快然如衰寒氣客胃厥逆從下上散散已後上出胃故爲噫
也穀入胃已其氣上爲營衛及膻中氣後有下行與糟粕俱下者名曰餘氣餘氣不與糟粕俱下壅而爲脹今得之
泄之故快然腹減也身體皆重身及四支皆是足太陰脉行胃氣營之若脾病脉即
不營故皆重也是主脾所生病者舌本痛脾所生病太陰脉行
至舌下故體不能動搖脾不[illegible]

時重也是主脾所生病者舌本痛太陰脈行至舌下故舌本痛也體不能動搖脾不營也食不下煩心心下急痛脾脉注心中故脾生病煩心心急痛也溏瘕泄溏食消利也瘕食不消瘕而為積病也泄食不消飧泄也水閉脾所生病不營膀胱故小便不利也黃疸不能臥強欠内熱身黃病也脾胃中熱故不得臥也時欠不得欠名曰強欠股膝内腫厥大指不用或痺不仁不能用也為此諸病盛則寫之虛則補之熱則疾之寒則留之陷下則灸之不盛不虛以經取之盛者則寸口大三倍於人迎虛者則寸口反小於人迎

口大主仁者人以度者東亡口家小者人近

心手少陰之脈起於心中出屬心系下鬲絡小腸十二經脈之中餘十一經脈及手大陽經皆起於別處來入藏府此少陰經起自心中何以然者以其心神是五神之主能自生脈不因餘處生脈來入故自出經也肺下懸心之系名曰心系餘經起於餘處來屬藏府此經起自心中還屬心系由是心神最為長也問曰九卷心有二經謂手少陰心主手少陰經不得有輸手少陰外經受病亦有療處其內心藏不得受〻邪〻即死又九卷本輸之中手少陰經及輸並皆不至今此十二經脈及明堂流注少陰脈及輸皆有者為通構答曰經言心者五藏六府之大主精神之舍其藏堅固邪不能客〻之則心〻傷〻則神〻去〻即死故諸邪之在於心者皆在心之包〻絡〻心主脈也故有脈不得有輸也手少陰外經有病者可療之於手掌兌骨之端又認經脈受邪傷藏故本輸之中輸寫手少陰經文復者之令此十二經脈手少

者可療之於手掌兌骨之端又思經脉受邪傷藏故本輸之中輸并手少陰經在後者之合與十二經脉手少陰經是動所生皆有諸病俱言藏裏并行補寫及明堂流注具有五輸者以其心藏不得多受外邪其於飲食湯藥內資心藏有損有益不可受也故好食好藥資心〻即謂適若惡食惡藥資心〻即為病是以心不受邪者不可受邪也言手少陰是動所生致病及明堂有五輸療者據受內資受外邪也言手少陰是動所生致病及明堂有五輸療者據受內資受外邪也言手少陰是受邪故有病也

其支者從心系上俠咽繫目系筋骨血氣四種之精与脉合為目系心脉係於目系故心病關目也其直者復從心系卻上肺上出腋下〻循臑內後廉行太陰心主之後下肘內循臂內後廉抵掌後兌骨之端直小指掌後尖入掌內

下ミ循臑内後廉行太陰心主之後下肘内循臂

内後廉抵掌後兊骨之端直小指掌後尖骨謂之兊骨也入掌内

廉循小指之内出其端掌外將側名曰外廉次掌内將側名曰内廉也是

動則病嗌乾心痛渴而欲飲為臂厥心經病心而多熱故渴而

欲飲其脉循臂故是動為臂厥之病也是主心所生病者目黄脅痛

臑臂内後廉痛厥掌中熱痛也其脉上循近脅故脅痛也臑臂

内後廉脉行之處痛及厥也厥氣失逆也為此諸病盛則寫之虚則

補之熱則疾之寒則留之陷下則灸之不盛不虚

以經取之盛者寸口大再倍於人迎虚者[illegible]

行之契目病之寒則留之陷下則灸之不盛不虛以經取之盛者則寸口大再倍於人迎虛者則寸口反小於人迎

小腸手太陽之脈 手太陽脈起於手指上行入缺盆下屬小腸通小腸血氣故曰小腸手太陽脈也 起於小指之端循手外側上腕出踝中 人之垂手大指著身之側名手內側小指之後名手外側足脛骨與足腕骨相屬之處著脛骨端內外高骨名曰內外踝手之臂骨之端內外高骨亦名為踝也手太陽脈貫踝也 直上循臂下骨下廉 臂有二骨垂手之時內箱前骨名為上骨外箱後骨名為下骨手太陽脈行下骨下將側之際故曰下廉也 出肘內側兩骨之間上循臑外後廉 手陽明上臑外前廉手少陽循臑外此手太陽循臑外後廉 出肩解

也出肘内側兩骨之間上循臑外後廉明上臑外前廉手少陽脉臑外此手太陽循臑外後廉手三陰脉行於臑内手三陽脉行於臑外此為異也出肩解肩臂二骨相接之處名為肩解繞肩甲交肩上入缺盆肩兩肩也甲兩甲也兩箱之脉各於兩箱繞肩甲已會於大椎還入缺盆此為正也有說兩箱脉來交大椎上會大椎穴以為交者經不言交不可用也絡心循咽下鬲抵胃屬小腸其支者從缺盆循頸上頰至目兑眥却入耳中其支者別頰上䪼抵鼻至目内眥脉絡心循咽下抵胃下屬於小腸上至顴䪼傍抵鼻孔至目内眥目眥有三目之内角為内眥外角為兑眥上角為上眥也是動則病嗌痛頷腫不可以顧肩似拔臑似折是主液所生病者耳聾目黄

爲氣皆上注爲上皆也　是動則病嗌痛頷腫不可以顧

肩似拔臑似折（肩臑痛若折者也）是主液所生病者耳聾目

黄頰腫頸頷肩臑肘臂外後廉痛（兩大骨相接之處有穀精汁）

（補益腦髓皮膚潤澤謂之爲液手太陽主之邪氣病液遂循脈生諸病也）爲此諸病盛則寫

之虛則補之熱則疾之寒則留之陷下則灸之不盛

不虛以經取之盛者則人迎大再倍於寸口虛者則

人迎反小於寸口　膀胱足太陽之脈（足太陽脈起目内眥）

（上頭下項俠脊屬膀胱通膀胱血氣故曰膀胱足太陽脈也）起於目内眥上額交顛

上其支者從顛至耳上角其直者從顛入絡腦

血氣故曰膀胱足太陽脉也　起於目内眥上額交顛

上其支者從顛至耳上角其直者從顛入絡腦還

出別下項循肩髆内俠脊抵腰中入循膂絡腎

属膀胱其支者從腰中下貫臀入膕中　顛頂也頂上有骨空

空太陽入骨空絡腦還出也髆音博臀音屯尻之厚肉也　其支者從髆内左右別下

貫胛過髀樞　胛俠脊肉也以其支髀樞謂髀骨尻骨相拄相入轉動處也　循髀外

後廉下合膕中以下貫腨出外踝之後循京骨

至小指外側　京骨謂外踝下近前高也京高大也　是動則病衝頭痛

目似脱項似拔脊痛腰似折髀不可以曲膕如結

別

至小指外側前高也京高大也是動則病衝頭痛

目似脫項似拔脊痛腰似折髀不可以迴膕如結

腨如裂是為踝厥膕腨之病者皆是太陽行踝之後為厥大逆之病也結謂束縛也

是主筋所生病者痔瘧狂顛疾頭囟項痛目黃

淚出鼽衄項背腰尻膕腨腳皆痛小指不

用足太陽水生木筋也故足太陽脈主筋者也所以邪傷於筋目而飲食筋脈橫解腸澼為痔也之之

為此諸病盛則寫之虛則補之熱則疾之寒則

留之陷下則灸之不盛不虛以經取之盛者則人迎

大再倍於寸口虛者則人迎反小於寸口

留之陷下則灸之不盛不虛以經取之盛者則人迎

大再倍於寸口虛者則人迎反小於寸口

腎足少陰之脉足少陰脉上行屬腎通行腎之血氣故曰腎足少陰脉也之起於

小指之下邪趣足心出於然骨之下足大陽府脉至足小指而窮足少陰藏脉從足少指而起趣足心也然骨在内踝下近前起骨是也循内踝之後別入跟

中少陰脉行至内踝之後別分一道入足跟中也以上腨内出膕内廉上股内

後廉貫脊屬腎絡膀胱貫脊謂兩箱二脉屬腎貫脊骨而上各屬一腎未絡膀胱

其直者從腎上貫肝鬲入肺中循喉嚨俠

舌本直貫肝鬲而過鬲貫其支者從肺出絡心注

胱其直者從腎上貫肝鬲入肺中循喉嚨侠

舌本直貫肝鬲而過猶貫即舌下兩傍脉是也其支者從肺出絡心注

胷中從肺下行脩系絡於心注胷中也是動則病飢不欲食面黑

如地色少陰脉病陰氣有餘不能消食故飢不欲食也陰氣盛故面黑如地色也欬唾則

有血喝喝如喘唾為腎液少陰入肺故少陰病熱欬而唾血雖唾使中不盡故呼吸有聲又如喘也

也喝呼葛反坐而欲起起目𥇛𥇛如无所見少陰貫肝肝脉係目令少陰病徙並而

起上引於目目精氣散故𥇛𥇛无所見也莫郎反心如懸病飢狀足少陰病則手少陰之氣不

足故心如懸飢狀也氣不足則善恐心惕惕如人將捕之是為骨

厥腎主恐懼足少陰脉氣不足故善恐心怵惕恐之病是骨

憊飢状也氣不足則善恐心惕惕如人將捕之是為骨

厥（腎主恐懼足少陰脈氣不足故喜恐心怵惕前之病是骨厥所為厥謂骨精不達惕恥激又謂懼也之）

是主腎所生病者口熱舌乾咽腫上氣嗌乾及痛

煩心心痛黄癉腸澼（熱盛為癉謂腎藏内熱發黄故曰黄癉也腎主下膲少陰為病下膲大腸不和故為腸澼也）脊股内後廉痛痿厥嗜臥（津液不通則筋弛好臥也）

足下熱而痛（少陰虚則熱并故足下熱痛也）為此諸病盛則寫

之虚則補之熱則疾之寒則留之陥下則灸之不

盛不虚以經取之灸則強食生肉（不盛不虚以經取者以經取之也故療腎行）

主之病之有五法曰大化又降三[illegible]則生肉令人[illegible]中人食不

[illegible]又[illegible]取不也故瘵腎行

生之病之有五法自大化又降並食飲肉生內令人熱中人多沉

飲食之將有虛風冷病故弦令人生食飲肉溫腎補虛治腎輕

健人有患腳風氣令生瞬內得愈 緩帶 帶者患則腎氣不

者衆故癸腎病須食助之一也 通故須緩帶令腎

腎通暢大 被髮 足太陽脉從項下腎至腳令癸腎病須

氣宣行二也 開頂被髮陽氣上通大氣宣流三也

大杖 足太陽脉循於肩髆下絡於腎令瘵腎病 重履而

可策大杖而行牽引肩髆大氣通流四也

步 墜磁石瘵腎氣重履引腎腳故為重履者可去磁石

系著履中上繫其帶令重履之而行以為難者可漸

加之令重助大氣若得病愈可漸 去之此為古之瘵腎要法五也 盛者則寸口大再倍

於人迎虛者則寸口反小於人迎

[illegible]

於人迎虚者則寸口反小於人迎

心主手厥陰心包之脈心神爲五藏六府之主故曰心主厥陰之脈行至於足名足厥陰行至於手名手厥陰以陰氣受盡故曰厥陰心外有脂包裹其心名曰心包脈起胷中入此包中名手厥陰故心有兩經也心中起者名手少陰屬於心包名手厥陰有脈別行无別藏形三焦有氣有脈无形故手厥陰與手少陽以爲表裏也

起於胷中，出屬心包，下鬲，歷絡三焦自有經歷而不絡著手厥陰既是心藏之府三焦府合故屬心包經歷三焦仍絡著也三焦雖復无形有氣故得絡也

其支者，循胷

出脇下腋三寸，上抵腋下，下循臑內，行太陰

少陰之間，入肘中，下臂，行兩筋之間，入掌中，循

少陰之間入肘中下臂行兩筋之間入掌中

中指出其端其支者別掌中循小指次指出其端循胸出脇脇處當掖下三寸盤後上行抵掖下方下循臂也太陰少陰既在前後故心主厥陰行中間也是

動則病手熱肘攣掖腫甚則胸中滿心澹澹

大動面赤目黃澹徒濫反水搖又動也是心主脈所生病者

煩心心痛掌中熱心包既病故令煩心心痛為此諸病盛則

寫之虛則補之熱則疾之寒則留之陷下則灸

之不盛不虛以經取之盛者則寸口大一倍於人迎

[illegible]盛者則寸口大一倍於人迎

虛者則寸口反小於人迎　三膲手少陽之脈上膲在心下下膈在胃上口主納而不出其理在膻中中膲在胃中口不上不下主腐熟水穀其理在齊傍下膲在齊下當膀胱上口主分別清濁主出而不內其理在齊下一寸上膲之氣如雲霧在天中膲之氣如漚而在空下膲之氣如溝瀆流狀也手少陽脈是三膲經隧通行三膲之血氣故曰三膲手少陽脈也　起於小指次指之端上出兩指之間循手表出臂外兩骨之間上貫肘循臑外上肩而交出足少陽之後入缺盆上肩交足少陽行出足少陽之後方入缺盆也　布膻中散絡心包下鬲偏屬三膲偏甫見反散布膻中也有本布作交者檢非也

少陽之後方入缺盆之布膻中散落心包下膈循屬

三膲。俗甫見反，散布，膻中也，有本布作交者，撿非也。三膲是氣血脈是散而言膲者錯誤朝久也。其支者

從膻中上出缺盆，上項，俠耳後，直上出耳上角，以

屈下頰至𩑶。其支者，從耳後入耳中，出走耳前，

過客主人前，交頰，至目兌眥。俠，古帝反，有本作使也。是動則病

耳聾渾渾淳淳，嗌腫喉痺。渾渾淳淳，耳聾聲也。是主氣所

生病者：汗出，目兌眥痛，頰痛，耳後、肩、臑、肘、臂

外皆痛，小指次指不用。氣謂三膲氣也。為此諸病，盛則寫之，虛

則補之，熱則疾之，寒則留之，陷下則灸之，不盛

外[illegible]病[illegible]大[illegible] 與氣相順 至此言病[illegible]

則補之，熱則疾之，寒則留之，陷下則灸之，不盛不虚以經取之。盛者則人迎大一倍於寸口，虚者則人迎反小於寸口。

膽足少陽之脈，足少陽脈起目兑眥，下行絡肝屬膽，下行至足大指三毛，通行膽之正氣，故曰膽足少陽脈也。起於目兑眥，上抵角，下耳後，循頸，行手少陽之前，至肩上，卻交出手少陽之後，入缺盆。角謂額角也，項前曰頸。足少陽脈從耳後下頸，向前至缺盆，屈迴向肩，至肩，屈向後，復迴向頸，至頸，始入缺盆，是則手少陽上肩，向入頰，交出足少陽之後，足少陽從頸前下至缺盆，向肩，即是行手少陽前也。至肩，交手少陽之向[illegible]

肩[illegible]足少陽從頸前下至缺盆向肩即是行手少陽前也至肩更手少陽已向後迴入缺盆亦是行手少陽之後也

其支者從耳後入耳中出走耳前至目兌眥後

其支者別目兌眥下大迎合手少陽於䪼下加頰車下頸合缺盆以下胸中貫鬲絡肝屬膽

大迎在曲頷前一寸二分骨陷者中足少陽從大迎已向䪼與手少陽合已卻耶下向頰車加頰車已從頰後下頸至缺盆與前直者合[illegible]頰車至大迎上出頰䪼有本云別目兌眥迎手少陽於䪼無大合二字以義量之二脈繚下不得[illegible]迎也

循脅裏出氣街繞毛際橫入髀厭中

向衝道也足陽明脈及足少陽脈氣所會之道故曰氣街股外髀樞名曰髀厭也

其直者從缺盆下掖循胸過季脅下合髀厭中

脅有前後最近下後又下者

故曰氣衝股外髀樞名曰髀厭也 其直者從缺盆下掖循

胷過季脅下合髀厭中 脅有前後，最近下，後者為季脅，有本作助 以下循

髀太陽出膝外廉下外輔骨之前直抵絶骨之端 下

下出外踝之前循足跗上入小指次指之間 膀胱足太陽脉從髀外下足

因名髀太陽輔骨絶骨窮也外踝上陽輔穴也 其支者別跗上入大指之間循

大指岐内出其端還貫爪甲出三毛 其足少陽脉出大指端還屈迴貫甲後出

三毛一名聚毛在上節後毛中也 是動則病口苦善大息心脅痛不能反

側 膽熱苦汁循脉入頰故口苦名為膽癉 脉循胷脅善太息及心脅皆痛也 甚則面微塵體無膏澤

[illegible]是謂陽厥熱甚也足少陽起面故甚

側脈循胸脅，故善太息及心脅皆痛也　甚則面塵，體無膏澤

足少陽反熱，是為陽厥　甚謂陽厥熱甚也。足少陽起面，熱甚則頭頷前熱，故面塵色也。陽厥，少陽

厥也　是主骨所生病者，頭角頷痛，目兌眥痛　少陽主骨也，主足少陽脈是

少陽病還主骨也。頭角痛在額際也，頭角謂頂兩箱額角後高骨角也。頷謂牙車骨上抵顱以下者，名為頷骨　缺盆中

腫痛，掖下腫，馬刀俠癭，汗出振寒，瘧　脈從缺盆下掖，故掖下腫

後從頰車下頸，故病馬刀俠癭也。馬刀謂癰而无脈者是也。汗出振寒瘧等，皆寒熱病，是骨之血氣所生病也　胸脅

肋髀膝外至脛絕骨外踝前及諸節皆痛，小指

次指不用　是少陽厥主骨所病，諸節故病皆所主也　為此諸病，盛則寫之，虛

[illegible]不[illegible]諸本並病補寫之[illegible]之虛

則補之熱則疾之寒則留之陷下則灸之不盛不

虛以經取之盛者則人迎大一倍於寸口虛者則

人迎反小於寸口

肝足厥陰之脈足厥陰脈從足指上行環陰器絡屬肝通行肝之血氣故曰肝之厥陰脈也起於大

指叢毛之上循足跗上廉去內踝一寸上踝八寸交出太

陰之後上膕內廉循陰股入毛中環陰器抵少腹俠胃

屬肝絡膽上貫鬲布脅肋髀內近陰之股名曰陰股循陰器一周名環也循

使[illegible]

屬肝膽上貫鬲布脅肋股陰器一周名環也循

喉嚨之後上入頏顙連目系上出額與督脈會於

顛喉嚨上孔名曰頏顙督脈出兩目上巔故與厥陰相會也其支者從目系下

頰裏環脣內其支者復從肝別貫鬲上

注肺肺脈手太陰從中膲起以次四藏六府之脈皆相接而起唯足厥陰脈環迴從肝注於肺中

不接手太陰脈何也但脈之所生稟於血血之氣氣之所生起中

膲會稟故手太陰脈從於中膲受血氣已注諸經脈中膲乃

是手太陰受血氣處非是脈次相接之處故脈環周至足厥陰注入脈中與手太陰脈相接而行不入中膲也是動則

病腰痛不可以俛仰丈夫㿗疝婦人少腹腫腰

[illegible]肝合足少陽[illegible]

[illegible]

痛甚則嗌乾面塵。肝合足少陽盛爲陰故面塵色也是主肝所生病者

胸滿歐逆飡泄狐疝遺溺閉癃。脉拉少腹俠胃故生飡泄也。狐夜不得尿，至明始得，人病与狐相似，因曰狐疝。有本作頹疝，謂偏頹病也。癃，篆文麻字，此經淋病也，音隆。爲此諸

病，盛則寫之，虛則補之，熱則疾之，寒則留之，陷

下則灸之，不盛不虛，以經取之。盛者則寸口大一

倍於人迎，虛者則寸口反小於人迎。

經脉病解

[illegible]

經脈病解

太陽所謂腫腰脽痛者，正月太陽寅，寅太陽也。脽，尻也。音誰也。十一月一陽生，十二月二陽生，正月三陽生。三陽生寅之時，其陽已大，故曰太陽也。正月陽氣出在上，一陽在地下深寸初發也。二陽在地中淺可出也。三陽在地上出，故而正月陽氣出在上也。而陰氣盛，陽未得自次也，故腫腰脽痛。三陰猶在地上未退，故陰氣盛也。以陰氣盛隔陽，陽氣未得次第與用，故發腫於腰肉，生痛於脽也。偏虛為跛者，正月陽凍解地氣而出也。所謂偏虛者，冬寒頗有不足者，故偏虛故跛。正月已有三陽，故凍解陽氣出於地也。先有三陰，故猶有冬〻寒〻之陽氣不足也。人身亦尔，半陽不足，故偏虛跛，謂左腳偏跛也。所謂強上引陽氣大上而爭。三陽向盛与三陰爭得[illegible]

陽氣不足也。人身左右半陽不足，故偏虛跛，謂左腳偏跛也。所言

上者，陽氣大上而爭，故强上。三陽向盛，与三陰戰，得大得上，而陰獨爭也。所謂

耳鳴者，陽氣萬物上而躍，故耳鳴。正月陽氣令萬物踊躍鳴上，故生病，氣上衝耳鳴也。所謂甚則狂癲疾者，陽盡在上，而陰氣

從下，下虛上實，故癲疾。三陽爻与三陰爭，而三陽俱勝，盡在於頭，為上實，三陰從下，即為下虛。於是譏病，脫衣登上馳走，妄言，即謂之狂；僵仆而倒，遂謂之癲也。所謂浮為聾者，

皆在氣也。於人迎之脉，得三陽浮者，皆是太陽之氣為聾也。所謂入中為瘖

者，陽盛已衰，故為瘖。太陽之氣中傷人者，即陽大盛，已損衰，故為瘖也。瘖，不能言也。

內奪而厥，則為瘖俳，此腎虛也。陽氣外衰，故但為

者陰氣已衰故爲瘖已損衰故爲瘖也瘖不能言也
內奪而厥則爲瘖痱此腎虛也陽氣外衰故但爲瘖也尤腎氣內
虛奪而厥者則爲瘖痱昔肥風病不能言也謂四支不用瘖不能言心无所知甚者死輕者生可療也少陰不
至少陰不至者厥也少陰腎脉也足少陰脉不通則血氣不資於腎故厥爲瘖痱也
少陽所謂心脅痛者言少陽戌也戌者心之所
表也手少陽脉絡心包足少陽脉循脅裏故少陽病心脅痛也戌爲九月九月陽少故曰少陽也戌少陽脉散絡心包故爲
心之所表九月陽盡而陰氣盛故心脅痛陰氣已盛陽氣持盡少陽爲病故心脅痛也
所謂不可反側者陰氣藏物也物藏則不動故曰不可反
側九月物藏靜而不動陰之所謂甚則躍者九月萬物盡

所言不可反側者陰氣者萬物藏也物藏則不動故不可反

側九月物藏靜而不動陰之盛也故不能反側也所謂甚則躍者九月萬物盡

衰草木畢落而墮也則氣去陽而之行陰躍勇動也甚謂九月

陰氣外盛故萬物之氣墮畢墮落則萬物之氣去陽之陰也而陽之下長也故曰躍

陰氣盛於地上陽氣在於地下勇動萬物之根令其內長也陽明所謂洒洒振寒

者陽明三陽之長也與五月陽之盛也在於廣明故曰陽明陽明者午也五月盛陽之

陰也五月盛陽一陰氣生即是陽中之陰也陽盛而陰氣加之故洒洒振寒

一陰始生動猛加陽故洒洒振寒也所謂脛腫而股不收者五月盛陽之陰

也陽者衰於五月而一陰氣上與陽始爭故脛腫

3

故洒洒振寒也　所言陽明所以脛不收者五月盛陽之陰也陽者衰於五月而陰氣一下与陽始爭故脛腫而股不收胃已上為陽胃已下為陰五月有一陰氣在下始生与陽爭陽經實於上陰經虛於下故脛腫股不收也所謂上喘為水者陰氣下下復上上則邪客於藏府閒故為水五月陽明之一陰為病謂上喘欬水病者也一陰上下胃藏之中不順常度逆邪隨陰氣客於府藏之閒故為水病也　所謂胸痛少氣者水在藏府也水者陰氣也陰氣在中故少氣火為陽氣水為陰水在藏府之閒故陽氣少也　所謂甚則厥惡人与火聞木音則惕然而驚者陽氣与陰氣相薄水火相惡故惕然而驚陽明脈氣与陰氣

与陰氣相薄水火相惡故惕然而驚陽明脈氣与陰氣俱盛水火相惡故陽生驚也太陰生故聞木音惕然驚也所謂欲獨閉戶牖而處者陰陽相薄也陽盡而陰盛也故欲獨閉戶牖居陰陽相爭更勝陽盛已衰以陰氣盛故欲閉戶牖獨居闇處也所謂病重至則欲乘高而歌棄衣而走者陰陽復爭而外并於陽也故使之棄衣而走陰陽相爭陰少陽多陰并於陽故欲弃衣走也所謂客孫脈則頭痛鼻鼽腹腫者陽明并於上上者則其孫脈太陰也故頭痛鼻鼽腹腫太陰經脈至於舌下太陰孫脈之於頭鼻

亦杼上口者則其孫脈大陰也故言亦杼鼻脈所居

太陰經脈至於舌下，大陰孫脈之於顙架，故陽明并於太陰孫脈對氣腹逆也 太陰所謂病脹者

曰太陰者子也十一月萬物氣皆藏於中故曰病脹

以十一月陰氣大盛，大陰ゝ氣內聚，陽氣外通，十一月陰氣內聚，小雖有一陽，陽絡氣微，未能外通，故內聚為脹也

所謂上走心為噫者，陰氣盛而上走陽ゝ者

陽明，胳屬心故曰上走心為噫 十一月有五陰麦故陰氣盛也太陰起

內所以為下也，陽明居外所以為上ゝ心陽明之正上入咸聚，屬胃散之脾上通於心故陽明脈屬心者也，寒氣先客胃中，復有厥氣從胃上散，甘於厥氣復出，胃之中上口，胃以連心，故曰上走心為噫也 所謂食則歐者

物盛滿而上溢故歐 胃中食滿陽氣衝之今二月

胃之中上口，胃以連心，故曰上走心爲噫也。所言食則嘔者，

曰：物盛滿而上溢，故嘔。胃中食滿，陽氣銷之，今一月陽氣未來，能銷消，故胃滿而溢，謂之嘔。此嘔生也。所謂得後與氣則快然而衰者，十一月

陰氣下衰而陽氣且出，故曰得後與氣則快然如

衰。陽氣未大，故腹滿爲脹，陰氣向下，一陽引之，故得後便及洩氣，快然腹減。少陰所謂腰

痛者，少陰者腎也，七月萬物陽氣皆傷，

故腰痛。七月秋氣始至，故□□陰士□，少陰之氣大三月，少陰已厥，故少陰至腎，七月之時三陰已起，萬物之陽已衰，太陽行腰，太陽既衰，故腰痛也。所謂上氣欬上氣喘者，陰氣

在下，陽氣在上，諸陽氣浮，無所依從，故欬上氣喘

太陽既衰故胃痛也所言上[illegible]

在下陽氣在上諸氣浮无所依從故欬欬上氣喘

也此解欬也。陰陽二氣不和各在上下，故諸陽氣浮无所依好爲欬欬上氣喘也所謂色色不能久

立坐起則目䀮䀮无所見者萬物陰陽不定未

有主也秋氣始至微霜始下而方殺萬物陰陽

内奪故目䀮䀮无所見也七月陰陽氣始來有定主，秋之初始至陽氣初奪，故色

然振蟄不能久立又陰陽內奪不足，故使坐起目䀮元所見也。有本作露，謂白露，即露之微也。十月已降寒霜，即知有本作十月者非也

所謂少氣善怒者陽氣不治陽氣不

得出肝氣當治而未得之故善怒[illegible]

者非也。所謂少氣善怒者，陽氣不治，陽氣不得出，肝氣當治而未得也，故喜怒。喜怒者名曰煎厥。少陰氣用也，則陽氣盛而不用，故不得出也。肝以主怒，少陰用時，肝氣來陽有用，故喜怒也。喜怒之病名曰煎厥者也。所謂恐如人將捕之者，秋氣萬物未得畢去，陰氣少，陽氣陰陽相薄，故恐。七月萬物扣衰，未至枯落，故未得畢去也。始涼未寒，故陰氣少也。其時猶熱，故陽氣入也。然則二氣相薄，不足進退莫定，故有恐也。所謂惡聞食臭者，胃無氣，故惡聞食臭也。七月陽衰，胃無多氣，故惡聞食氣也。所謂面黑如地色者，秋氣內奪

七月三陽已衰，三陰已起，故陽去陰所謂欬則

故悪聞食氣也所言面黑如地色者秋氣内奪

故變於色也七月三陽已衰三陰已起故陽去實未不已則陰盛陽衰故變色而變所謂欬則

有血者陽脉傷也陽氣未盛於上脉滿〻則〻欬故血見

於鼻也七月金主肺也肺主欬也不欬則已欬則陽〻傷〻血〻脉故腹滿見血於鼻中也厥陰

所謂㿗疝婦人少腹腫者曰厥陰者辰也三月陽

中之陰也邪在中故曰㿗疝少腹腫三月陰氣將盡大曰辰陰三月爲陽厥陰脉在中故曰陽中之陰邪客厥陰之脉遂爲㿗疝㿗謂大丈夫少腹寒氣成積陰器之中而痛也疝謂寒積氣上入小腹而痛也病在少腹痛不得大小便病名曰疝也所謂腰脊痛不可以俛仰

……振動也三月

不得大小便病名曰疝也　正言辰者所不可以俛仰

皆三月一振榮華而万物一俛而不作也振動也三月三陽令動而

爲春万物榮華位枝垂葉俛而不作故邪留客厥陰腰脊痛俛不作也所謂釘癃膚脹

者曰陰一盛而脹陰脹不通故曰頽癃春塟客於厥陰之絡爲釘

邪客於営遂爲癃病少便難也客於皮膚中因爲膚脹三月爲陽陰氣一盛而藏故陰器腫脹陰器腫脹不通故爲頽癃也

所謂甚則嗌乾熱中者陰陽相薄而熱則乾故曰嗌乾也甚謂厥陰邪氣盛也厥陰之脈俠胃屬肝絡膽上入頏顙故陰陽相薄熱中而嗌乾也

陽明脈病

[illegible]

陽明脈

黄帝問於岐伯曰陽明之脉病惡人與火聞木音則惕然而驚鍾鼓不為動聞木音而驚者願聞其故岐伯對曰陽明者胃之脉也胃者土也故聞木音而驚者土惡木也十二經脉而別解陽明者胃受水穀以資藏府其氣最大氣和為發之大要聊為病之甚故別解之

黄帝曰善其惡火何也岐伯曰陽明主肉其血盛邪客之則熱熱甚則惡火其惡人何也

岐伯曰陽明厥則喘而惋惋則惡人惋武縈反此

[illegible]其惡人何也
岐伯曰陽明厥則喘如惋惋則惡人惋武縣反此經中爲悶字
黃帝曰善或喘而死者或喘生者其故何
也岐伯曰厥逆連藏則死連經則生連藏病深故死連經病淺故生
黃帝曰善陽明病甚則弃衣而走登高
而歌或至不食數日踰垣上屋所上非其素
時所能也病反能何也岐伯曰四支者諸陽之
本也邪盛則四支實實則能登高其弃衣
[illegible]何也岐伯曰[illegible]

者也耳胃則四支實實則能登高其弃衣

何也岐伯曰熱盛於身故弃衣而走其罵詈不

避親踈而歌者何也岐伯曰陽盛則使人不欲食

故妄言 妄，光也。其人非是光有此態，因陽明病故也。手足陽明之脈盛實，好爲登陟，以其熱悶，

所以弃衣也

黄帝内經太素卷第八 經脈之一

[illegible]

仁安二年四月五日以同本書寫了

丹波頼基

黄帝内經太素卷
仁安二年四月五日以同本書寫了 移點校合了 丹波賴基
本云
仁平元年十二月廿日以家本寫移點校合了 憲基

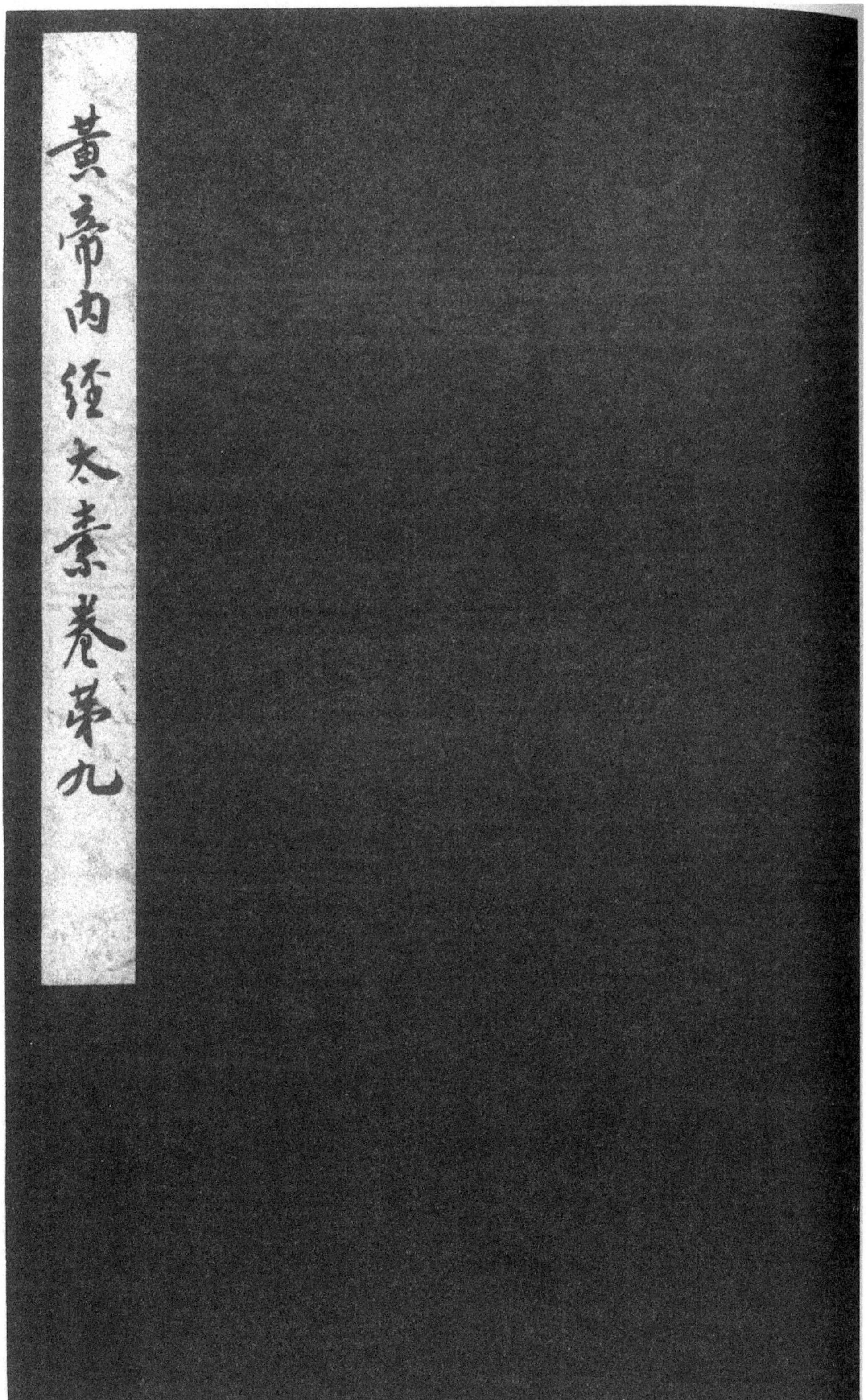
黄帝内經太素卷第九

黄帝内經太素卷第九 經脈之三

通直郎守太子文學臣楊上善奉 勅撰注

經脈正別

脈行同異

經絡別異

十五絡脈

經脈皮部

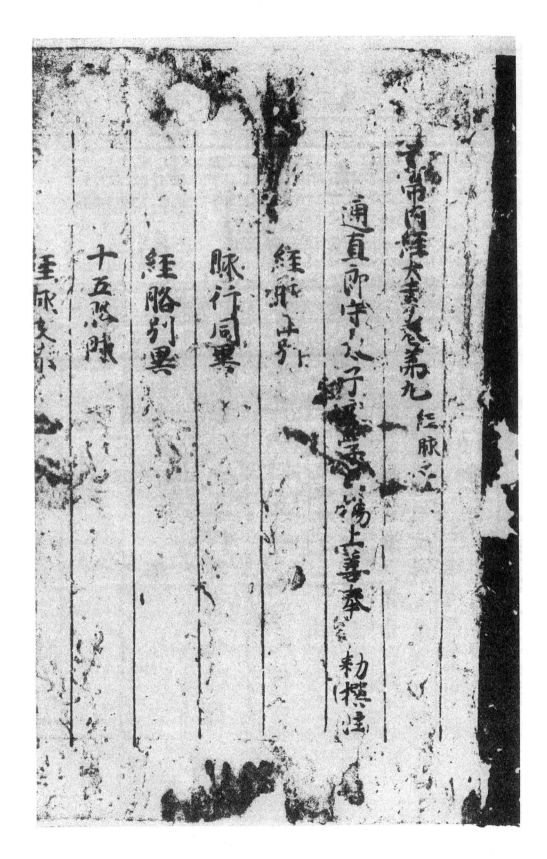

十五[illegible]

經脈後篇

經脈正別

黃帝問於岐伯曰：余聞人之合於天道也，內有五藏以應五音五色五時五味五位，外有六府以應六律，六律建主陽天地變化之理，謂之天道。人從天生，故人合天道。天道大數有二，謂之五、六。故人應之。五藏應音色時味位等，五主陰也。外有六府以應六律，六律主陽也。建，立也。之諸經而合之十二月十二辰十二節諸陰陽人之十二經脈也，與月辰節[illegible]

[illegible]脈等諸十二數合於四時五行[illegible]

言脈合之十二月十二辰　脈也與月辰而

脈等諸十二藏合之合十二時八節也又十二月各有節也之　十二經水十二時十二

經脈者此五藏六府之所以應天道也夫十二

經脈者人之所以生十二經脈乃是五藏六府經脈故偏勸通之舉其八德以勸通之人之受

身時二月而為二月成形是先故所以生也病之所以成邪客經脈入於藏府遂成病故曰所以也人

之所以治行諸血氣營於經脈調諸血氣療身者謂經脈病之所以起

是動所生故病起也學之所以始將學長生之始須行導引調於經脈也工之所止也

欲行十全之道諸人可留心調於經脈之要也粗之所易愚人淺識經脈為易謂達人之賤實也之

上之所難也智者以經脈為妙精用其難人言二

留心調於經脈，心留也。粗之所易，麁人之賤，寶也之

工之所難也。智者以經脈為妙，若知譬之難知也。請問其離合出入奈

何？經脈相別，以離其出，復還本經，是合與入也。覺陳其理，請解所由，故白奈何也。岐伯稽首

再拜荅曰：明乎哉問也！此麁之所過，上之所息

也。請卒言之。近學淺知，謂之粗也；深求遠達，謂之工也。工者，究心經脈之道，以十全為意。粗者志存名利，乏數能嫉，寄焉而已，具留也。麁登之大，故請卒言之。足太陽之正，別入

於膕中，其一道下尻五寸，別入於肛，屬於膀

胱，散之腎，循膂，當心入散；直者，從膂上出於

項，復屬[illegible]十二大經復有正別，正

膂之陰，循膂當心入散；直者，從膂上出於

項，復屬於太陽，此為一經也。十二大經復有正別，正謂六陽大經別行還

合臟經；別謂六陰大經別行合於腑經，不還本經，故十二為

別。足少陰、足厥陰雖稱為正，並是別經，不還本經也。唯此

陰為正，餘陰皆別。或以諸陰為正者，黃帝以後撰集之

人以二本莫定，故前後時有俳或，有言一日皆是，不定一

說。足太陽正者，謂正經也；別者，大經下行至足小指外側，

分為二道，一道上行至於膕中，一道上行至尻臀下，入

於肛，肛謂白腸末名，從屬於膀胱，上散之腎，循膂上

行當心入內散。直者，謂循膂上行至項，屬於太陽，此為一

正從之別

足少陰之正，至膕中，別走太陽而合，上至腎，

當十四椎，出屬帶脈；直者，繫舌本，復出於項，

合於太陽，此為一合。成以諸陰之別皆為正也

當十四椎出屬帶脈直者繫舌本復出於項

合於大陽此為一合或以諸陰之別皆為正三

陽大經從頭至足其正別則從足向頭其別皆從足物大經

終處別上行至至其出處而論陽合也足三陰大經從足至胸其

正別則從足上行向頭亦至其出處言為合足少陰正上行

至膕別走太陽合而上行至腎出屬帶脈起季肋端散少陰

當十四椎出屬帶脈出上而繫舌本直上行至項復合於

陽別此少陰之合大陽此太陽少陰表裏以為一合也

足少陽之正繞髀入毛際合於厥陰別者入

季肋之間循胸裏屬膽散之上肝貫心以上俠

咽出頤頷中散於面繫目系合少陽於外眥

足少陽正上行至髀繞髀入陰毛中厥陰大經環陰器故即

叫出與合□前於面□□□合□入門□外□

足少陽正上行至髀繞髀入陰毛中厥陰大經環陰器故所與合也合厥陰外別循胸裏屬膽上肝貫心上行達面目合本

之陽足厥陰之正別跗上〻至毛際入合於少陰陽

與別俱行此爲二合足厥陰正與支經並行至髀上〻行陰毛少陽行於此故與之合已並行向頰此足少陽足厥陰表裏以爲二合

足陽明之正上至髀入於腹裏

屬於胃散之脾上通於心上循咽出於口上頞

䪼還繫目系合於陽明足陽明正上行至髀入腹屬胃已脾通心〻行至目系還合本經也

足太陰之別上至髀合於陽明與別俱行上

[illegible]足太陰別上行至髀與陽

陛也足太陰之別上至髀合於陽明與別俱行上絡於咽貫舌本此為三合足太陰別上行至髀與陽明合並而行上貫於舌中故舌下中脈者足太陰也此足陽明太陰表裏以為三合也手太陽之正指地別於肩解入腋走心繫小腸地下也手太陽正從手至肩下行走心繫小腸故指地也小腸即太陽也手之六經唯此一經下行餘並上行向頭之也手少陰之別入於淵腋兩筋之間屬於心上走喉嚨出於面合目內眥此為四合手少陰別上行入淵腋兩筋入屬心上行出面合目內眥即手太陽也此手太陽少陰表裏以為四合手少陽之正指天別於巔入於缺盆天上也手少陽正從手上巔

下走三焦散於胸中

為四合　手少陽之正指天別於巔入於缺盆

下走三焦散於胸中（天上也手少陽正從上上巔為指天也下走三焦三焦即手少陽上散胸中也）手心主之別下淵腋三寸入於胸中別屬

三焦出循喉嚨出耳後合少陽完骨之下此

為五合（手心主別從手上行至腋腋下三寸至於腋入泉於胸中屬三焦已上行出耳後完骨下合手少陽此手與手少陽心主表裏以為五合）手陽明之正至膺乳別上於肩

髃入柱骨之下走大腸屬於肺上循喉嚨出

缺盆合於陽明（手陽明正從手上行注於膺乳上行至肩髃柱骨之下下走大腸上屬於肺）

上出缺盆之[illegible]

缺盆合十隊也 肩髃柱骨之下，下走太腸，上屬於肺，上出缺盆之之處合大經也

手太陰之別，入淵掖少陰之前，入走肺，散之大腸，上出缺盆，循喉嚨，復合陽明，此為六合。手太陰別從手上行至掖下，掖至泉掖，至手少陰前入走肺之於大腸，上出缺盆，循喉嚨，合於陽明，至於大腸已為合，合喉嚨更合，故云復也。此陽明大陰表裏，以為六合。此十二經脈正別行處與十二大經大相似，同學者多不存意，所以診病生處不能細知也

脉行同異

黃帝問於岐伯曰：脉之屈折出入之處，焉至而

○脈之屈折出入之處焉至而
出焉至而止焉至而徐焉至而疾焉至而入六
府之輸於身者余願盡聞其序舉其五藏問五藏脉行處
并問身之六府之輸別離之處離而入陰別而行陽皆何
道從行願聞其方岐伯對曰窘乎哉問明乎哉
道問陰陽二脉離合之處也黄帝以顧舉問之岐伯曰手太陰
之脉出於大指之端內屈循白肉至本節之後
大淵留以澹外屈上於本節手大陰脉從藏行至從後一支上大
指次指之端衆焉手陽明脉其本齊[illegible]後上魚循魚際

大淵留以澹外屈上於本節至腕後一寸上魚

指次指之端變爲手陽明脉其本在腕後上魚際出大指之端別指端內屈迴循大指白肉至本節後太泉

穴處停留成澹而動然後外屈上於本節也澹徒濫反也

以下內屈與手少陰心

主諸胳會於魚際數脈并注

上於本節已前從本節之下內屈與手

少陰心主諸胳會於魚際然後別與數胳并為流注也

其氣滑利伏行壅骨之

下外屈出於寸口而行上至於肘內廉入於大

筋之下內屈上行臑陰入掖下內屈走肺

壅骨

謂手魚骨也臑陰謂手三陰脉行於臑中故曰臑陰其脉元從中焦以是肺脉上屬於肺今從外還與至於肺故

手太陰經上下常逆是以百丁逆支之所行也

手太

死從中雖氣是肺脉上屬於肺今從外還與至數肺故

手太陰經上下常動是動所生之病療此一經也此順行逆數之屈折也手太陰一經之中上下常行名之為順數其屈折從手向身故曰逆數也心主之脉出於中指之端內屈循中指內廉以上留於掌中伏行兩骨之間外屈出兩筋之間骨肉之際其氣滑利上行三寸外屈行兩筋之間上至肘內廉入於小筋之下兩骨之會上入於胸中內絡心肺心主之脉從心已起出於中指之端所中指端內屈迴循中指內廉上入胸中內絡心肺心主一經上下恒通是動所生俱療此經舉手太陰心主二經餘之十經順行逆數

脉中指内廉上入胃中内絡心肺心主一経上下恒通其動
所生便療此経并手太陰心主二経並之十経恒行達數
例皆同也営衛之氣一日一夜行廿八脉五十周如環無端
其正経異之矣也　黄帝曰手少陰之脉獨無輸何也岐伯
曰少陰心脉也心者五藏六府之大主也精神之
舍也其藏堅固邪弗能容也容之則心傷心傷則
神去之則死矣故諸邪之在於心者皆在於
心之包絡包絡者心主之脉也故獨無輸焉黄
帝曰少陰獨無輸者不病乎岐伯曰其外経病
而藏不病故獨取其経於掌後鋭骨之端其藏

少陰獨無輸者不病乎岐伯曰其外經病

而藏不病故獨取其經於掌後兌骨之端其藏堅固

者如五藏中心有堅脆心脆者則善病消癉以不堅故善病消癉即是受邪故知不受邪者不得受外

邪至於飲食資心不致病者不得無邪之所以少陰心之主所以病皆有療也又明堂手少陰亦有五輸

主病不得無輸即其信也兌骨之端手少陰輸也其餘脈出入屈折

其行之徐疾皆如手太陰心主之脈行也餘謂十經

經脈者也故本輸者皆因其氣之實虛疾徐以取之

是謂因衝而寫因衰而補如是者邪氣得去

真氣堅固是謂因天之序因時之盛也真氣被[illegible]

[illegible]

真氣堅固是謂因天之序因衝之盛也真氣和氣也是謂因天四時之序

淫邪去焉存之也黃帝曰經脉十二而手太陰足少陰

陽明獨動不休何也總問三脉常動所由岐伯曰足陽明胃

脉也胃者五藏六府之海也穀入於胃變為糟粕津液宗氣分爲三隧泌津液注之於脉化而為血以營四末內注五藏六府以應刻數名為營氣其出悍氣慓疾先行四末分肉皮膚之間晝夜不休者名為衛氣營出中膲衛出上膲也大氣摶而不行名為宗氣積於胃中命曰氣海出於肺循喉嚨呼則出吸則入也故胃為五藏六府之海也其清氣上注於肺氣從太

陰而行之胃之清氣上注於肺從手[illegible]行之以[illegible]来

藏六府之海也其清氣上注於肺肺氣從太陰而行之胃之清氣上注於肺從手太陰一經之脈上下而行其行也以息徃来其手太陰脈上下行也要由胃中氣海之氣出肺循喉嚨呼出吸入以息徃来故手太陰脈得上下行故人一呼脈再動一吸脈亦再動呼吸不已故動而不止脈手太陰脈也人受穀氣積於胸中呼則推於手太陰以為二動吸則引於手太陰復為二動命為氣海呼吸不已故手太陰動不止也黄帝曰氣之過於寸口也上焉息下焉伏何道從還不知其極寄謂手太陰脈氣從手寸口上入肺而息從肺下至手指而屈伏屈也肺氣循手陰脈道下手至手指端還肺之時從本脈而還為別有脈道理也吾不

道下手至手指端還肺之時從本脈而還焉別
有脈氣還也吾不知端極之處也岐伯曰氣之離於藏也卒然如弓
弩之發如水之下崖上於魚以反衰其餘衰
散以逆上故其行微氣手太陰脈氣也手太陰脈魚從胃中雖上入於肺下接
向手上魚至少商之時以乘脅府盛氣如弓弩之發機比謂流之下岸言其盛以從少商更迴逆上向肺稍衰
脈而還入藏府衝逆盡盛氣衰微故其行遲微之也黃帝曰足之陽
明何因而動十二經脈皆有動處之經動有休時此之經常動不息太陰常動足
章故次問陽明常動之義故問脈動也岐伯曰胃氣上注於肺十二
經脈行走皆從藏走陰府走之陽走之頭走之陰絡別走

義故曰何因動也

經脈別走，皆從藏之陰絡，別走之陽；亦從府之陽絡，別走之陰。此之別走，乃別胃府盛氣，是足胃脈陽明經者何也？答曰：胃者水穀之海，五藏六府皆稟之，別氣之一道之氣，答於陽明，故陽明得在經脈中長動，左結喉兩箱，名曰人迎，五藏六府脈氣並出其中，所以別走，與餘不同。

其悍氣上衝頭者，循咽，上走空竅，悍氣衝時，循咽上走七竅，使七竅通明也。悍音汗。循眼系，入絡腦，出顑，下客主人，循牙車，合陽明，復循眼系。絡腦兩箱，出於頷下。顑謂牙車骨，屬顑骨之下也。并下人迎，此胃氣別走於陽明者也。足陽明經及別走，氣三脈下也，為人迎也。故胃別氣走陽明也。故陰

……寸口手太陰也。陽謂人迎

[illegible]為人迎也故曰病在陽明也[illegible]

陽上下其動也若一，陰謂寸口手太陰也，陽謂人迎足陽明也，上謂人迎，下謂寸口。有其二義：人迎是陽，所以為上也；寸口是陰，所以居下也。又人迎於頸，所以為上；寸口在手，所以為下。人迎寸口之動，上下相應俱來，辟之引繩，故若一也。所論人迎寸口，唯出黃帝正經，計此之外[illegible]更有異端。近相傳者，直以兩手左右為人迎寸口，是則兩手相望以為上下，竟無正經可憑，時賢[illegible]也。

故陽病而陽脈小者為逆，陰病而陰脈大者為逆。陽大陰小，乃是陰陽之性。[illegible]病人迎大小俱病，而大者為順，小者為逆；陰病寸口大小俱病，而小者為順，大者為逆。順則易療，逆者為難也。

故陰陽俱靜與其動若引繩同傾者病也。謂人迎寸口[illegible]脈乍動乍靜乍躁若[illegible]

蹷逆者為難也。故陰陽俱靜與其動若引繩
相傾者病也。謂人迎寸口之脈，作靜作躁，若引繩相傾作動作靜者病也。黃帝
曰：足少陰何因而動也？言陽明常動於前，故論足少陰脈動不休也。
岐伯曰：衝脈者，十二經之海也，與少陰之大絡起
於腎下，出於氣街，循陰股內廉，邪入膕中，循
脛骨內廉，並少陰之經，下入內踝之後，入足下；
其別者，邪入踝，出屬跗上，入大指之間，注諸絡，
以溫足脛，此脈之常動者也。少陰正經從足心上內踝之後上行，循股向
腎。衝脈起於腎下，與少陰大絡下行出氣街，循股入

[illegible]踝之後上行循脛向
腎衝脈起於腎下與少陰大絡下行出氣衝循脛入
內踝後下入足下接逆順肥瘦手陰獨下中之治廿
陰大絡若不則衝脈與少陰常動也若取足少陰貫
脈陰下別於行常動少陰不能動也
帝曰營衛之行也上下相貫如環之無端今有
其卒然遇邪氣及逢大寒手足懈惰其脈
陰陽之道相輸之會行相失也氣何由得還
營行手太陰下手大指次指之端迴為手陽明上
行至頭下足陽明如此十二經脈陰陽相貫如環無端
也卒有邪氣及寒客於四末
陰陽相輸之道不通何由還也
岐伯曰夫四末陰陽之
[illegible]

陰陽相輸之道不通何由還也此但見四末陰陽之

會者此氣之大絡也四衝者氣之徑也故絡絶則

經通四末解則氣從合相輸如環 四末謂四支身之末也四衝謂

胃腹所衝脈氣通也邪氣入寒塞於四末先客胳脈胳脈雖實内經尚通故氣相輸如環寒邪解已復得通

也

黄帝曰善此所謂如環之無端莫知其紀終而

復始之謂也 述其所解

經脈别異

黄帝曰經脈十二經脈者伏行分肉之間深而

[illegible]

黄帝曰經脉十二經脉者伏行分肉之間深而
見其常見者足太陰過於内踝之上無所隱故
見也諸脉之浮而常見者皆絡脉也十二經脉及諸絡脉其正
見者謂十一經也其可見者謂足太陰經上行至於踝上以其皮薄故見也諸絡脉皆見者也六經
絡手陽明少陽之大絡也起於五指間上合肘中
六經絡中手陽明絡肺府之絡也手少陽絡三焦之絡也手陽明大腸之經起大指次指之間即大指次指及中
指内間手陽明絡起也手少陽經起小指次指間即小指次指及中指外間手少陽脉起也故二脉絡起五指間也
飲酒者衛氣先行皮膚先充絡脉絡脉先盛故
衛氣已平營氣乃滿而經脉大盛而是數之

飲酒者衛氣先行皮膚先充絡脈〻先盛故

衛氣已平營氣乃滿而經脈大盛也 酒是熟穀之液入胃先行皮膚故衛氣盛衛氣注之脈中故平營氣滿也營氣滿於所入之絡則行入經脈絡大盛動也

脈之卒然動者皆邪氣居之留於本末 十二經脈有卒然動者皆是營衛之氣將邪氣入此脈中故此脈動〻之本者即是此經本末也絡脈將邪入於衛氣〻〻邪入於此脈本末之中留而

不動則熱 若邪在脈中盛而不能故為動也熱即熱也

不動則當邪居處蒸而熱也

不堅則陷且空不與衆同是以知

其何脈之病之 當邪居處熱邪盛也必為緊乾若寒邪盛多脈陷滿空與平人不同以此候

夫知十二經[illegible]

其行用□□之 邪盛多。脉陷。空與平人。不同。以此候

忌知十二經中脈經之病 雷公曰。何以知經脉之與胳脉異邪。黄

帝曰。經脉者。常不可見其虚實也。以氣口知之。

脉之見者。皆胳脉也。 經脉不見。若候其虚實。當許寸口可知之也。胳脉。揔居五色可

見。即目覩之。以知虚實也。 雷公曰。細子無以明其然。 細子謙稱

也。經脉許氣口可知虚實。摘未明其胳脉見之然也。 黄帝曰。諸胳脉皆不能

經大節之間。必行絶道而出入。復合於皮中。其

會皆見於外。 大節謂十二大節等也。凡胳脉之行。至大節間。皆絶道出節。至外入

於皮中與餘胳合……

會[illegible][illegible]者多生大節間[illegible]深於骨道出節至外入

於皮中與餘胳合見於皮施山也故諸刺胳脉者必刺其結上

甚血者雖毋結急取之以寫其邪而出其血

留之發爲痹也此言瘀胳所在也瘀謂聚也邪客於胳有血聚處可刺去之雖無聚

處觀於胳脉血盛之處即有邪居可刺去之恐其邪氣傳血聚爲痹病也凡診胳脉

々色青則寒且痛赤則有熱胃中寒手魚

之胳多青矣胃中有熱魚胳赤赤與黑者

留久痹也其有赤有青有黑者寒熱此言診胳

經實法也胳色有三青赤黑也但青有寒但赤有熱

皆久痹也其有赤有青有黑者寒熱 診絡

虛實法也。絡色有三，青赤黑也。但青有寒，但赤有熱，

但黑有痹。三色具者，即有寒熱也。色之候者，青赤

二色候胃中也。時候其絡習者，手陽明脈與太陰合，太陰

之脈循胃口，至其故候太陰之絡，知胃寒熱。胃中

有痹，未可候其，若邪客

屢久留成痹，所便診之。其青而小短者，少氣也。

青色主寒，而短小

者，所寒氣少也。凡刺寒熱者，皆多血絡，必間日

而一取之，血盡而止，乃調其虛實。此言刺絡脈法

也。寒熱，胃中寒

熱也。以胃氣故青赤，絡脈血乃多者也。其小而短者

斂為多日刺之，故間日取，得平乃止也。

少氣，甚寫之則悶，悶甚則仆不能言，悶則

陰脈小而短者，則陰氣少，故甚寫絡，則生

意坐之陰脉小而短者則陰氣少故喜踞倒坐也屈之即脉滿故醒而能言也未可陰陽絡皆其經即二氣俱少陽之作也得語也

十五絡脉

手太陰之别，名曰列缺，十二正經有八奇經合廿脉皆爲之經廿脉中十二經脉皆脉及任衝脉有十四經各别出一脉有十四脉解藏復出一脉合有十五脉名爲大絡任衝及脾所出散絡而已餘十三絡從經而出行散絡已别走餘經以爲受通從十五絡别出小絡名爲孫絡任衝二脉雖别同稱一絡名曰尾翳似不别也别於太陰一經故曰别也絡詩義别走絡亦别太經所以稱缺此穴列於缺減大經之處故曰列缺也

以釋缺此穴列於缺藏大經之處故曰列缺也

起於腋下分間腋下分間即手太陰經也並太陰之經直入掌中散入於魚際其病實則手兌掌熱取之去腕一寸半別走陽明並處從支絡入魚際別走陽明經也陽明與太陰合也餘皆放此之也

手少陰之別名曰通里去腕一寸別而上行循經入于心中繫舌本屬目系其實則支鬲虛則不能言取之腕後一寸別走太陽里居處也此穴乃是手少陰脈氣別通為絡居處故曰通里也交諸也少陰脈起心中故實則搘膈而悶之虛則不能言也

手心主之別名曰内關手心主主此太陰少陰之所起

諸也。少陰脈起心中，故實則揣膈，不開之，虛則不能言也。

手心主之別，名曰內關，手心主。主與太陰、少陰之脈起於別絡，內通心包，入於少陽，故曰內關也。去腕二寸，出於兩筋間，循經以上，繫於心包，絡心系。實則心痛，虛則為煩，取之兩筋間。檢明堂經兩筋間下有別走少陽之言，此經無者，當是脫之也。

手太陽之別，名曰支正，正乙。絡也。支，絡脈也。太陽正經之上支，別此絡支向小陰，故曰支正也。去腕五寸，內注少陰，其別者上走肘，絡肩髃。實則節弛肘廢，虛則生肬，小者如指痂疥，取之所別。弛，縱緩也。肬，音尤，痛也。又𤻲也，皮外小結也。痂，音間。[illegible]……手陽明

出用卜者如有病痛耳無所聞痛也又齲也皮外

小結也痛音同疵瘕瘕寮瘥甲也疥公癰文也手陽明之別名曰偏歷手陽明絡上偏

出腕絡經歷手臂別走太陰故曰偏歷也去腕三寸別走太陰其別

者上循臂乘肩髃上曲頰偏齒其別者入耳

會於宗脉實則齲耳聾虛則齒寒痹隔取

之所別手陽明絡上於曲頰偏入下齒之中宗總也耳中有手太陽手少陽足少陽足陽明絡四脉總會之

屬故曰宗脉手陽明絡別入耳中與宗脉會故實則齲而聾也五陽之脉皆貫於膈故陽虛膈中痹熱之病知

此也手少陽之別名曰外關此是少陽之絡別行心主外關故曰外關之也

去腕二寸外繞臂注胸中合心主病實則肘

也手少陽之別名曰外關 外關故曰外關之也

去捥二寸外繞臂注胸中合心主其病實則肘攣

虛則不收取之所別 實則肘急故攣屈則緩縱故肘不收之也 足太陽之別名

曰飛陽 此太陽絡別走向少陰經迅疾如飛故曰飛陽也 去踝七寸別走少陰實

則鼽窒頭背痛虛則鼽衄取之所別 窒塞也知栗反

太陽走同內背絡入鼻中故實則鼻塞也虛則無力自守故鼻衄也 足少陽之別名曰光

明光明即脉也少陽厥陰主目眼故少陽絡爲其名之 去踝五寸別走厥陰下絡

足跗上實則厥虛則痿躄坐不能起取之所

別少陽之脉肓以上實多生厥逆病也肓已

足跗一實則厥虛則痿躄坐不能起取之所

別少陽之別實以上實少生厥逆病也實已下脈虛則痿躄故痿躄不能行也躄足音擘也足陽明之

別名曰豐隆足陽明榮氣隆盛至此處並溢出亦大絡故曰豐隆去踝八寸別

走大陰其別者循脛骨外廉上絡頭項合諸經之

氣下絡喉嗌其病氣逆則喉痺卒瘖實則

狂癲虛則足不收脛枯取之所別實并於上故爲癲疾

虛則下不足故足不收足太陰之別名曰公孫肝木爲公心火大爲子脾土爲孫穴在公孫

之脈因名公孫也去本節之後一寸別走陽明其別者入

絡腸胃厥氣上逆則霍亂實則腸中切痛

公孫也　去本節之後一寸別走陽明其別者入

絡腸胃厥氣上逆則霍亂實則腸中切痛虛

則鼓脹取之所別　陽明絡入腸胃清濁相干厥氣亂於腸胃遂有霍亂食多脈實

故腸中痛無食脈虛故邪氣脹滿也　足少陰之別名曰大鍾　鍾注也此穴是少陰

大絡別注之處故曰大鍾　當踝後繞跟別走太陽其別者並

經上走於心包下貫腰脊其病氣逆則煩悶

實則閉癃虛則腰脊痛取之所別　大鍾絡走心包故病則煩悶實

則膀胱閉淋不足則為脊痛也　足厥陰之別名曰蠡溝　蠡力洒反瓢勺也腨骨之

內上下虛實有似瓢勺　去內踝五寸別走少陽其別

足則爲脊痛也。足厥陰之別，名曰蠡[illegible]分也，斷骨之內上下，虛實有紛亂，渠溝，此因名曰蠡溝。去內踝五寸，別走少陽。其別者，循脛上睾，結於莖。其病氣逆則睾腫卒疝，實則挺長，熱，虛則暴癢，取之所別。睾，囊也。此絡上囊，聚於陰莖也。挺長，陰挺出長也。虛則暴癢也。督脈之別，名曰長強。督脈，諸陽脈長，其氣[illegible]盛，穴居其處，故曰長強之也。挾膂上項，散頭上，下當肩胛左右，別走太陽，入貫膂。實則脊強，虛則頭重，高搖之。挾脊之有過者，取之所別。挾脊有過，則知督脈兩邊以爲定也。

[任]脈之別，名曰尾翳，下鳩尾，散於腹。實則腹

於之任衝之下過著脈之所別脈兩道以為定也

任衝之別名曰尾翳下鳩尾散於腹實則腹

皮痛虛則癢搔取之所別 尾所鳩尾一名尾翳 是心之蔽骨此之絡

脈起於尾翳故得其名任衝二經此中合為一絡皆以

其營處是一同故合之也任衝浮絡行腹皮中故實盛痛

也虛以不足故邪 乏癢搔索寧也

脾之大絡脈名曰大包 脾為中土四 藏之主包裹

處也故曰 大包之也 出淵腋下三寸布胸脅實則身盡

痛虛則百節皆縱此脈若羅絡之血者皆

取之所別 脾之盛氣從腋下三寸當泉腋而出布於 胸脅散於百體故實則遍身皆痛

虛則數氣不足所以百節緩縱此脈乃是人之

肉之區分骨節散於百體故實則遍身皆痛
虛則數氣不足所以百節緩縱此脈乃是人絡之
上羅絡之血脈也由是有病皆取之也
凡此十五絡者實則必見虛則必下視之不
見求之上下人經不同絡脈異所盛則〻滿脈中故也見虛則脈中
少血故必下脈下難見故至下求之人之稟氣得身
百體不可一者豈有經脈而得同乎故須上下求之方得見也

經脈皮部

黃帝問岐伯曰余聞皮有分部〻謂十五大絡備其行處以求其病次
說皮部十二絡之以十二經上之以皮分脈有經紀大絡
十二部以取其病故曰皮有部也小絡
總以十二大脈以〻動門結各十二〻〻筋若有結骨可是

十二部以取其病故曰皮有部矣也　脈有經紀　小絡
惣以十二大脈以為皮部經紀　筋有結絡　十二經筋各有結聚各有包絡　骨有度
量　骨有大小長短度量　其所生病各異　以其皮脈筋骨各各不同故皮脈筋骨生病
異之　別其分部左右上下陰陽所在　別其皮脈筋骨分部異者
有左有右有上有下有陰有陽六種所在　病之終始　病客前六有初有極也　願聞其
道　岐伯曰欲知皮部以經脈為紀諸經皆然　欲知
皮之部別十二經為經紀也十二經皮部絡皆以此為例也　陽明之陽名曰害蜚
上下同法　蜚扶貴反陽明大經為陽故大小絡為陽明之陽陽明之脈有手有足手則為上足則為下足
手陽明在手為下在頭為上足陽明在頭為上在足下

二八之陽陽明之脉有手有之手則爲上足則爲下足
手陽明在手爲下在頭爲上足陽明在頭爲上在足爲下診色行鍼皆同法也餘皆放此之

視其部中有浮絡者皆陽明之絡也 浮謂大小絡見於皮者也

其色多青則痛多黑則痹 絡脉俱有五色然絡以色偏多者候其別病邪客分肉之間迫肉初痛故絡青也久留爲寒爲聚或爲不仁以成於痹故絡青深爲結黑也

多黃赤則熱 痹熱在中氣溢皮膚故絡黃赤之

多白則寒 寒白寒色故寒氣在中絡白色也

五色皆見則寒熱 青赤黃〻等爲陽色也白黑二種爲陰色也今二色俱見當知所病有寒熱也

絡盛則入於經 盛大小絡盛也大小絡中痛痹熱寒寒熱五邪盛者則循絡入經也

陽[illegible] 陽絡主外陰絡主内也在陽少陽之陽

用脈則大於絡，寒熱互邪盛者則循絡入經也。

陽主外，陰主內。陽絡主外，陰絡主內也。在陽絡者主外，在陰絡者主內也。少陽之陽名曰樞持，上下同法，視其部中有浮絡脈者，皆少陽之絡也。絡盛則入經，故在陽者主內，在陰者主出，以滲於內也。諸經皆然矣。少陽絡盛則入於經，故主內也；經盛外溢，故主出也。諸陰陽絡主內出者，例以此知也。滲，山蔭反，下入也。太陽之陽名曰關樞，上下同法，視其部中有浮絡脈者，皆太陽之絡也。絡盛則入客於經。外盛者則入於大經也。少陰之陰名曰樞檽，

而泉[illegible]

[illegible]於大絡也 少陰之陰名曰樞[illegible]而泉反上下同法視其部中有浮絡者皆少陰之絡也絡盛則入客於經其入於經也從陽部注於經從陽絡部注於陽經也其經出者從陰注於骨從陰絡部出注陰經内注於骨少陰主骨也心主之陰名曰害肩上下同法視其部中有浮絡者皆心主之絡也絡盛則入客於經太陰之陰名曰關樞上下同法視其部中有浮絡者皆太陰之絡也絡盛則入客於經

凡十二經絡脈者皮之部也皮有部者以十[illegible]

注問者行太陰之脈也脈盛則入客於經

凡十二經脈者皮之部也 皮有部者以十二脈分為部也 是故百病

之始生也 下廣論外邪生於百病次第所由也 必先客於皮毛邪中之

則腠理開開則入客於絡脈留而不去傳入於府

稟於腸胃 外邪氣風寒暑濕邪入身為病先著皮毛留而不去則腠理孔開開而入即客於絡脈〻〻傳入陽經陽經傳入六府於是稟氣腸胃之氣以為百病 邪之始入於皮也泝然

起毫毛開腠理 泝蘇護反流逆上也謂寒邪逆入腠理也以邪入身為病也初著皮毛能開腠理也 其入於絡也則絡脈盛色變 能令絡盛色變也 其入

於經也則感虛乃陷下 感氣為虛乃……

理也其入於絡也則絡脈盛色變也其入
客於經也則感虛乃陷下感氣爲虛乃虛少脈陷也其留於筋
骨之間寒多則筋攣骨痛熱多則筋弛骨消
肉爍䐃破毛直而敗矣備經入於筋骨之間留不去寒邪不去則爲二病
筋攣一也骨乃痛二也若熱邪不去則爲五病筋熱緩弛一也骨熱消細二也肉爍三也
爍於藥灸法邪在內也䐃腸破裂四也毛焦而五五也熱邪如此客於筋骨之間遂至於死也黃帝
曰夫子言皮之十二部其生病何如岐伯曰皮者
脈之部也邪客於皮則腠理開開則邪入客於絡
脈絡脈滿則注於經脈滿則入舍於府藏

脈之害也耶寒於則腠理開々則耶入客於脈

脈絡脈滿則注於經々脈々滿則入舍於府藏故

皮者有分部不與而生大病（前明耶入皮毛乃至稟於腸胃故言耶入乃至肩膚之肉令云耶入至於藏府皆行以從淺至深以至小大住淺不療遂生大病也與療也）黃

帝曰善夫絡脈之見也其五色各異青黃赤白

黑不同其故何也岐伯曰經有常色而絡無常

變（常謂五色見者定之血色也並五藏六府之經之屬五々故藏府大經各有常色陰絡隨於陰經色文不跌陽絡雜屬陽經以是陽脈之陽以隨時變之之）黃帝曰經之常色何如岐伯曰

是陽脉之陽以隨時變之[illegible]

心赤肺白肝青脾黄腎黑皆亦應其經脉之色

五藏五行之色皆令經脉故然色常也

黄帝曰其絡之陰陽亦應其經乎岐伯曰陰絡之色應其經陽絡之色變無常隨時而行

絡有陰陽陰絡是陰之陰故隨經色不變陽絡是陽之陽故隨時變也

寒多則凝泣凝泣則青黑熱多則淖澤淖澤則黄赤此其常色者謂之無病也

淖大卓反濡甚也澤其陽絡隨時隨時變也冬月寒甚則經脉凝泣凝泣不通則陽絡凝泣而青黑夏月熱盛血氣濡甚則陽絡熱而黄赤也陽絡如此隨四時而變者此爲陽絡常色[illegible]

胳泣之而青黑，夏日熱盛而氣濡，甚則陽胳熱而黃赤也。陽胳如此隨四時而變者，此為陽胳常色。謂之無病之候也。不可見而色見者病也。

五色俱見者謂之寒熱。黃帝曰：善。隨一時中五色俱見者，此為寒熱之病也。

黃帝内經太素卷第九　經脉之二

仁安二年四月廿日以同本書寫之

仁安二年四月一日以同本書寫了　丹波頼基
移點校合了

本
仁安元年八月二日以同家本移點校合
憲基

黄帝内經太素巻第十

首十三行缺

[illegible]

[illegible]中帝故精專[illegible]行於經[illegible]

[illegible]經之脈也

始是謂天地之紀[illegible]

行身營五十周如環无端[illegible]也[illegible]

數氣之大會[illegible]陽明[illegible]

注歸[illegible]上循[illegible]

竅入頏顙之竅究于畜門[illegible]

竅上行合陽明故營氣[illegible]

究于畜門頏顙上[illegible]

[illegible]上額循巔下項中

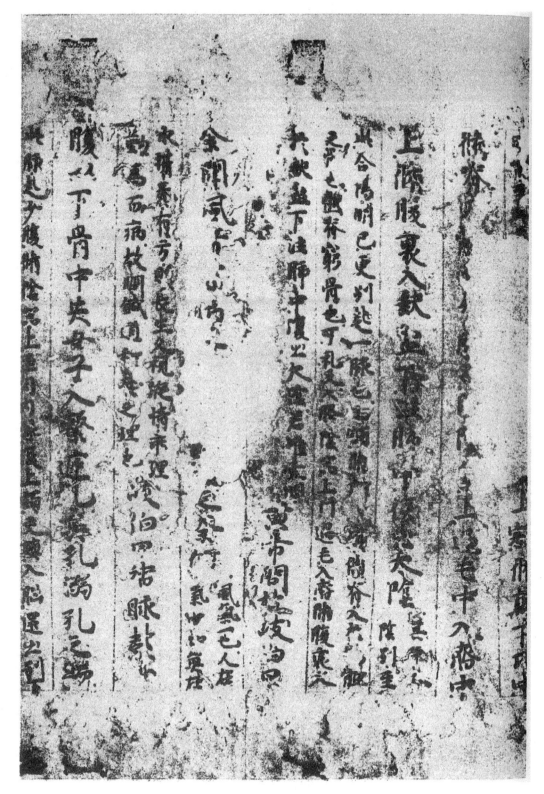

[illegible]上宗脈貫[illegible]

俠脊[illegible]上[illegible]中入腎[illegible]

上膈腹裏入缺盆[illegible]中[illegible]大陰 其陰別至[illegible]

其合陽明已更別起一脈也[illegible]脈入[illegible]脊入[illegible]

又下七椎脊旁骨也下乳又大[illegible]上行遇毛入腎肺腹裏之入

其缺盆下注肺中復出大迎[illegible]

黃帝問於岐伯曰

余聞風者[illegible]病之始也 風氣已入在[illegible]氣中和氣在

衣積氣有方所長生大[illegible]施持亦理

動為而病故獨識道[illegible]之理也淺泊[illegible]諸脈[illegible]

腹以下骨中央女子入繫廷孔其孔溺孔之端

此脈起少腹循陰器上[illegible]上[illegible]入腦還出別下

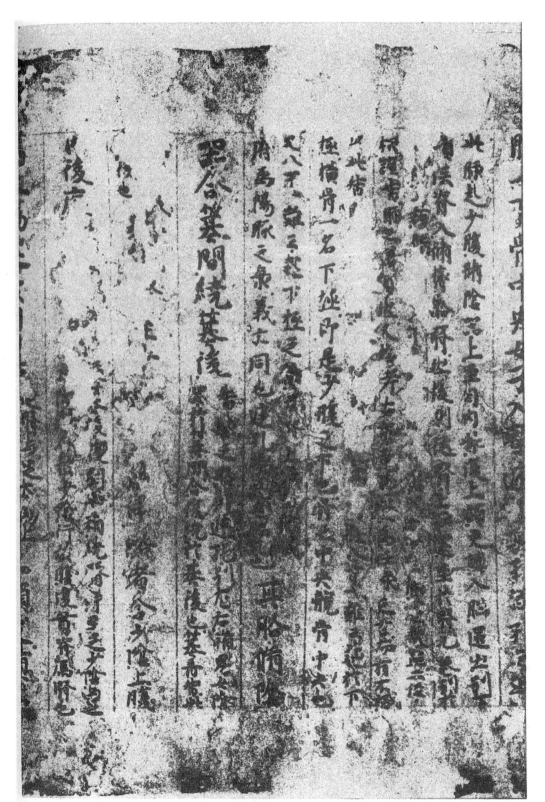

此脉起少腹，循陰器上，[illegible]内，[illegible]入臍，還出[illegible]

[illegible]脊入[illegible]，[illegible]將[illegible]腹[illegible]則[illegible]

[illegible]

此諸[illegible]

極横骨，一名下極，即是少腹之下也。[illegible]中央，髖骨中央也。

又八寸，二穴也，下極之[illegible]

[illegible]為陽脉之[illegible]，義亦同也。[illegible]

[illegible]合篡間，繞篡後。[illegible]

[illegible]

焉太陽起於目內眥上額交巔上

入絡腦還出別下項循肩髆內俠脊抵腰中

入循膂絡腎而上其男子循莖下至篡與女

子等

其少腹直上者貫

臍中央上貫心入喉上頤環唇上繫兩目之下中

央

亍而上此從少腹直上至兩目之下也貫齊貫心入喉上頤特為

下通也環脣以上復為二道之父
繫目下直瞳子故曰中央也

此生病從少腹上衝心而痛

痛不得前後為衝疝

從少腹上衝心痛前後之脈病
病不得前後便衝疝病矣也

癃痔遺溺嗌乾督脈生病治督脈

其孕字
子不産

痛癃痔遺溺脈是陰器上行至咽故為此等病也任脈
衝脈行乎[illegible]以咽[illegible]細脈督脈支絡癃之於結脈均之

癃任脈也有
平天痔字

帶脈

足少陰之正至膕中別走太陽而合上至腎

八十一難云帶脈起於季脇為廻身

[illegible]

當十四椎出屬帶脉 八十一難云帶脉起於季肋為迴身一周既言一周亦周脉脊也故帶

脉當十四椎束帶腰腹故曰帶脉也陽明者五藏六府之海也主潤宗

筋〻〻主束骨而利機關 陽明主於水穀故為藏府之海能潤宗筋〻〻約束

骨肉利諸機關也 衝脉者經脉之海也主滲灌谿谷 陽明[illegible][illegible]府之

海衝脉[illegible]氣[illegible][illegible][illegible][illegible] [illegible]主滲灌[illegible]肉分象谿谷 與陽明合於筋陰揔宗

筋之會〻於氣街而陽明為之長皆屬於帶脉

而絡於督脉 衝脉与陽明二脉合於陰器揔聚於宗筋 〻〻亦二[illegible]及蓋也復會於左右氣街以宗為[illegible]

[illegible]主共屬帶脉仍絡於[illegible]

□陽□□脈也即二脈及營也□□□□氣衝□□□陽明[illegible]

爲主共屬帶脈仍絡於督脈以帶脈爲控帶也故陽明虛則宗筋縱帶脈不引上

故足痿不用陽明穀氣虛少則宗筋之氣施緩帶脈不爲牽引則筋縱施節故足痿之

陰陽喬脈

黃帝問曰喬脈安起安止何氣營此喬一作蹻其亦反又音去遙反今

行健疾此脈所能故因名也喬高也此脈從足而出以上於頭故曰喬脈問其終始之處及此脈何藏之氣營也岐伯

對曰喬脈者少陰之別起於然骨之後上內踝之上九卷經云□□□□□[illegible]又則知陰□二[illegible]

[illegible]

[illegible]

絡屬之脉 [illegible]

是足少陰別脉也，然骨 [illegible] 跟 [illegible]

[illegible] 下 [illegible] 大 [illegible] 骨 [illegible] 直上循陰股入陰上循胸 [illegible]

入缺盆上出人迎之前入頄屬目内眥合於 [illegible]

陽蹻而上行 [illegible] 入陰者陰蹻脉入 [illegible] 是足少陰之 [illegible]

[illegible] 上行陽蹻 [illegible]

[illegible] 口邊合 [illegible]

[illegible]

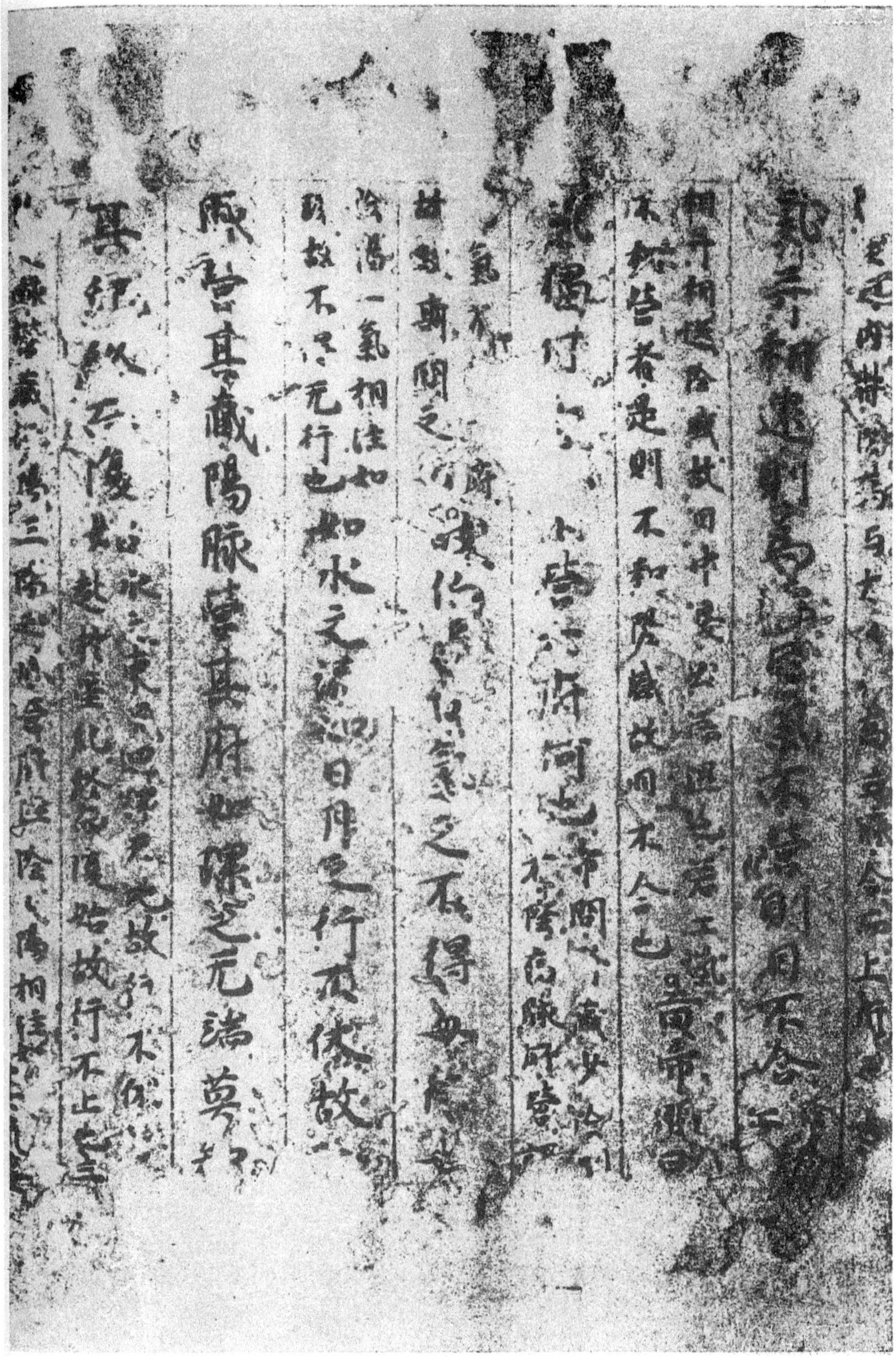
如水之流如日月之行不休故
脉營其藏陽脉營其府如環之無端莫知
其紀終而復始

其□□不□如赴於星紀陰陽復始故行不止也

□人歸藏於腎三陰三陽□□相隨□環如水之流日月之行然後復□□□紀也 其流溢

之氣內溉藏府外濡腠理□□□□代二□□□黃帝問曰蹻脈有

陰陽何者當數岐伯荅曰男子數其陽女子數其

陰當數者為經其不當數者為絡黃帝曰善

男子以陽為經陰為絡女子以陰為經以陽為絡也 陰蹻陽蹻陰陽相交

陽入陰陰出陽交於銳眥陽氣盛則瞋目陰氣

盛則瞑目 二蹻交於目內眥□□□□□從內出外陰□□□□□□□□

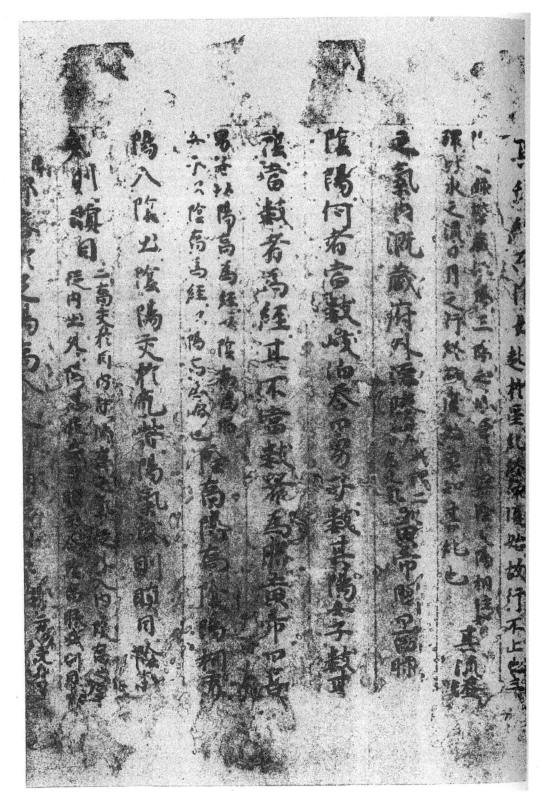

□□□之陽□

矣。黃帝曰：從内出外，[illegible]……合陰[illegible]

[illegible]邪客於足陽明，令人嗌痛，不可内食，[illegible]善[illegible]

俱至目内[illegible]，故邪客
痛從足内踝起

任脈

黃帝曰：婦人之毋鬚者，无血氣乎？[illegible]

岐伯曰：任脈、衝脈皆起於胞中，上循脊裏，

為經絡之海。此經任脈起於胞中[illegible]

平按：任脈注[illegible]雖本言[illegible]

[illegible]雖有前[illegible]

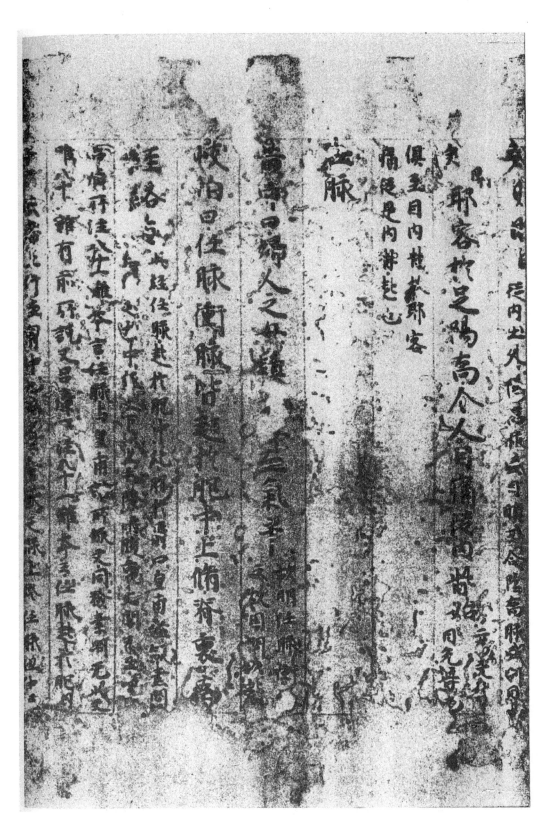

脣八寸，謂有[illegible]謂文呂[illegible]任脈[illegible]

焉，依齧上行至胃中，任脈者，會厭之脈上[illegible]任脈出[illegible]

之下，即是肥中，去是肥兩子戶，是則以[illegible]同也，八寸兼下經胃

中之坐咽喉，此經[illegible]則絡脣口，[illegible]會厭之脈上，脈[illegible]

內胃至咽，言其行處來爲終處，至脈絡脣口，兩四尺五寸，方爲[illegible]

又八寸[illegible]使[illegible]行，又明上至[illegible]

脈注脈之會，則知任脈去有分[illegible]上[illegible]也，又任衝二脈上行[illegible]

行處然此其經是同也[illegible]脈唯爲一道，衝脈[illegible]

循臍[illegible]不計[illegible]也，此脈上行[illegible]

[illegible]是以[illegible]

[illegible]也[illegible]不行[illegible]

絡脣口，任衝二脈[illegible]氣爲長，數爲多。其浮而外者，循腹上行，會於咽喉，

別而絡脣口之。任衝二脈從包中起，分爲二道，一[illegible]者，循腹而上，一道前行，浮外[illegible]

[illegible]者循腹右上行會於咽喉別而絡脣口

也血氣盛則充膚熱肉血獨盛則澹滲皮膚

生豪毛 任衝之血獨盛則澹聚滲入腠膚生豪及毛毛所謂鬚髭及身毛之也 今婦人生

餘於氣[illegible]之於血以其數脫血也衝任之脈不

營其口脣故鬚不生焉 婦人氣有血少任衝之[illegible]故不得營口生鬚也 黃帝

曰士人有其傷於陰陰氣絕而不起陰不用然其鬚

不去其故何也宦者之獨去何也願聞其故 士人有傷[illegible]其

陰下[illegible]傷[illegible]宦刑去[illegible]

傷者猶未不起何因鬚獨去之也 岐伯曰宦者去其宗

傷者陰大不起，何因鬚獨去之也？[illegible]

宗筋，傷其衝脈，血寫不復，肉膚內結，口脣不榮，

故鬚不生之。人有去其陰莖仍有鬚[illegible]去者則[illegible]

[illegible]黃帝曰：其有天宦者，未嘗

被傷，不脫於血，然其鬚不生，其故何也？岐伯曰：

故天之所不足也，其任衝不盛，宗筋不成，有氣

無血，口脣不營，故鬚不生。[illegible]

天[illegible]黃帝曰[illegible]

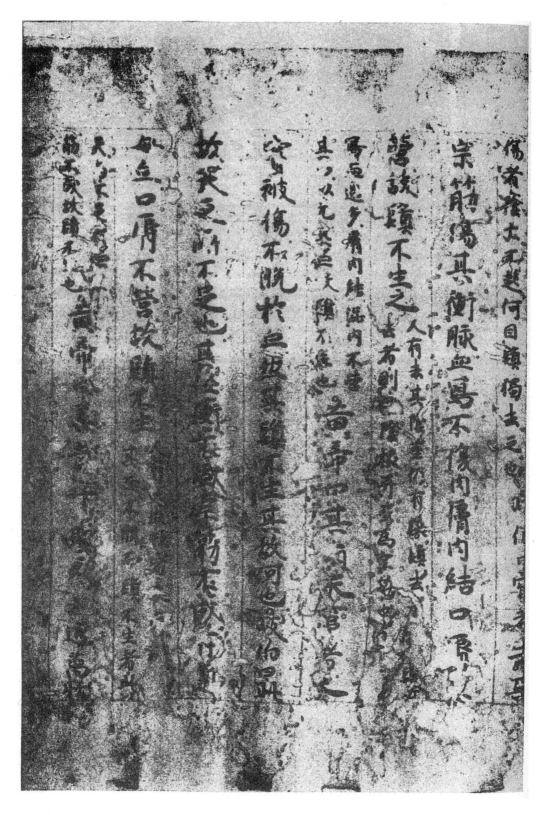

物不識故讀者也[illegible]

也若日月之光影音聲之鼓響聞其聲知

其形其非夫子孰能明万物之精 觀其[illegible]見表知裏

睹日月而見光影聽音聲而辯鼓響聞[illegible]聲而知[illegible]之[illegible]聖通[illegible]

是故聖人視其顏色黃赤者多熱氣青

白者少熱氣黑色者多血少氣 表內不殊故外見之 黃赤太陽

陽之色青白少陽陽明之色故少熱氣也黑爲陰色故多血少氣也 美眉者太陽

多血通髯極鬚者少陽多血美鬚者陽明多

[illegible]手足之[illegible]太陽之[illegible]眉故美眉之人即[illegible]太陽

多血[illegible]

血與氣時然也。太陽足血營眉，故美眉之人，即知太陽多血；少陽足血榮通頷，故少髯[illegible]通頷家則知少陽多血也。通頷，頰上毛也。頰[illegible]者則知陽明多血，謂頰下[illegible]也。乃是真見肩[illegible]知血氣多少也。

夫人之常數，[illegible]太陽常多[illegible]少[illegible]氣少血，陽明常多血氣，厥陰常多氣少血，少陰常多血少氣，太陰常多血氣，此天之常數也。手足少陰太陽多血少氣，以陰多陽少也。[illegible]少陽[illegible]少[illegible]陽[illegible]陰[illegible]血氣[illegible]陽[illegible]。故人血氣多少常數之[illegible]

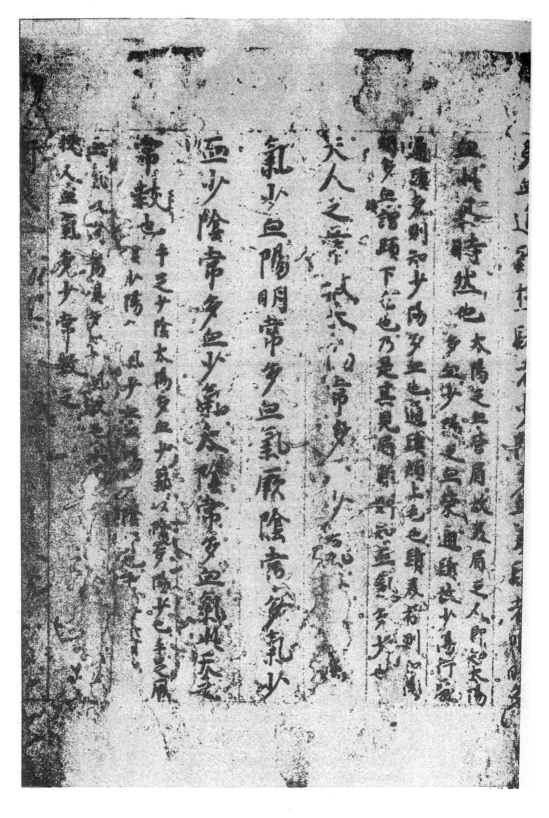

挍人並氣多少常數之

衝脈

黃帝曰脈行之逆順奈何並氣相注如環无端沖行[illegible]逆[illegible]

岐伯曰手之三陰之藏走大衝脈下走[illegible]胞中上[illegible]

衝脈皆起於胞中上[illegible]衝脈上行[illegible]

胸衝脈起於關元隨腹直上[illegible]八十[illegible]難本云衝脈起於關

心吐上咽氣直上至目喉中[illegible]至胸[illegible]云衝脈起於氣衝

並陽明之經俠齊上行至胸中而散此是八十一難說[illegible]

元文或可出於別本氣衝近在關元之下衝〻氣衝即入關元

上行雖不言至胸其義亦同也至胸〻衝脈與陽〻[illegible]會

衝氣衝即衝衝脈与陽明宗筋會此已並陽明之一兩上別

異也九卷經又云衝脈者十二經之海也与少陰之大絡起

於腎下出於氣衝循陰股內廉斜入膕中循脛骨內廉並少

位異也九卷經又云衝脈者十二經之海也与少陰之大絡起

於腎下出於氣街循陰股内廉邪入膕中循胻骨内廉並少

陰之經下入内踝之後入足下其別者邪入踝出屬跗上入大

指間注諸絡以温足脛此脈之常動者也衝脈十二經海

黃帝曰經脈上動者爲足少陰岐伯對曰以爲衝脈常動衝脈上絡

[illegible]也[illegible]上[illegible]少陰大絡[illegible]

氣衝此也下至内踝之屬而別而下入内踝之後入足[illegible]

屬跗上入大指間此云出跗屬下循跗入大指間其義並同也

心注足脛其脈起於胻下一道下行入足指間一道上行絡於胻

以其氣強盛故曰衝脈也脈從身出向四支爲順從四支[illegible]

爲逆也藏謂心肺心肺在内故爲陰也心肺之陰並於三藏

系故曰手之三陰從藏走手此爲[illegible]手之三陽從手至頭

於陰之陽終爲陽中之陰也

之三陰之脈從藏受陽並氣循經手指端已變而爲陽

下三陽從手上頭此爲從陽之陽終爲陽中之陽者也

下三陽從手上頭，故爲從陽之陽，終爲陽中之陽者也

足之三陽從頭走足 手之五陽主頭，足陽向足至足之指，故從陽之陰，終爲陰中之陽

足之三陰從足走腹 足之三陽下行至足指，陰已變而上行，手之三陰之下至腹從脛之

手之三陰在陽中之陰也，復從藏走手，如環無端 黃帝曰：少陰之脈獨下行何

也 足之三陰從足上行，常見衝至動脈者，是足少陰下行動脈，其衝斷門也 岐伯曰：不然

衝下行關動氣，人之生命，是十二經脈根本，此衝脈血海，故五藏六府十二經脈之海也，海者諸陽雖於諸精並

六府皆稟而有之，是則衝下動氣在於腎也，衝脈出於胞中，爲經脈海，宮知衝脈從動氣出上下行者爲衝脈也

下行者雖注少陰大絡下行，然不是少陰脈，故曰不然也 夫衝脈者五藏六府之海

也五藏六府[illegible]

故不與少陰脉，故曰不並也。[illegible]

也，五藏六府皆稟焉，其上者出於頏顙，滲諸

陽，灌諸精，衝脉氣滲諸陽，血灌諸精，精者，目中五藏之精。其下者注少陰

之大絡，出於氣街，循陰股內廉，入膕中，伏行骭

骨內，下至內踝之屬而別，其下者並於少陰之經，

滲三陰，其前者伏行出跗屬，下循跗，入大指間，

滲諸絡而溫肌肉，故別絡結則跗上不動，不動則厥，

厥則寒矣。胻骨與跗骨相連之處曰屬也。至屬分為二道，一道後而下者，並少陰經，循於小絡，滲入三陰

中；其前而下者，至跗屬，循跗下入大指間，滲入諸陽絡，溫於足

……遊後為下者並少陰……入……
中其氣而下者是跗屬衝脈跗下入大指間衝脈深入諸陽脈溫其
肌肉故衝脈之所結約不通則跗上衝脈不動不動則厥數則
氣不行失理者 **黃帝曰何以明之** 中……少陰下行至跗
厥故之寒也 ……動……伯乃言衝脈
之行行至跗上言言動者衝脈
知以何明之令人知也 **岐伯曰以言導之切而驗之** 其……
其非必動然後可以明逆順之行也 故知衝脈下
跗之動衝脈之……跗
者凡有二法一則以言談導衝脈少陰有動不動二則以手切
跗上動者是衝脈不動者為少陰少陰逆而上行衝脈順
行則逆
順明也 **黃帝曰窘乎哉聖人之為道也明於**
日月微於毫釐其非夫子孰能道之 窘急也聖人
……知……
之明於日月故能微於毫釐之……

之明於日月故能微照豪釐之蔽如此非岐伯之聖誰能言也黄帝曰願聞人之五藏

卒痛何氣使然或動喘應手者奈何岐伯〻〻

曰寒氣客於衝〻脈〻起於關元隨腹直上〻〻

不通則氣因之故喘動應手矣

陰陽維脈

陽維之脈令人腰痛〻上怫然脈腫刺陽維之

脈〻与大陽合腨下間上地一尺所飛陽之脈在

足踝上二寸太陰之前與陰維會 八十一難云陽維起於諸陽之會則諸陽
會也陰維起於諸陰之交則三陰交也陽維々於陽陽總維
陽之脈也陰維々於陰陰總維諸陰之脈也陰陽不能相維則悵然
失志不能自持陽不維於陽陰不維於陰也陽作陰作倚
于身溶溶不能還流溉灌諸經血脈隆盛溢入八脈而不還也
膝下間上地一尺所陽乎於陽維之
陰維會即築賓穴陰維郄也

經脈標本

黃帝曰五藏者所以藏精神魂魄也 腎藏精也心藏神也
肝藏魂也肺藏魄也脾藏意智爲五藏本所以言論也 六府者所以受水穀而行

[illegible]

皆為五藏本，所以不論也

化物者也 膽之府，唯受所化木精汁三合，不能化物也，今就五藏言，故乎也 其氣內入

于五藏，而外絡支節 六府穀氣化為血氣，內所入于五藏，資其血氣，外則行於分肉經絡之所也

其浮氣之不循經者為衛氣，其精氣之行

於經者為營氣 六府所受水穀，變化為氣，凡有二別，起胃上口，其悍氣浮而行者，不入於脈，

晝從於目行於四支分肉之間，廿五周，夜行五藏，廿五周，一日一夜

行五十周，以衛於身，故曰衛氣；其穀之精氣，起於中焦，竝于胃

上口，行於脈中，一日一夜，亦五十周，以營於身，故曰營氣也 陰陽相隨，外內相貫，如環

之無端，混乎孰能窮之 浮氣化陽為衛，隨陰從外貫內；精氣為陰為營，隨陽

內貫外也。陰陽相貫，成和之道[illegible]

□女説治乎衰□□□貫內精氣爲陰爲營隨陽

內貫外也陰陽相貫成和

衆知終始故如環無端也

然其不別陰陽皆有標本虛

實所離之處

夫陰陽之氣在於身也即有標有本有

虛有實有所離之處也

能別陰陽十二經者知病之所生

十二經脈有陰有陽能

知十二經脈標本所起

則知邪入病

出入由也

知候虛實之所在者能得病之高下

十二經脈上實下虛病在下下實上虛

病在上虛實爲病高下可知也

知六府之氣街者能解經結絜紹於門戶

苦計反

街六府氣行要道也門戶

輸穴也六府陽也能知六府氣

行要道即能絜紹繼輸穴

門戶解結者也紹繼也

能知虛實之堅緊者知補

瀉之所在知虛爲要知實爲要即能[illegible]

門戶解結者也。能[illegible]

寫之所在（知虛為耎，知實為堅，補耎也，耎而[illegible]）能知六經標本

者，可以无惑於天下（三陰三陽[illegible]標本則[illegible]）（知六經脈根條，則天下皆同，所以不惑者）

也。岐伯曰：博哉！聖帝之論！臣請盡意悉言之（請帝有[illegible]極論之精也）

（歎聖帝啟窮可知也，[illegible]動逆其理也）足太陽之本在跟以上五寸中，標在

兩緩命門。命門者，目也。（五氣所[illegible]本皆在四末[illegible]）

何也？然，氣生雖從府藏為根，本在四[illegible]天生物識氣從元根[illegible]成地也。跟上五寸當承筋下足跟上，是足太陽脈為根之處也。其

末行於[illegible]入睛，至三日內皆以為標末也[illegible]命[illegible]

遍太陽於目，故目為命門。緩者，大也，命門為大故也。足少陽之本

[illegible]之[illegible]少陽

適大陽於目故曰爲命門殘太也命明爲大故也 足少陽之本
在竅陰之間標在窓籠之前窓籠者耳也 足少陽脈爲根
在竅陰甚末上出天容文入耳中出走耳前在所容
籠之前也以耳爲身窓舍籠音聲故曰窓籠也 足陽明之
本在厲兌標在人迎頰下上俠頏顙 足陽明之爲根厲兌其末上至人
迎頰下也 足太陰之本在中封前上四寸之中標在背腧
與舌本 足太陰脈出足大指端內側行於內踝下微前當於內踝道於中封中封雖是厥陰脈行則太陰爲輸
則中封之前四寸之中也末在背弟十一椎兩旁一寸半脾輸及舌本散在舌下也 足少陰之本
在內踝下二寸中標在背腧與舌下兩脈 足少
陰脈起少指下斜趣足心[illegible]下二寸[illegible]也[illegible]

陰脉起少指下，斜起趣足心，至内踝下二寸，為根也，末在脊第四推兩箱一寸半脊輸及循舌脉俠舌本也。

足厥陰之本在行間上五寸所，標在背輸也。

陰脉起於大指聚毛之上，行大指岐内行間上五寸之中，為根也，末在背第九椎兩箱一寸半肝輸也。

手太陽之本在外踝之後，標在命門之上三寸。

手太陽脉起於小指之端，循手外側上腕，出外踝之後，為根也。手腕之外，以當太指者為内踝，當小指者為外踝也。其末在同上尋也。

手少陽之本在小指次指之間上二寸，標在耳後上角下外眥。

手少陽脉起於小指次指之端，上出兩指間上二寸，為根也，末在耳後角。

下驗陰上出耳上

往上角下外眥　指間上二寸[illegible]為標也末在耳後角

下陵陰上出耳上　手陽明之本在肘骨中上至別

角下至外眥也

陽標在顏下合於鉗上　之　手陽明厥脈起大指次指之端循指上廉至肘外廉骨守

在至臂臑之絡之手陽明脈名曰別陽下至於府中為手陽

本也末在頰下一寸人迎後扶突上名為鉗鉗頸鐵也當此鐵處

名為鉗上　手太陰之本在寸口之中標在腋內動脈　手

渠廉也　手少陰之本在銳骨

陰之脈出大指次指之端上至寸口

為根也末在腋下天府動脈也

端標在背輸　手少陰脈出於手少指之端上至銳後兌骨之端

神門穴為根也末在於背第五椎下兩傍一寸

半心輸問曰少陰無輸何以此中有輸答曰少陰天輸諸經並

皆五輸不言無背輸也故此中有背輸之言說明手少陰

有五輸如[illegible]

行五輸不言其井輸之故此中有井輸也皆依明堂少陰

有五輸如別所解也手心主之本在掌後兩筋之間二寸中標在

腋下三寸手心主脈出中指之端上行手於掌後兩筋之間間使上下二寸之中為根也末在腋下三寸天池也

也候此者下虛則厥下盛則熱痛上虛則眩上

盛則熱痛此謂本標也下則本也上標所上也諸本為虛者手足皆冷為寒厥諸本陽盛則手足熱痛為熱

厥也諸標陰虛則為眩冒諸標陰盛則頭項熱痛也故實者絕而止之虛者引

而起之陰陽盛實絕寫止其盛也陰陽虛者引氣而補起也請言氣街街道也補寫之法皆

依五氣之道故請言之也胸氣有街腹氣有街頭氣有街胻

氣有街胸腹頭胻四街身之要也又氣[illegible]

胸氣有街腹氣有街頭氣有街

謂言之也

氣有街。胸腹頭胻四種身之要也，四處氣行之道，謂之街也。故氣在頭者，止之於腦。以為頭氣之街，故頭有氣，止而會也。氣在胸者，止之膺與背腧。膺中肺腧為胸氣之街，故胸中有氣，取此二腧也。氣在腹者，止之於背腧與衝脈於臍左右之動者。脾腧及臍左右衝脈，以為腹氣之衝，若腹中有氣，取此二腧也。氣在胻者，止之於氣街與承山踝上下。上陷氣街并與承山並踝上下，以為胻氣之街，若胻有氣，取此三處之也。取此者，用豪鍼。取此四處之氣，宜用[illegible]七[illegible]鍼也。必先按而在久應於手，乃刺而予之。

刺氣街法也，皆須按之良久，或手下痛，或[illegible]

七貴鍼也[illegible]

刺氣街法也，皆須按之良久，或手下痛，或手下脉動應手，知已，然後予行補寫之。所治者，謂頭

痛眩仆，腹中痛滿暴脹，頭痛眩仆，可止之於腦頭氣街也；腹中痛等，取之胸及腹氣街也。及有新積。痛可移者，易已也；積不痛

者，難已也。胃腸之中有積，痛痛而可移者易已；積而不痛，不可移者難已也。

經脉根結

岐伯曰：天地相感，寒煖相移，陰陽之道，孰少孰多，然前後皆有其問，此中載別問說，岐伯即云，不待於問也。二儀之氣交泰，故曰相感。陰盛移為陽，陽盛移為陰，故陰

陽之氣不可[illegible]為天道，其數焉也。

二儀之氣交泰故曰相感於感移為陽〻感移為陰故陰
陽之氣各不可偏為多少也陰道偶而陽道奇陽為天道其數奇也陰為地道其數偶也
發於春夏陰氣少而陽氣多陰陽不調何補
寫有病發於春〻夏〻陽多陰少是為陰陽不調〻〻為補寫也發於秋冬〻陽氣
少而陰氣多陰氣盛而陽氣衰則莖葉枯槁濕
雨下歸陰陽相移何補何寫有病發於秋冬〻秋冬陰多陽少陽氣衰故
莖葉枯槁陰氣盛故濕沈降殺也大陰陽相移多少不同若為補寫也奇邪離經不可勝
數風寒暑濕百端奇異侵經絡為病萬類千殊故不可勝數也[illegible][illegible]也不知根結五藏

要。万類千殊，故不可勝數也。離經也。不[illegible]

六府，折關敗樞，開闔而走，陰陽大失，不可復取。

也。結，繫也。人之五藏六府，知根結是藏府之要，故邪離經絡，折太陽

之關，折少陽之樞，使陽明之闔，胃氣太虛，邪氣[illegible]

必死。良以不知根結，令開闔樞不得其

中，故陰陽失於綱紀，病成不可復取也。九鍼之玄，要在

終始，故知終始，一言而畢，不知終始，鍼道咸絕。終

始，根結也。知根結之要，即一言也。太陽根于至陰，結于命門，此太陽根結也。

根本同，唯從足至陰上跟上五寸為命門者耳。陽明根于厲兌，結于顙大，

顙大者鉗耳也。此當額本，終始同也。少陽根于竅陰，結於窗籠。

[illegible]三陰[illegible]

刺大者，釘耳也。終始同也。[illegible]

故太陽為關，陽明為闔，少陽為樞。三陰[illegible]

[illegible]門有三種，一者門關，比之太陽；二者[illegible]，比之陽明；三者門樞，比之少陽也。關折則

肉節殰而暴疾起矣，故暴病者取之太陽，視

有餘不足。殰者，肉宛燋而弱。太陽主骨氣為關，故關折則肉節[illegible]

[illegible]肉敗，[illegible]殰內節肉敗，故暴病起。暴病[illegible]

[illegible]

闔折則氣無所止息，而痿疾起矣，故痿疾者取之陽明，視有

餘不足。陽明主肉主氣，故肉氣折損則氣不能[illegible]

[illegible]

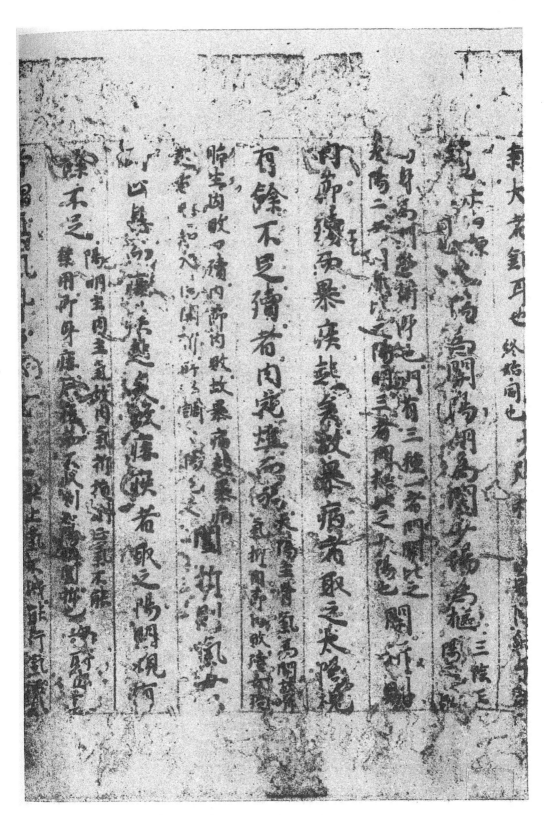

[illegible]不足 陽明所以[illegible]不足則[illegible]也[illegible]

者謂真氣稽留邪氣居之 無止氣不流無行氣滯也以真氣之用也陽明闔折

則真氣稽留不用故[illegible] 樞折則骨繇而不安於地故骨繇

者取之少陽視有餘不足 少陽主筋筋以約束骨節骨節[illegible]

[illegible]束故骨搖骨搖知少陽樞折也 骨繇者節緩而不收所謂骨

繇者搖也當窮其本 骨節緩而搖動窮者極也研窮搖之所源故取[illegible]

太陰根于隱白結于太倉 隱白足大指端大倉在[illegible]

少陰根于涌泉結于廉泉 少陰先出涌泉為根行[illegible]二寸中為結[illegible]

[illegible]主廉泉為結上至舌本[illegible]

[illegible]門[illegible]

[illegible]實上廉泉爲結上至舌本

[illegible]脈爲宗有此不同也

厥陰根于大敦結于玉英

絡于膻中

厥陰脈起大敦爲根行[illegible]上至于[illegible]爲本[illegible]

至玉英膻中爲結後至[illegible]有此不同也

太陰爲開厥陰爲闔少陰爲樞

門有二種有内門外門

三陰爲内門[illegible]

故開折則倉廩無所輸鬲洞[illegible]

[illegible]者謂是[illegible]

[illegible]鬲洞者取之太陰視有餘不足故開折者

氣不足而生病

太陰主水穀以資身肉太陰脈氣[illegible]

折[illegible]水穀[illegible]

時鬲[illegible]氣[illegible]爲洞泄[illegible]

[illegible]故氣不足而生病也

闔折則氣弛而善悲悲者

[illegible]取之厥陰視有餘不足[illegible]厥陰筋氣[illegible]

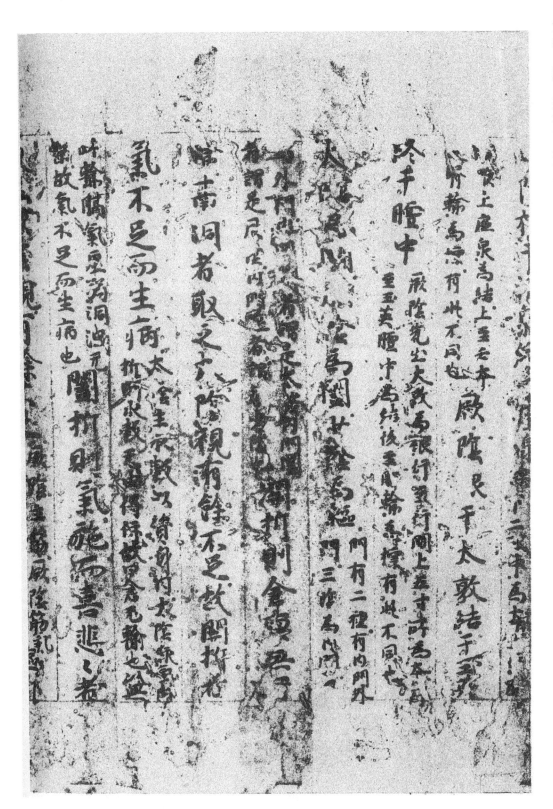

數故氣不足而生病也。闔折則氣無所止息者

取之厥陰，視有餘不足。厥陰主筋，厥陰筋氣緩縱，則无華喜悲。樞折

則脈有所結而不通，不通者取之少陰，視有餘不

足，有結者皆取之。少陰主腎，腎氣有積，則少陰之脈不流，故有所結不通，結即少陰脈結也。

足太陽根于至陰，流于京骨，注于崑崙，入于天

柱飛揚也。陽 輸穴之中，言六陽之脈流井滎輸原經合五行陵，兼至身為據。令此手足六陽從根至入流注

上行与本輸及明堂流注有所不同，此中根者皆當所出，與中流者皆當所過，唯本輸流注在京骨之過，彼當所注，

合為行穴經異耳。此中注者當所行，唯足陽明不是解谿為行穴，當所合下陵，亦謂與經異耳。此中入者並与彼

不同也。足陽之脈從足之指端為根，上踝行至其別走大絡

是解絡之行，妙當微合，下陵□。理此經異，于此中入者並有數，不同，六陽之脈皆從手足指端爲根，上絡行至其別走大絡解之。有三處，一入大絡，一道上行至頭入諸天柱，唯手足陽明之於前人迎扶突流注，以此次第，此爲根者并爲出水之處。故根即井也。天柱俠項太筋外廉陷中，足太陽足所注也。飛陽在足外踝上一寸，足太陽之別絡也。足少陽根于竅陰，流于丘墟，注于陽輔，入于天容、光明也。天容在耳下曲頰後，足少陽所經也。光明在外踝上七寸，足少陽之別大絡也。足陽明根于厲兌，流于衝陽，注于下陵，入于人迎、豐隆也。人迎在結喉旁大脈動應手，足陽明所注也。豐隆在足外踝上八寸骨外廉陷者中，足陽明之大絡也。手太陽根于少澤，流于陽谷，注于少海，入于天窗、支正也。天窗在曲頰下

是明之大胳也之手太陽根于少澤溜于
陽谷，注于少海，入天窓、支正也。天窓在曲頰下，扶突後，動應手。
胳著中手太陽之正經也。支正在腕後五寸，手太陽之太胳也。手少陽根于關衝，溜于
陽池，注于支溝，入天牖、外關也。天牖在頸缺盆上，天容後，天柱前，完骨
下髮際上。外關，手少陽正經也。外關在腕後三寸空中一寸，手少陽之太胳也。手陽明根于商陽，
溜于合谷，注于陽谿，入扶突、偏歷也。扶突在曲頰下一寸，人迎後。
手陽明正經也。偏歷在腕後三寸，手陽明之大胳也。此所謂根十二經者，盛
胳者當取之。此根入經者有六陽，足有胳者足徧，六陰之脉言其胳，于此言根者府㤔
經，根胳十二正經，傍有胳脉，血之盛

者皆當其部内量而取之
黄帝内經太素卷第十
仁安二年四月廿七日以同本書寫了
同本移點校合了
丹波賴基

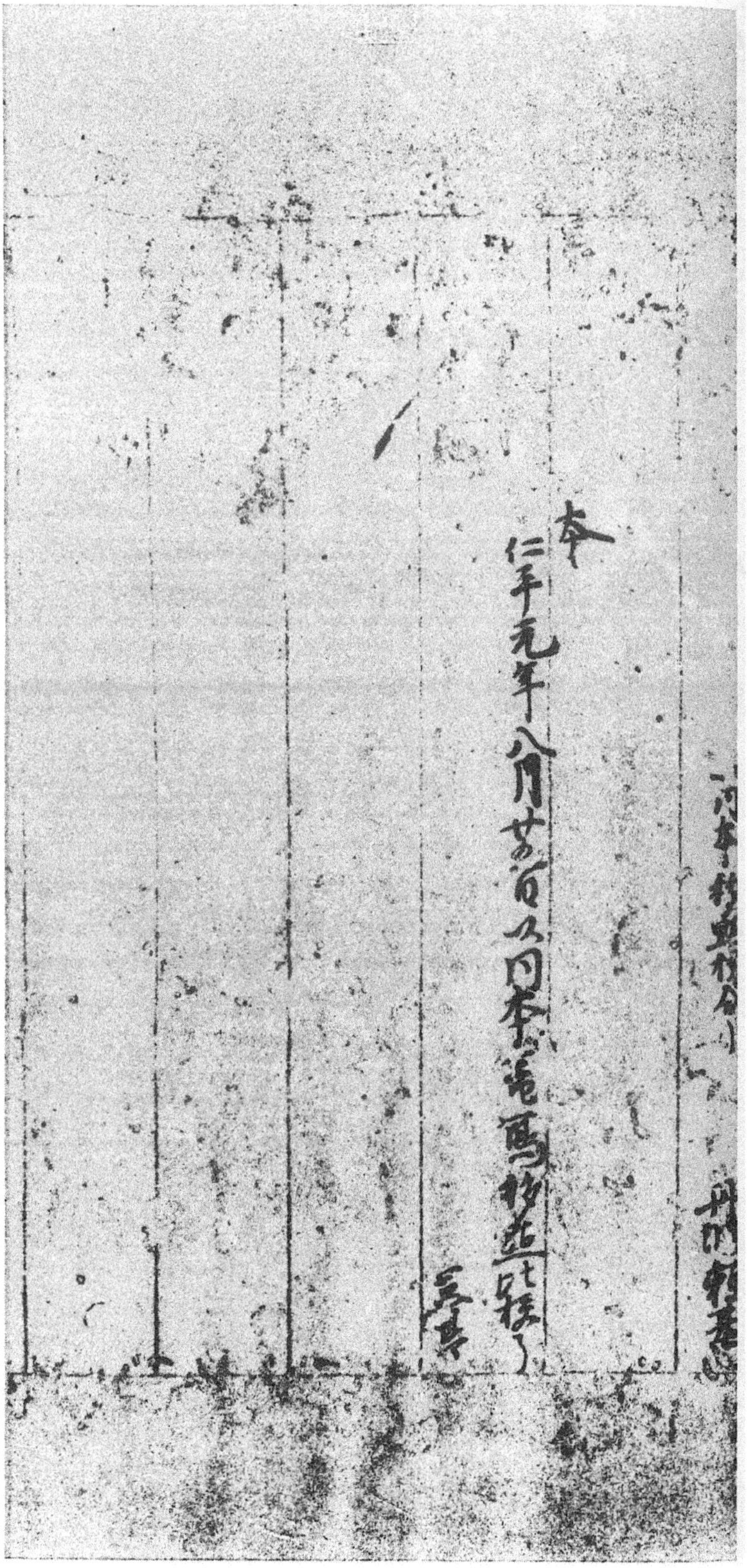
本
仁平元年八月

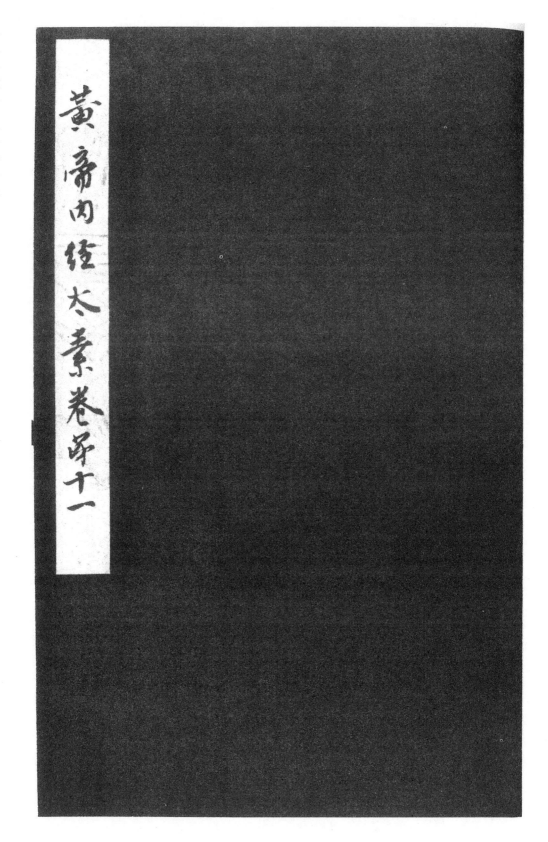
黄帝内经太素卷第十一

黃帝內經太素卷第十一　輸穴

通直郎守太子文學臣楊上善奉　勅撰注

本輸　變輸　府病合輸

氣穴　氣府　骨空

本輸

黃帝問於岐伯曰：凡刺之道，必通十二經脈

之所終始，手之三陰始之於胸，終於手指，手之三陽

黃帝問於岐伯曰凡刺之道必通十二經脈
之所終始手之三陰始之於胷終於手指手之三陽始於手指終之於頭足之三陽始起於頭
終之於足足之三陰起於足終之於腹絡脈之所別起十五絡脈皆從藏府正經別走相
入五輸之所留止各從井出留止於合五藏六府之所與合
五藏六經為裏六府六經為表表裏合也四時之所出入秋冬陽氣從皮外入至骨髓陰
氣出至皮外春夏陰氣從皮外入至骨髓陽氣出至皮外藏府之所流行
藏府出於營衛二氣流行於身也闔數之度開闔行闔數度量淺深之狀
絡脈為淺經脈為深高下所至願聞其解經脈至上於頭下至於足此之九
岐伯請言其次[illegible]

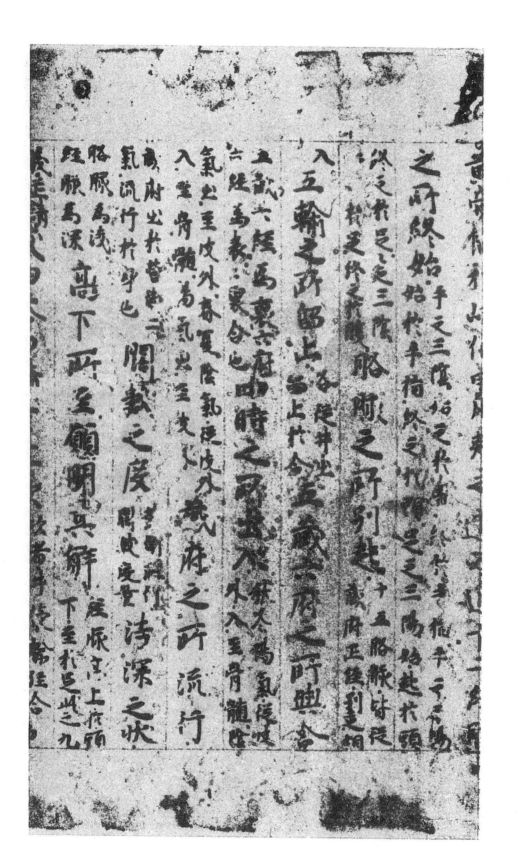

經脈爲深，高下所至，願聞其所。下至於足，此之九

義，並請聞之。歧伯答曰：請言其次。次者，井滎輸經合，者，陰陽五行次第也。肺

出少商，少商者，手大指內側也，爲井。肺脈從臟而起，

出至大指次指之端，今至入指之端，還入於臟，此依經脈順行從手，逆數之法也。井者，古者以泉源出水之處爲井也。擬地陽水從仍以奉名，故曰井也。人之血氣出於四支，故脈出處以爲井也。手足三陰皆以木爲井，相生至於水之合也，手足三陽皆以金爲井，相生至於土之合也。所謂陰脈出陽至陰而合，陽脈出陰至陽而合也。

溜于魚際，魚際者，手魚也，爲滎。撓前大節之後，狀若魚形，故曰手魚也。脈出少商，溜入魚際，故爲滎也。滎，烏迴反。

注于太淵，太淵……合，合逆致聚也

溜入其際，故為滎也。焉迴反 注于太淵〻

〻爲〻然後下陷者之中也，為輸，〻〻運致聚也。八十一難曰：

五藏輸者，三焦行氣之所留止，故邪氣與三焦之氣，逆氣聚於此處，故名為輸也。行于經渠，

〻〻者，寸口之中也，動而不居為經。寸口陷中十二經脈，脈之渠

過，故曰經渠。居，停也。太陰之脈動於寸口不息，故曰不居。經於還也，邪氣生於此，而道從曰經也。入于尺

澤，〻〻者，肘中之動脈也，為合。合于太陰經也。

如水出於井，至海為合，脈出指井，至此合於於藏之氣，故名為合。除十輸所說此諸輸所名義，足明實是於此之

心出中衝，〻〻者，手中指之端也，為井。溜于

勞宮，〻〻者，掌中指本節之間也，曰之

尺字脈反 涵所道 水於過

心主中衝ゝ者手中指之端也為井溜于
勞ゝ宮ゝ者掌中ゝ指本節之内間也為滎
明堂一名五星也
掌中動脈也
注于大陵ゝゝ者掌後兩骨
之間方下者也為輸行于間使ゝゝ道兩
筋之間三寸之中也有過則至無過則止為
經
方下陷中也三寸之中者三寸之際也有虛
實之過則氣使至此無過不至故止也明堂此手
心主經下有手少陰五輸此經所
說心不受邪故手少陰无輸也
入于曲ゝ澤ゝ
者附肘内廉下陷者之中也屈而得之為

表附內廉下陷者之中也屈而得之為
合手心主經也肝出太〻敦〻者足太指之
端及三毛之中也為井〻〻大栺端及三毛皆是大敦厥陰脈井也之
溜于行〻間〻者大指之間也為滎明堂足厥陰脈動應
手也注于大衝〻〻者在行間上二寸陷者之
中也為腧明堂本節後二寸或一寸半陷中也行于中〻封〻者
在內踝前一寸半陷者中也使逆則宛使和
則通搖足而得之為經氣行曰使宛不伸也者也明堂內踝前一寸
仰足而取之陷者中[illegible]

則逆於足而得之盈然蓋也明堂内踝前一寸仰足而取之循着伸足乃得之也入于中封〻〻者輔骨之下大筋之上也屈膝而得之為合足厥陰經也明堂在膝内輔骨下大筋上小筋下脈出也脾出隱白〻〻者足太指之端内側也為井溜于太〻都〻者本節之後下陷者之中也為滎注于太〻白〻者核骨之下也為輸核骨在大指本節之後然骨之前高骨是也核蓋草反行于商〻丘〻者内踝下之陷者之中也為經明堂足内踝下微前

商々丘々者內踝下之陷者之中也為經 踝下微前

入于陰之陵泉陰之陵泉者輔骨之下陷者之

中也屈伸而得之為合足太陰經也 膝下內側 輔骨下也

出涌々泉々者足心也為井 明堂一名地衝也 溜于然谷

然谷者然骨之下也為榮 明堂一名龍泉在足內踝前起大骨下陷

中即此大 骨為然骨 注于太谿太谿者內踝之後跟骨之

上陷骨之中也為輸 明堂跟骨上動脈也 行于復々溜々者

上踝二寸動而不休也為經 明堂一名昌陽一名伏白足少陰脈動不休也

入于陰谷々々者輔骨之後大筋之下小筋之

[illegible]動所不休也[illegible]白足少陰脈動不休也
入于陰々谷々者輔骨之後大筋之下小筋之
上也按之應手屈膝而得之為合足少陰經也
明堂在膝内々輔骨之後按之應手謂按之々手下覺甚也膀胱出于至陰々々者足
小指之端也為井明堂在足小指外側去爪甲角如韭葉也溜于通々
谷々者本節之前也為滎明堂通谷在足小指外側本節前陷中也注于
束骨々々者本節之後也為輸明堂在足之小指外側本節後陷中也
過于々京骨々々者外踝之下也為原臍下動氣者人
之生命十二經之根本也故名曰原三焦者原氣之別使

沖也過于京骨〻者外踝之下也為原氣者人之生命十二經之根本也故名曰原三焦者原氣之別使主行三氣經營五藏六府故原者三焦之尊稱也是以五藏六府皆有原也肺之原出大淵心之原出大陵也肝之原出大衝脾之原出太白腎之原出大谿手少陰經原出神門掌後兑骨之端此皆以輸爲原者以輸是三焦所行之氣留止處也六府原者膽原出丘墟胃原出衝陽大腸原出合谷小腸原出完骨膀胱原出京骨三焦原在陽池六府者陽也三焦行於諸陽故置一輸名原不應五時也所以府有六輸亦與三焦共一氣也行于崑〻崙〻者在外踝之後跟骨之上也爲經入于委中〻〻者膕中也爲合委而取之足太陽經也明堂在膕中央約文中動脉也

膽出于竅陰〻〻者足小指次指之端也

直合委所取之足太陽經也 約文中動脈也

膽出于竅陰竅陰者足小指次指之端也為井 明堂足小指次指端去爪甲角如韭葉 溜于俠谿俠谿者小指次指之間也

為滎 明堂小指次指岐骨間本節前陷中 注于臨泣臨泣者上行一寸半

陷者中也為輸 明堂在足小指次指本節後間陷者中去俠谿一寸半也 過于丘墟

丘墟者外踝之下陷者之中也為原 明堂外踝下如前陷者中去臨泣三寸也 行于陽輔陽輔者外踝之上輔骨之前及

絕骨之端也為經 明堂无及〻〻所尚處也 入于陽之陵泉陽

[illegible]

絡常之端也直絡所出處也入于陽之陵泉陽
之陵泉者在膝外陷者中也為合伸足而得之
足少陽經也明堂在膝下外廉也胃出于厲兌〻〻者足之大
指之內次指之端也為井明堂去爪甲角如韭葉也溜于內庭〻
〻者次指外間陷者中也為滎明堂足大指次指外間也注于陷
谷〻〻者中指內間上行二寸陷者之中也為輸
明堂足大指次指外間本節後陷者中去內庭二寸也之過于衝陽〻〻者足
跗上五寸陷者中也為原搖足而得之明堂一名會
原足跗上五寸骨間動[illegible]

上[illegible]

原足跗上五寸，骨間動脉上去陷谷三寸也。行于解谿，谿者上衝陽

一寸半，陷者中也，為經。明案衝陽後一寸半，腕上也。入于下陵，下陵，

膝下三寸，胻外三里也，為合。復下三寸為巨

虛上廉也，復下三寸為巨虛下廉也，大腸屬

上，小腸屬下，足陽明胃脉也，大腸小腸皆屬于

此足陽明經也。人膝如陵，以下三寸，一寸為一里也，三里以下三寸之下，上下案上際為上廉，下際

為下廉，以在胻骨外側，故名為廉。足陽明脉行此廉中，

大腸之氣，在上廉中，與陽明合；小腸之氣，在下廉中，與

陽明合，故曰大腸[illegible]

大腸之氣在上廣中与陽明合小腸之氣在下廣中与陽明合故曰大腸屬上小腸屬下也三雎者上合于手少陽出于關〻衝〻者手小指次指之端也為井溜于掖門〻〻者小指之間也為滎注于中渚〻〻者本節之後也為輸過于陽〻池〻者在腕上陷者之中也為原陽池明堂一名列陽在手表腕上陷中也行于支溝〻〻者腕上三寸兩骨間陷者中也為經入于天井〻〻者在肘外大骨之上陷者中也為合屈肘而得明堂在肘外大骨之後

者在髆外大骨之上陷者中也直舍廣膊

而得之　明堂在肘外大骨之後肘後一寸赤筋澗脈中也　三焦下輸在於足

太陽之前少陽之後出於膕中外廉名曰委

陽此太陽之絡也手少陽經也　上焦如霧中焦如漚下焦如瀆此三

焦之氣上下皆通故上輸在背第十三椎下兩傍各一寸半下輸在此太陽之間出膕外廉足太陽絡三焦

下行氣聚之處故曰下輸也　足三焦者太陽之所將太陽之

別也上踝五寸而別入貫腨腸出於委陽並

太陽之正入絡膀胱約下焦　絡溢兌又脉膀也背間約氣足太陽將原氣別

使三焦之氣出足外側大骨下赤白肉際陷中為原上踝五寸

太陽之正入膕膀胱別於下明絡氣足太陽持原氣別
使三焦之氣出足外側大骨下赤白肉際陷中爲原上踝五寸別入貫腨腸出委陽並太陽之正入膻絡膀胱下焦所膀胱也原氣太陽絡於膀胱節約膀胱使溲便調也以水三焦原氣行足故名足三焦也
盛則閉
癃虛則遺溺〻〻則補閉癃則寫小腸上合
手太陽出于少澤〻〻者小指之端也爲井明實
一名少吉凡言下一分陷中
溜于前谷〻〻者手小指本節之
前陷者中也爲滎明堂在手小指外側中也
注于後谿〻〻者
本節之後也爲輸明堂在手小指外側本節後陷中也
過于完骨〻〻明堂在手外側捥
[illegible]

本節之後也為輸 側本節後陷中也 過于完骨ヽヽ者在手外側捥骨之前也為原 明堂在手外側捥前起骨下陷中即此起骨為捥骨或經名完骨胡誤之 行于陽谷ヽヽ者在完骨之下陷者中也為經 明堂在手外側捥中完骨之下也 入于小海ヽヽ者在肘內大骨之外去肘端半寸陷者之中也伸臂而得之為合手太陽經也 明堂屈肘乃得之 大腸上合手陽明出于商陽ヽヽ者大指次指之端也為井 明堂一名而明一名絶陽大指次指內側去爪甲角如韭葉也 溜于二間ヽヽ在本節之前為滎 明堂二間在手大指次指本節之前

溜于二間，二間也，在本節

指內側去爪甲角如韭葉也

之前為滎明堂云：二間在手大指次指本節前內側陷中也注于三間，三間也，

在本節之後為腧明堂一名少谷，在手大指次指本節後內側陷中也過于合

谷，合谷，合谷者，在大指之間也，為原明堂一名虎口，在大指歧骨間也行于

陽谿，陽谿，陽谿者，在兩筋之間陷者中，為經明堂一名中魁

在腕中上側兩筋間也入于曲池，曲池者，在肘外輔曲骨之

中也，屈肘而得之，為合，手陽明經也。是謂五藏

六府之腧，五五廿五腧，六六卅六腧心不受邪，手少陰无腧，故五藏各五

腧，有廿五腧，案明堂手少陰有五腧，總有卅腧，六府有原腧

六府之輸五〻廿五輸六〻卅六輸 无輸故五藏合五輸有廿五輸依明堂手少陰有五輸揔有卅輸六府有原輸故有卅六輸皆是藏府之氣送致聚於此穴故名爲輸也

六府皆出足之三陽上合于手者也 六府之陽明脉上合手陽明足太陽上合手太陽足少陽上合手少陽也

缺盆之中任脉也名曰天窔次任脉之側動脉足陽明也名曰人迎二

次脉手陽明也名曰扶窔二

次脉手太陽也名曰天窓二

次脉足少陽也名曰天容二

次脉手少陽也名曰天牖二

次脉足太陽也名曰天柱二

次脉頸中央之脉督脉名曰風府二

腋內動脉手太陰也名曰天府

足太陽也名曰天柱　次時刺手太之脈名曰天府

腋内動脉手太陰也名曰天府腋下三寸手心主也

名曰天池　此言脉在肩項頸根之下次以任脉在陰居於前中督脉在陽處於後中任之左右六陽爲決而側腋下二陰所行此之十輸脉之要者也

刺上關者呿不能欠　上關開口有空刺之有傷不得開口故不能欠也欠丘處爰張口也

刺下關者欠不能呿　下關合口有空刺之有傷不得合口故不能呿也

刺犢鼻者屈不能伸　犢鼻在膝臏下骭上俠解大筋中刺之傷筋筋病屈不能伸也明堂无禁也

刺内關者伸不能屈　内關在手掌後去腕二寸別走少陽手心主絡明堂无禁刺之傷骨骨

傷伸不[illegible]

關者伸不能屈　手□主脈明當元禁刺之傷骨骨
傷伸不能屈也　手陽明次在其外不至曲頰一寸　手陽明從缺盆
上頰貫頰入下齒中不至曲頰故去曲頰一寸是也　手太陽當曲頰　手大陽循頰上頰〻曲頰
近可準是也　足少陽在耳下曲頰之後　足少陽支從耳後出走耳前至目兊
眥後故在耳下曲頰後是也　手少陽出耳後上加完骨之上　手少陽上項俠
耳後故直上出耳上角完骨在耳後故上加完骨上是也　足太陽俠項太筋之中
髮際　兩大筋中髮際足太陽輸也　陰尺動脈在五里五輸之禁　陽焉
寸故陰為尺陰尺之中五藏動脈在肘上五里五輸大脈之上明當〻五里在肘上三寸手陽明脈氣所發行馬衰大脈中
其禁家寸刺之十此左右取左右棄左大帝

當五五里在肘上三寸手陽明脈氣所發行向大脈中
央禁不可刺灸十壯左取右右取左大
脈五藏大脈氣輸也故禁刺不禁灸也肺合大腸大
腸傳導之府也傳道糟粕令下之也心合小腸ゝゝ者受
盛之府也胃化糟粕小腸受而盛之也肝合膽ゝゝ者中精之府也
膽不同腸胃受傳糟粕唯藏精液於中也脾合胃ゝゝ者五穀之府也受五穀之
也
腎合膀ゝ胱ゝゝ者津液府也膀胱藏尿故曰津液之府也少陰屬
腎ゝゝ上連肺故將兩藏矣足少陰脈貫肝入肺中故曰上連也腎受肺氣腎
便有一將為兩藏八十一難曰五藏亦有六府謂腎有兩藏也三焦中瀆之府也水道出
[illegible]胃藏府中也下焦如瀆足

三藏亦屬六府，謂腎有兩藏也。三焦中瀆之府也，水道出

屬膀胱，是孤之府也。中謂藏府中也。下焦如瀆，從上焦下氣，津液入於下焦，下焦津液流入膀胱之中，無藏爲合，故曰孤府也。此六府之所與合者也。府之聚也。五藏清濁氣味皆聚於中，故六府名府，孤府內與六府氣通，故曰合也。

春取絡脉諸榮大經分肉之間，甚者深取之，間者淺取之。春時陽氣始生，藏弱未能深至經中，故取絡脉及取諸榮，并大經分肉之間也。

夏取諸輸孫絡肌肉皮膚之上。陽氣始長，熱熏腠理，內至於經，故循脈微氣弱，故取諸輸孫絡之分腠理肌肉皮膚之上也。

秋取諸合，餘如春法。陰氣始殺，猶未能盛，故取於輸及以合也。春時陰氣衰少爲弱，陽氣初生爲微，秋時陽氣衰

膚之上也秋取諸合餘如春法盛故取於輸及以合也春時陰氣衰少為弱陽氣初生為微秋時陽氣衰少為弱陰氣始生為微病閉故如春法取滎大經分間大隨病間甚淺深為度也冬取諸井諸輸之分欲深而留之冬時足少陰氣急堅足太陽伏沉故取諸井以下陰氣取滎以實陽氣皆深為之者也此四時之序依於四時行療次序氣之所處臨於四時人氣之在處也病之所舍隨於四時邪之居所也藏之所宜也療五藏病依四時所宜也轉筋者立而取之可令遂已人立筋病痛聚故立燔針刺之痿厥者張而刺之可令立快手足痿厥開張即得其輸然後刺之

怡得其輸也，復刻之。

變輸

黃帝曰：余聞刺有五變，以主五輸，願聞其數。岐伯曰：人有五藏，藏有五變，變有五輸，故五五廿五輸，以應五時。五時謂春夏長夏秋冬也。黃帝曰：願聞五變。岐伯曰：肝為牡藏，其色青，其時春，其音角，其味酸，其日甲乙。心為牡藏，其色赤，其時夏，其日丙丁，其音徵，其味其色赤其時夏其日丙丁其音徵其味苦脾為牝藏其色黄其時長夏其日戊己其音宫其味甘肺為牝藏其色白其音商其時秋其日庚辛其味辛腎為牝藏其色黑其時冬其日壬癸其音羽其味鹹是謂五變肝心属於木火故為牡藏肺脾腎属於土金水故為牝藏牝牡五藏五色五時五音五味故有此五之變也黄帝曰以主五輸奈何岐伯曰藏主冬冬刺井冬時万物收藏故五藏主冬也井為冬也木春也春時万物始生如井中泉水冬時万物始萌如井水深來出而刺之者刺於微也色主春春刺滎春時万物和生鮮華故五色主春故

万物始萌，如井水深來出，而刺之者刺赤發也。

色主春，春刺滎。

春時万物初生，鮮華，故五色主春。春滎火也，火變也。夏時万物榮長，如水流溢；春時万物始生未榮，而刺之者亦刺滎發也。

時主夏，夏刺輸。

夏時万物榮華，四時之脉，故五時主夏。夏輸土也，土長夏也。長夏之時万物盛極，如水致聚；夏時万物榮盛極，而刺之者亦刺輸藏也。

音主長夏，長夏刺經。

長夏万物榮盛，音律和四時之府，故五音主長夏。經金，金秋也。秋時万物將衰，長夏之時万物盛而未衰，而刺之者亦刺經藏。

味主秋，秋刺合。

秋時万物將熟，果味甚盛，故五味主秋也。合水也，水冬也，冬時万物收藏，如秋之入海；秋時万物收而未藏，而刺之者亦刺合藏也。

是謂五變，以主五輸。

是万物五變，主五行輸也。

黄帝曰：諸原安合以致六輸？

五變合於五輸，原

岐伯曰：原獨

是言五藏以主五藏（主五行藏也）黃帝曰諸原
安合以致六輸（五藏合於五輸原之一輸爲何物合）岐伯曰原獨不
應五時以經合之以應其數故六々卅六輸
（六府者陽也人之命門之氣乃是腎間動氣爲五藏六府十二經脉性命根故名爲原三焦者原氣之別使通行原之三氣經營五藏六府故原者三焦之尊號也不應五時與陽經而合以應其數故有六々卅六輸也）
黃帝曰何謂藏主冬時主夏音主長夏
味主秋色主春願聞其故岐伯曰病在藏者
取之井（々木也井主心下滿是肝爲滿也冬時心下滿是病則其井者達其本也）病變
於色者取之滎（々火也滎主身熱是心爲熱也春

取之井心下滿病刺其井者逆其本也病變

於色者取之滎々火也滎主身熱是心為熱也春時身熱之病刺其滎者亦逆

其本也病時間時甚者取之輸々土也輸主體重節痛時間時甚

是脾為病也夏時體重節痛時間時甚刺其輸者亦逆其本也病變於音者取之經

々滿而血者經金也金主喘欬寒熱經血而滿是肺為病也長夏喘欬寒熱經血而滿

刺其經者亦逆其本也病在胃及以飲食不節得病者取

之於合合水也合主逆氣而洩是腎為病也秋時飲食不節逆而洩刺其合者亦逆其本也故

命曰味主合故味病主合也是謂五變黃帝曰善以原不應五時故有

五變問[illegible]

命曰味主合 主合也是言五變也黃帝曰善 五時故有
五變也 問曰春取絡脈分肉何也荅曰春者木始
治肝氣始生肝氣急其風疾經脈常深其氣
少不能深入故取絡脈分肉間也 絡脈浮淺經脈常深春時邪在
絡脈分肉間故取之也 曰夏取盛經分腠何也曰夏者火
始治心氣始長脈瘦氣弱陽氣流溢熏熱
分腠内至於經故取盛經分腠絶膚而病
去者邪居淺也 陽氣獨盛故脈瘦氣弱也熱氣内至於經外熏分腠故取盛經分腠淺處也
所謂盛經者陽脈也 三陽盛經也夏日其經熱大

絡者取脉淺也經外絡分腠，故取盛經分腠淺處也所謂盛經者陽脉也三陽亦經也，夏日其經熱盛，故取其盛經部內分腠曰：秋取經輸者何也？曰：秋者金始治，肺將初斂，金將勝，火陽氣在合，陰氣初勝，濕氣及體，陰氣未盛，未能深入，故取輸以寫陰邪，取合以虛陽邪，陽氣始衰，故取於合。經輸者，謂經之穴也。秋病在輸者，故取其輸以寫陰邪；陽衰在合，故取於合以虛陽邪也曰：冬取井滎何也？曰：冬者水始治，腎方閉，陽氣衰少，陰氣緊，巨陽伏沉，陽脉乃去緊，盛也。巨陽，足太

者水始治腎方閉陽氣衰少陰氣堅巨陽

伏沉陽脈乃去緊盛也巨陽足太陽氣伏沉在骨也故取井以下陰

逆取滎以實陽氣故取井滎春不鼽衄此

之謂也井為木也滎為大也冬合之時取井滎者冬陰氣盛逆取其春井為陰邪也逆取其夏滎補其陽也故冬元陽寒春不鼽衄也

府病合輸

黃帝曰余聞五藏六府之氣滎輸所入為合

令何道從入入安連過願聞其故問藏府脈之滎輸之合行處要

岐伯答曰此陽脈之別入于內屬於府者也此

合何道從入，安連過，願聞其故？（輸之合，行變委此言變也。）岐伯答曰：此陽脈之別入于內，屬于府者也。（合者，取三陽之脈別屬府者稱合，不取陰脈。以陽脈內屬於府耶，不先至於府，後至於藏故也。）黃帝曰：榮輸與合，各有名乎？岐伯答曰：榮輸治外經，合治內府。（五藏六府榮輸未至於內，故但療外經之病。此言合者，唯取陽經屬內府者，以療內府病也。）黃帝曰：治內府奈何？岐伯答曰：取之於合。黃帝曰：合各有名乎？岐伯答曰：胃合入于三里，（胃氣所出之陽明脈合於三里，故胃有病，取之三里療胃府也。）大腸合入于巨虛上廉，（大腸之氣，循胃足陽明脈，合巨虛上廉，腸

入于三里胃有病取之三里療胃府也大腸合入
于巨虛上虛大腸之氣循胃足陽明脉合巨虛上虛故大腸有病療巨虛上虛也小腸
合入于巨虛下虛小腸之氣於足陽明脉合巨虛下虛故小腸有病療巨虛下
下虛也三膲合入于委陽三膲之氣於足太陽合於委陽故三膲有病療於委陽也
膀胱合入于委中膀胱之氣循足太陽脉下合委中故膀胱有病療於委中也
膽合入于陽陵泉膽氣循足少陽脉下合陽陵泉故膽有病療陽陵泉也
黃帝曰取之奈何岐伯荅曰取之三里者位
跗取之巨虛者舉足取之委陽者屈伸而

邑耶之白屋者舉是耶之委陽者屈伸而

索之委中者屈而取之陽陵泉者正立豎

膝予之齊下至委陽之陽取之取諸外經

者揄伸而從之以下取六合之輸療內府法也正立則膝豎揄与伸交引也

黃帝曰願聞六府之病六府与六輸而合療內府之病而未知府病之形也

歧伯荅曰面熱者足陽明病以下言手足陽明病面熱陽明脈起面故足陽明病面熱焉徵也

魚絡血者手陽明病手陽明脈行於魚後故魚絡血見手陽明病徵也

兩跗之上脈豎若陷者足陽明

病此胃脉也足陽明下足跗入太指間

明病候也　兩跗之上脈豎若陷者足陽明

病此胃脈也。足陽明下足跗入大指間，故跗上脈堅若陷是明病候。大腸病者，

腸中切痛而鳴濯濯，冬日重感于寒則泄，當

臍而痛，不能久立，与胃同候，取巨虛上廉。以下言

六府病數并取穴所在。宮臍痛者，迴腸大腸也。大腸當臍，故當臍痛也。胃同候者，大腸是氣与胃足陽明合巨虛上廉，故同候之。濯濯，徒甫交腸中水聲也。

胃病者，腹䐜脹，胃管當

心而痛，上支兩脅，鬲咽不通，食飲不下，取

之三里。胃管當心痛者，胃脈足陽明之正上至髀入於腹裏，屬胃，散脾，上通於心，上循咽，其足陽

明大絡循脛骨外廉上絡頭項，故胃管及當心 [illegible]

之三里於腹裏屬胃散脾上通於心上循咽其足陽明大胳循脛骨外廉上胳頭故胃管及當心而痛上支於兩脇中并咽並不得通也小腸病者小腹痛腰脊控尻而痛時窘之後小腸當少腹附脊左環葉積故少腹齊脊控尻而痛時急之䐜大便之變也當耳前熱若寒甚若獨肩上熱甚小腸手太陽上䪼至目兌眥却入耳中故小腸痛痛此寒及熱也及手小指次指之間熱若脈陷者此其候手太陽也取巨虛下廉手大陽脈出行之變故此變熱脈陷以為候也三膲病者腹氣滿少腹尤堅不

以為候也 三焦病者腹氣滿小腹尤堅不
得小便窘急也尤甚溢則為水留則為脹候
在足太陽之外大絡〻在太陽少陽之間亦
見于脈取之委陽 下焦溢則為水也大陽少陽之間三焦下輸委陽也 膀胱
病少腹偏腫而痛以手按之則欲小便而不得
偏腫者大腹不腫也此府病也 肩上熱若脈陷及足小指外側
及脛踝後皆熱若脈陷取之委中央 膀胱足太陽脈
熱目內眥上額下項循脛踝後至足小指外側故膀胱病膀胱脈行處熱若脈陷以為候也 膽病者
善太息 膽病則魂神不 口苦嘔宿汁 膽熱溢木精

故膽脈病，終脉行變異，及脉陷以為候也。膽病者，善大息，膽病則魂神不暢，故好大息也。口苦，歐宿汁，膽熱溢木精，故口苦，歐宿汁。心下澹澹，恐如人將捕之，膽病心動怖畏，故如人將捕也。嗌中介介然，數唾，候在足少陽之本末，介介，謂咽嗌之中如有物閡也。候在足少陽本在竅陰之間，標在窓籠，即本末也。亦視其脉之陷下者灸之，其寒熱也取之陽陵泉。脉陷下者寒，故灸之也。寒熱取陽陵泉通行鍼灸也。黄帝曰：刺之有道乎？岐伯曰：刺此者必中氣穴，毋中肉節，中氣穴則鍼遊于巷，中肉節則肉膚痛，以下行鍼法也。中於肉者，者必中氣穴無中肉節中氣穴則針遊於巷中肉節則肉膚痛以下行鍼法也中於肉者不著於內之間中於節者不鍼骨穴之內皆不遊巷也謂巷衝巷空穴之處也補寫反則病益篤虛而寫之實而補之故曰反也中筋則筋緩中筋不中其痛則筋傷无力故緩也邪氣不出与真氣相薄亂而不去反還內著用針不審以順為逆黃帝曰善若中肉節及中於筋不當空穴邪氣不出与真氣相薄正邪相亂更為內病也以其用鍼不審非理故也

氣穴

黃帝問岐伯曰余聞氣穴三百六十五以應

氣穴

黃帝問岐伯曰余聞氣穴三百六十五以應一歲未知其所謂願卒聞之三百六十五穴十二經脈之氣發會之處故曰氣穴之岐伯稽首再拜曰窘乎哉問也其非聖帝孰能窮其道焉因請溢意盡言其處黃帝捧手逡巡而却曰夫子之開余道也目未見其處耳未聞其數而目以明耳以聰矣逡巡者遷巡窮究尋也溢意縱志也處三百六十五穴也捧手端拱也逡巡而却脈聽穴動也雖未即事見測文[illegible]

耳以聰矣三百六十五穴也。捧手，謙拱也。逡巡而却退，應之動也。雖未即事見識，目言其知，故已聰明也。岐伯曰：此所謂聖人易語，良馬易御。黃帝曰：非聖人易語也，世言其真數開人意也。帝謙岐伯以有聖德言其實理，雖非聖帝亦可知矣。今余所方問者，此真數也，如發蒙解惑，未足以論也。然余願夫子溢志盡言其處，令皆解其意，請藏之金匱，不敢復出。余所問者，但可發蒙解惑，而未足以為至極之論也。唯願夫子縱志言之，藏之不敢失墜也。岐伯再拜而起曰：臣請言之。請

背心相控而痛所治天突與十椎及上紀上

不散失墮也。此作事所來以目，寺言之前

与心相控而痛，所治天突与十椎及上紀。下

紀上紀者，胃脘也；下紀，關元也。任脈上於脊裏，為經絡海；其浮而外者，循腹裏。

當齊上胸至咽喉，路胸口，故椎胸相控痛者，任脈〃之痛也。此等諸穴，是任脈所貫，所以取也。之邪擊

陰陽左右，如此其病。前後痛澀，胸脅而痛，

不得息，不得卧，上氣短氣，偏痛，脈滿起，

邪出尻脈，絡胸脅，支心貫鬲，上肩加天突，斜

下肩交十椎下藏。量此脈，行摩生病，皆是督脈所為。下藏者，下絡腎藏也。

腧合□□五藏各有五輸，合廿五輸，此一輸千

下廉交十杼下藏所高下藏者下胕腎藏也
藏輸五十穴五藏各有五輸合廿五輸此一箱手足爲言令兩箱合論故有五十穴也
府輸七十二穴六府各有六輸合卅六輸此亡一箱手足爲言兩箱合論故有七十二穴也
熱輸五十九穴水輸五十七穴頭上五行行五
五五廿五穴中胎兩傍又五凡十穴大杼上
兩傍各一凡二穴目瞳子浮白二穴兩髀厭中
二穴犢鼻二穴耳中多所聞二穴眉本二穴
完骨二穴項中央一穴枕骨二穴上關二穴大
迎二穴關

巢骨下穴項中央一穴枕骨二穴上關二穴大
迎二穴下關二穴天柱二穴巨虛上下四穴曲牙二穴
天突一穴天府二穴天牖二穴扶突二穴天窻
二穴肩解二穴關元一穴委陽二穴肩貞二穴
肩髃二穴齊一穴胃輸二穴背輸二穴膺
輸二穴分肉二穴踝上橫骨二穴陰陽蹻四穴凡
三百六十五穴鍼之所由行也以上九十九穴通療諸病也水輸在諸分
熱輸在氣穴寒熱輸在兩骸厭中二穴以上言三種之輸穴之有
在脈條皆及骨也列本爲[illegible]

數髃在等穴實數者右兩髃肩中上一穴之輸穴之所

在腋極皆交骨也別本為側於腋交骨端與也大禁廿五在天府下五寸

三百六十五穴中有大禁者五里穴也在府天府以下五寸五五廿五往瀉此穴氣氣盡而死故為大禁也

問曰少陰何以主腎腎何以主水問少陰之脈主之所由也荅曰

腎者至陰也至極也腎者陰之極也陰者盛水也陰氣含水故曰盛水

陰者少陰少陰者冬脈也一曰肺者量為不然也少陰主藏也少陰之

脈藏屬於從外也故其本在腎其末在肺皆積水也

腎脈少陰上入肺中故曰來在肺也餘以腎之與肺母子上下俱積聚也問曰腎何以能聚

所以腎之与肺，母子上下俱積水也。問曰：腎何以能聚水而生病？腎為至陰，聚水，旁知何也生病。答曰：腎者，胃之關閇，〻〻不利，故聚水而從其類，上下溢於皮膚，故為胕腫。胃主水穀，胃氣關閇不利，腎因聚水，肺氣之應，溢於皮膚，故為胕腫。胕扶府反，与腐同義也。

問曰：諸水皆生於腎乎？答曰：腎者牝藏也，地氣上者屬於腎，而生水液，故曰至牝，陰也。地氣，陰氣也。陰氣盛水上屬於腎，生於津液也，故以腎為極陰也。勇而勞甚則腎汗〻出〻逢風，内不得入其藏，而外不得越於皮膚，客於六

府，行〻皮膚，傳為胕腫[illegible]之

□不得入其藏，外不得越於皮膚，客於六府，行於皮膚，傳為胕腫，本之於腎，名曰風水。勇者勞腎，用力勞甚，腎上腠開，汗出，邪風因入，其風性秉內，不得入府之陰藏，外不得洩府之皮膚，聚水，客於六府之中，行於皮膚，傳為胕腫，其本於腎，風所為，名曰風水也。問曰：水輸五十七處者，是何所主也？荅曰：腎輸五十七穴，積陰之所聚也，水所從出入也。以下言水輸也。腎為積陰，故津液出入也，皆腎為主也。尻上五行行五者，此皆腎輸也。尻上五行合廿五輸者，有非腎脉所數，皆言腎輸，以其近腎，並在腎部之內，腎氣行及，故皆為腎輸也。故水病，下為胕腫，大腹，而上為喘呼，不得臥者，標本俱病也，故肺為喘呼……

故皆腎輸也。故水病下爲胕腫大腹，上爲喘呼不得臥者，標本俱病也。故肺爲喘呼，腎爲水腫，標爲肺也，本爲腎也。肺爲喘呼，腎爲水腫，二藏共爲水病，故曰俱病也。肺爲逆，故不得臥。肺以主氣，肺病氣逆，故曰水病不得臥也。分之相輸受者，水氣之所留也。腎以主水，肺以主氣，故曰分之。二氣通聚，故曰相輸受也。相輸受者，水之與氣並留止也。伏菟上各二行，行五者，此腎之所衛也。伏菟以上各二行者，左右四行，合有廿輸者，皆是腎氣足少陰脈、衝脈所衛之輸也。三陰之所交結於腳者也。踝上各一行，行六者，是三陰脈交結腳者也，踝以上左右各有一行。

六輸合有十二輸

者也踝上各一行〻六者 踝以上左右各有一行
〻六輸合有十二輸故惣有五十七穴也 此腎脉之下行者也名曰
太衝 〻脉上出於頏顙下者注足少陰大絡以下伏行出跗循跗故曰腎脉下行名曰大衝也
凡五十七穴者皆藏陰之終也水之所客也 是等諸穴
皆腎之陰藏所終之輸水客之舍也 黄帝問於岐伯曰夫子言治
熱病五十九輸余論其意未能別其處也
願聞其處因聞其意岐伯曰頭上五行〻五以越 〻氣
諸陽之熱〻逆者 以下言頭上輸也人頭爲陽故頭上六五輸以越諸陽熱逆也 大杼
膺輸缺盆背俞此八以寫胸中之氣 杼除

諸陽之熱逆者上六五輸，以越諸陽熱逆者也。大杼

膺輸、缺盆、背輸，此八者以寫胸中之熱杼，除呂反。膺輸，膺中輸也。背輸，肺輸。此八前後近胸，故寫胸中熱也。

氣街、三里、巨虛上下廉，此八者以寫胃中之熱此八皆是胃脉足陽明所貫之輸，故寫胃中熱氣也。

雲門、髃骨、委中、髓空，此八者以寫四支之熱雲門近肩，髃骨在肩，並向手臂也。委中在膕，髓空在脊，一名脊輸，皆主於腳，故寫四支之熱也。

五藏輸傍五，此十者以寫五藏之熱背大陽五藏之輸，左右各有五輸，故有十輸，以寫五藏之熱也。凡此五十九穴者，皆

熱之左右也。皆熱病左同[illegible]

故有十輸以寫五藏之熱也凡此五十九穴者皆
熱之左右也皆熱病左右之輸也問曰人傷於寒而傳
爲熱何也答曰夫寒盛則生熱夫陽極則降陰極則昇是
以寒極生熱熱極生寒斯乃物理之常也故熱病號曰傷寒就本爲名耳也黃帝問於
岐伯曰願聞五藏之輸出於背者五藏之輸者有在乎
是令者欲聞背之五輸也岐伯對曰胷中大輸在杼骨之
端杼骨一名大杼在於五藏六府輸上故是胷之膻中氣之大輸者也肺輸在三
推之間心輸在五推之間鬲輸在七推之間
肝輸在九推之間脾輸在十一推之間腎輸

椎之間，心輸在五椎之間，鬲輸在七椎之間，肝輸在九椎之間，脾輸在十一椎之間，腎輸在十四椎之間，皆俠脊相去三寸所，輸，尸句反。逆數也。此五藏輸俠脊，脊節椎間相去遠近皆与明堂同法也。節欲而驗之，按其處，應中而痛，解乃其輸也。以下言取輸法也。縱微有不應寸數，按之痛者爲正。灸之則可，刺之則可。氣盛則寫之，虛則補之。以火補者，毋吹其火，須自滅也。以火寫者，疾吹其火，傅其艾，須其火滅也。對之補寫，前後數言，故於此中言灸補寫。火燒其處，正氣聚，故曰補也。吹令熱入經疾吹其火，傳其艾，須其火滅也。後數言故於此中言灸補寫。大燒其處，正氣聚，故曰補也。吹令熱入，以攻其病，故曰寫也。傳，音付，以手拊傳其艾，吹之使火氣不散也。

欲知背輸，先度其兩乳間，中折之，更以他草度去其半，已，即以兩隅相柱也，乃舉以度其背，令其一隅居上，齊脊大椎，兩隅在下，當其下隅者，肺之輸也。復下一度，心輸也。復下一度，右角肝輸也，左角脾輸也。復下一度，腎輸也。是謂五藏之輸，灸刺之度也。以上言量背輸法也。雖不同者，但人七尺五寸之軀，雖小法於

一度脉輸也是謂五藏之輸灸刺之度也

以上言量背輸法也，経不同者，但人七尺五寸之軀，雖小法於天地，无一経不盡也。故天地造化，數乃无窮，人之輸穴之分，何可同哉。昔神農氏錄天地間金石草木三百六十五種，法三百六十五日，濟時所用，其不錄者，或有人識用，或无人識者，蓋亦多矣。次黃帝取人身體三百六十五穴，亦法三百六十五日，身體之上，移於分寸，左右差異，取病之輸，實亦不少。至如扁鵲灸経，取穴及名字，即大有不同。近代秦承祖明堂，曹氏灸経等，所承別本，處所及名，亦皆有異，而除病遣疾，又復不少。正可以智量之，適病為用，不可全言非也。而并為非者，不知大方之論。所以此之量法，聖人設教，有異，未足怪之也。

黃帝問於岐伯曰：余以知氣穴之處，游鍼之居，願聞孫脉絡谿谷亦有所應

遊鍼之居，願聞孫絡谿谷，亦有所應

乎？岐伯曰：孫絡三百六十五穴會，以應一歲 以下

言孫絡之會也。十五絡脈從經脈生，謂之子也；小絡從十五絡生，乃是從脈孫也。孫絡與三百六十五穴氣會，以法一歲之氣也。

以溢奇邪，以通營衛 溢謂滿溢，水行處也。孫絡行於奇邪營衛之氣，故曰

盈大逆反 營畱營溢，氣濁血著，外為發熱，內為

少氣 若營留營血溢中不行，逆令血濁，血者皮膚發熱，營衛不行，故曰少氣也。 疾寫毋怠

以通營衛，見而寫之，毋問所會 如此孫絡血氣溢遺，務通有血之

處所，寫之以通營衛，不須求其輸會而生疑慮。 黃帝曰：善。願聞谿谷

之會也。岐伯曰：肉之大會為谷，肉之小會為

洫以其稀會而生寢應。黃帝曰：善。願聞谿谷
之會。岐伯曰：分肉之大會為谷，肉之小會為
谿，肉分之間，谿谷之會，以行營衛，以會大
氣。以下言分肉相合之間，自有大小。大者稱谷，小者名谿，更復小者以為溪洫，皆行營衛，以舍邪之大氣也。
邪溢氣壅，脈熱肉敗，營衛不行，必將為
膿。以下言氣壅成熱，以為壅疽，邪氣客此谿谷，溢遷澗溢，留止營衛，氣壅，壅熱，熱肉腐稱為壅膿也。
内消骨髓，外破大膕，留於節腠，必將為敗。
氣壅為熱，消骨破膕，留於骨節腠於腠理，以為壅疽，遂至敗亡也。積寒留舍，營衛

敗於腠理以爲敗疵逐更敗已也積寒留舍營衛
不居寒肉縮筋時不得伸内爲骨痺外
爲不仁以下言寒氣留積谿谷淫溢爲痺不仁也命曰不足大寒留
於谿谷寒氣留積爲痺不仁者命曰陽氣不足大寒留於谿谷淫溢故也谿谷三
百六十五會亦應一歲人之大小分内之間有三百六十五會也其小痺
淫溢循脈往來微鍼所及與法相思寒溢之氣入於
腠理以爲微痺淫溢流於脈中循脈上下往來爲痛可用小針相同爲當之黄帝曰善乃
辟左右再拜而起曰今日發蒙解惑藏之
金匱不敢復出乃藏之金蘭之室

辟左右再拜而起曰今日發蒙解惑藏之金匱不敢復出乃藏之金蘭之室署曰氣穴所在帝以道尊德貴屈敬故也金蘭之室藏書府也岐伯曰孫絡之脉別經者其血而盛當寫者亦三百六十五脉並注於絡傳注十二絡脉非獨十四絡脉也舉可寫孫絡注大絡之數也並注於十二皮部絡也十二別走絡脉并任督二脉為十四絡也脾之大絡後作而出不從脉起故不入數言諸孫絡傳注十二之絡非獨注於十四絡也内解寫於中者十脉解別與其諸絡脉別者内爲十脉也十脉謂五藏脉兩箱合論故有十也

者十脈十脈謂五藏脈兩相合論故有十也

氣府

足太陽脈氣所發者七十三穴兩眉頭各

一攢竹穴一一足也入髮須二寸間半寸髮上入髮半寸後從頂入髮一寸故曰入髮

二寸間去有一寸半髮際四半寸也傍五相去二寸其浮氣在皮

中者凡五行明髮傍相去一寸半有此不同也其浮氣是太陽浮氣在此五行

穴之行行五々々廿五廿五穴者面上五脈上頭從入髮一寸以上周通高處當前撮載於

督脈上行有五處處各五穴當前部並會前頂百會

後頂強間五也挾督脈兩傍足太陽脈五處承光通天

絡却玉枕左右十也足太陽所發足少陽脈臨泣目窗

俠項俠間五也俠脈兩傍足太陽脈五處承光通天
絡却玉枕左右十也足太陽兩傍足少陽脈臨泣目窓
正營承靈腦空左右十也太陽爲二陽之標故皆爲太陽
廿七也
項中大筋兩傍各一 兩傍天柱二穴廿九也 風府一穴
各一 天牖二穴三十一也 俠脊以下至尻廿一節十五
間各有一 大椎以下至尾骶廿一節十五間其傍各有一輸爲卅輸六十一也 委中以下
指傍六輸 從足小指上至委中有井滎輸原經合等左右十二輸并七十三也
少陽脈氣所藏者五十二穴 兩角上各二 兩角上至耳上角 各四穴也
耳前角上各一 頷厭穴左右二穴六也
上關 下關耳前曲

□囟四穴也

耳前角上各一 二穴六也客

一穴上關 二穴八也 下關各一 下關耳前動 脈上二穴十也 耳下

牙車之後各一 大迎一名髓空 二穴十二也 缺盆各一 缺盆 一名

□□二 穴十四 掖下三寸 脅下至胠八間各一 □□ 左右

一寸□小枝臓筋天池二穴在□下至胠章門維道日月 □□經氣義也腸氣大横此二穴正經雖不言義

追中三正經氣也帶脈五樞此二穴少陽別氣至也□府 □穴太陽脈絡別至也光右廿二□□穴也足則掖下三

寸肩貞下三寸□間□不為□ 則脇脅之髎可別矣

髀樞中傍各一 環跳 左右

中

膝以下至足小指次指各六輸 足少陽井 等六輸左

[illegible]

[illegible]

本神左右 十二也 足陽明脈氣所發者六十二穴 額顱

髮際傍各三 維本神左右也 面鼽骨空各一

[illegible]長也有[illegible]痛[illegible]也 顴髎左右二穴

[illegible]明[illegible]不氣表之陽明正別上頭循目系[illegible]

也

大迎之骨穴各一 左右二穴十也 缺盆外骨空各一 [illegible]

穴十二也 所[illegible]

[illegible]明大脈氣[illegible]也

膺中骨間各一 膺中[illegible] 左右二穴也

俠鳩尾之外當乳下三寸俠胃脘各五

[illegible]不容承滿梁門

[illegible]明左右十[illegible]也

俠臍廣三寸各三 太一[illegible] 天樞[illegible]

[illegible]

陽明左右十四穴也 俠胃[illegible]下各三 天樞左
左右六穴 下臍二寸俠之各三 外陵大巨水道歸來等
穴也 會關門左右十二穴論三
一名谷脈穴又名則 氣街動脈各一 二穴廿一 氣衝左右
是所以去入陽明也
伏菟上各一 髀關二穴伏兔二穴 三里以下至足中指各八
穴也 中指[illegible]三里巨虛上下廉
俞分之所在穴空 右十六穴 上廉 陽明足
以合谷足陽明 手太陽脈氣所發
[illegible]合有十六也
者卅六穴 目內眥各一 精明左右二穴
骨穴各一 二穴四也 巨骨左右 曲掖上骨穴各一 二穴六也

□穴名□二穴四也□□□□穴名□二穴六也

柱骨之陷者各一肩井二穴八也上天容四寸各一

足太陽也天容手太陽脉來至天容謂天容字錯未詳所在左右八穴十六肩解各一秉風左右

一穴十八肩解下三寸者各一天宗臑俞肩貞左右六穴廿四肘以下至

手小指本各六俞六俞左右十二穴卅六也手陽明脉

氣所發者廿二穴鼻穴外廉項上各一迎香扶突

左右四穴天窓手陽明大迎骨空各一大迎左右二穴六也
□直故□其氣也

素升柱骨之會各一柱骨左右二穴八也上出柱骨之會上下入缺盆脉過此二穴故得其氣也

帝之會各一 上下大缺盆中過此二穴故得其恐

髃骨之會各一 肩髃二穴十 肘以下至手大指次

指本各六俞 肘下六俞左右十二穴也 手少陽脈氣所

發者卅三穴 鼽骨下各一 顴窌二穴 眉本各一 絲竹

空左右二穴四 角上各一 頷厭左右二穴六也 下完骨後各一 天容左右

穴八也 項中足太陽之前各一 大椎大杼左右及中三穴十一 扶突

各一 扶突左右二穴十三也 天窓近手太陽經也 肩貞各一 肩貞左右二穴十五 肩貞下

三寸分間各一 [illegible] 右六穴廿一 [illegible] 太陽也 肘以下

[illegible] 六俞左右十二穴也 [illegible]

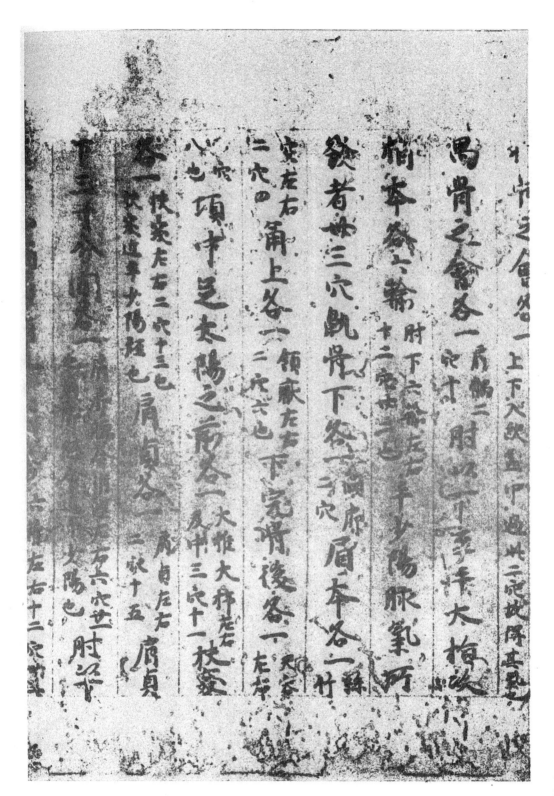

下[illegible]也肩髃髎會近下少陽也 月二一

至手小指次指本各六輸 六輸左右十二穴廿四也一曰廿八者數不同

也頰 其頰 皆脉氣所發者廿六穴項中央三 項中央者頂內

非唯當中也故項以下者府門一天柱二為三也上以風府一風池二為三總有六穴也皆脉上入風池所為信遠

大椎以下至尾廿一節間各一骶下凡廿一節

脊[illegible]並升反此從音從尾窮骨從骨為臣大椎至骶廿一節有廿間間有一穴則廿六

穴也胸當從元端上項下至膺門十三穴大椎下[illegible]長強屈一節有廿一穴凡廿四穴皆脉氣所發者

委中為來許也 任脉之氣所發者廿八穴喉中央二

[illegible]

詳也　任脈之氣所發者廿八穴喉中央二

[illegible]天突[illegible]也　鳩尾下三寸胃脘五寸胃脘以

下至橫骨六寸半一腹脈法也　鳩尾以下至橫骨上穴六寸半有一穴

有二十六穴并已前有一十八穴也明堂中央任脈氣所

[illegible]有廿六穴此錄從旋機以下至達中[illegible]穴合　[illegible]此經從旋機下至橫骨[illegible]

下分寸復与明堂不同未詳　五藏之輸各五

凡五十穴　足少陰舌下厥陰毛中急脈

五藏之輸有廿五兩稱合為五十穴足少陰舌下　[illegible]與明堂同欲陰毛中[illegible]急脈是同骨[illegible]

手少陰各一陰陽蹻各一手足諸魚際

氣所發者凡三百六十五穴也　手少陰左右二穴

言與陽

氣所發者凡三百六十五穴手少陰左右二穴陰蹻所生照海陽〻脈左右以穴半與際〻〻之〻〻際足太陰脈左右二刂十穴惣廿六脈有三百八十四穴此言三百六十五〻舉大數爲〻〻〻之与不及不爲非也三百八十四穴乃是〻諸脈發穴之義若准明堂取穴不盡仍有重取〻

〻〻空

帝問於岐伯曰余聞風者百病之始也〻〻治之奈何岐伯曰〻風從外入令人振寒汗出頭痛身重惡寒治在風府調

汗之者何以作之二次入令八楯

甚汗出頭痛身重惡風寒治在風府調

其不足則補有餘則瀉 風爲百病之源風動於身凡有五種一者

惡風二者汗出三者頭痛四者身重五者惡風寒 太風

調其屈伸之節寸之瀉風實虛也

頸項痛刺風府風府在上椎 大風謂眉髮落大風病也在上椎者大椎上入

大風汗出灸譩譆譩譆在背下俠脊

三寸所厭之令病者呼譩譆譩譆應手

從風憎風刺眉頭 上聲之文正謂次之灸謂病也風起則風病數故曰從風憎風

失枕爲病可取肩

風出風入府穴也風起則風病發故曰是風府

骨也失枕在肩上之横骨間是枕爲病可取肩上横骨間謂缺盆

折使揄臂齊肘正灸脊中除眇絡季

脇引少腹而痛脹折使中也謂使人臂當肘灸脊中除眇絡季脇與少腹相引痛脹也

脹刺譩譆譩譆在足太陽故太陽脉刺譩譆也腰痛不可以轉搖

急引陰卵刺八窌與痛上八窌在腰

尻分間八窌在髂骨兩尻孔作窌實者腰空穴也鼠瘻寒熱還

寒府寒府在膝外解營寒府在膝外解之營穴也名

股關也

□□府□股外□□解之管也名

骸關也　取膝上外者使之拜，取足心者使

□者温之　凡取膝上外解使拜者，屈膝伏也；取

□□□跪　涌泉者，屈膝至地，不伏為跪也。　結膝

起少腹以下骨中央，女子入繫庭孔，其孔

溺孔之端　骨中尻下大骨空中也，下入骨空中。其　女子繫屈□□□下□陰□也

□絡陰器合篡間，繞篡後，別繞臀，至少

陰與巨陽中絡者合，少陰上股内後廉

貫脊屬腎，與太陽起於目内眥　督脉絡也，繞　□篡合於篡

脈繞篡後復合，從後左分為二道，繞臀至足少陰及庭

[illegible]合於篡

間繞篡後復合，此後於分爲二道，繞臀，至足少陰及足
太陽二脈，合足少陰之經，上股後廉，貫脊屬腎，督脈足
陽脈從頭額上至
[illegible]皆別也
上額交巔上，入絡腦，還出別
下項，循肩髆內，俠脊抵腰中，入循膂絡
腎。其男子循莖下至篡，與女子等。
督脈從此流注上額，至頂上相交已，左右入腦中，還出兩髆，
別下項，各循肩髆之內，俠脊下至腰中，各絡脊膂，還
屬腎，從脊出篡，端上屬上下，名下極，
會氣發於穴，餘行之處，並不發之穴也。其少腹
直上者，貫齊中央，上貫心入喉，上頤環脣，

[illegible]

[illegible]

上頞兩目之下中央 有人之此缺直上者不細黑 者謂此皆脈以爲任脈衝爲

此生病從少腹上衝心而痛不得前

後爲衝疝其女子不孕癃痔遺溺嗌乾

督脈生病治督脈 此八種病皆脈而生治 療皆脈之穴也

治在骨上甚者在齊下營 以重言齊下營脈也 骨上量是髑骨

皆脈標也齊下營者 脈本也營其穴處也

其上氣有音者治其

喉中央在缺盆中者 有音上氣者喉嚨也喉 中央廉泉也缺盆中央

[illegible]

喉〻者在缺盆中者中央廉泉也缺盆中央

其病上衝喉者治漸〻者上俠頤

文通也

蹇膝伸不屈治其楗伸不得屈骨端

〻傷〻在髀輔骨以□上髕骨以下名楗也

坐而膝痛治其機俠髖

中機揆尻為機

立而暑解治其骸關人立支節汗憂熱

〻〻骸關〻骸關骸關也□□膕□是伸之實也

膝痛〻及拇指治其

膕拇指小拇指也足少陰之太陽皆行膕中□是□物故療其膕也

坐而膝痛如

物隱者治其關膕上髀樞為關也

膝痛不可屈伸

其□□背内謂足太陽也行三行□陽□

□□□為陽也 膝痛不可屈伸

治其背内 背内謂足太陽挾脊輸内也 連䯒若折治陽明

□之鉤髎 集痛不得屈伸連脚䯒其痛若折者 䯒是陽明中輸足陽明中輸謂是

□□上□□ 䯒輸穴也 若别治巨陽少陽榮 若䯒痛 若别可

□□大之少陽 □脉營穴也 淫濼不能久立治少陽之維在

外踝上四寸 濼濯各反 淫濼膝䯒酸痛无力也 外踝上五寸足少陽光明穴也 陽維者在

四寸中也 輔骨上横骨下為楗 侠髖為機 膝

解為骸關 侠膝之骨為連骸 骸下為輔

□□□□□□□□ 膝輔骨上

解爲骸關俠膝之骨爲連骸〻下爲輔〻上爲膕〻上爲關頭橫骨爲枕膝輔骨上橫骨下爲楗書髖〻髀厭爲骸也項橫骨項上頭後玉枕也髖孔昆反又音寬水輸五十七者尻上五行〻五伏兔上兩行〻五左右各一行〻六穴前已言水輸今復重言者此言水骨空水輸主骨故重言也髓空在腦後三分在顱際銳骨之下〻一在齗基下〻一在項中復骨下〻一在脊骨上空在風府上脊骨下空在尻骨下空數髓空在面俠鼻或骨

[illegible]

空在脣骨下空舉齗空在面俠鼻或骨
空在口下當兩肩兩髆骨空在髆中之陽臂
骨空在臂陽去踝四寸兩骨之間股骨上空
在股陽出上膝四寸䯒骨空在輔骨之
端股際骨空在毛中動脈下尻骨空在髀
骨之後相去四寸扁骨有滲理湊毋髓空易
髓無空

二十六皆骨上有空五穀清液入此骨空資[illegible]通也此骨空種數所在難[illegible]觀[illegible]
未以可知其之宜而不數也
兩肩等本為脣也

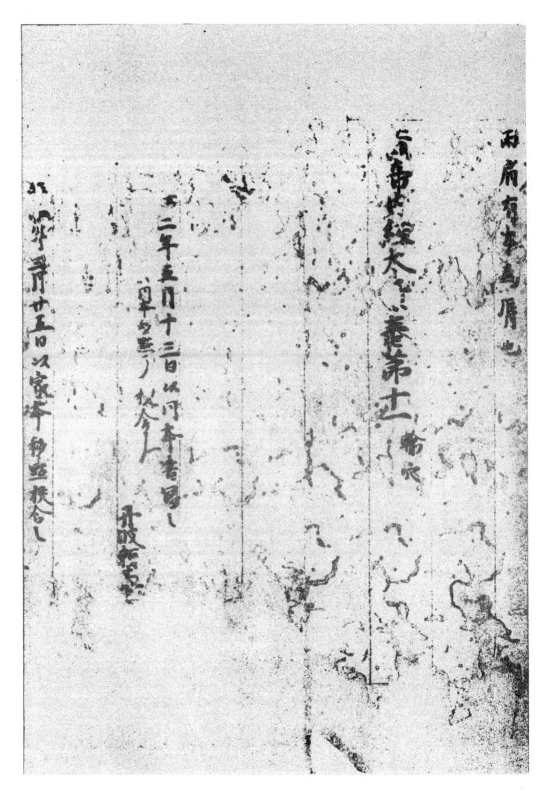
黄帝内經太素卷第十一 輸穴
二年五月十三日以同本書寫之
廿五日以家本移點校合之

三月廿五日以家本移點校合了